세계철학사 8

世界哲学史 8
SEKAI TETSUGAKUSHI 8: GENDAI GLOBAL JIDAI NO WA

Edited by Kunitake Ito, Shiro Yamauchi, Takahiro Nakajima, Noburu Notomi
Copyright © 2020 Kunitake Ito, Shiro Yamauchi, Takahiro Nakajima, Noburu Notomi
All rights reserved.
Original Japanese edition published by Chikumashobo Ltd., Tokyo.
This Korean edition is published by arrangement with Chikumashobo Ltd., Tokyo
in care of Tuttle–Mori Agency, Inc., Tokyo through Bestun Korea Agency, Seoul.

세계철학사 8

현대
― 지구화 시대의 앎

책임편집 이토 구니타케 伊藤邦武
야마우치 시로 山內志朗
나카지마 다카히로 中島隆博
노토미 노부루 納富信留

옮긴이 이신철

도서출판 b

| 차례 |

머리말

나카지마 다카히로^{中島隆博}

서양이 문명이자 근대이다. 이러한 19세기 패러다임이 세계를 뒤덮으려고 하는 한가운데서 그 한계와 모순 역시 점차 모습을 드러내 왔다. 자유와 평등 그리고 인권과 같은 보편적 가치를 부르짖는 근대 문명이 동시에 다른 지역을 식민지화하고 강제적인 권력으로 지배하는 제국주의로 전환해간 것이 세기말이었다.

20세기에 들어서자 그 알력은 이미 숨길 수 없는 것이 되어갔다. 그 극한으로서 생겨난 것이 제1차 세계대전이다. 이것은 세계 전체가 전쟁 상태가 되는 최초의 경험을 인류에게 주었다. 20세기는 전쟁의 세기가 되었다. 그것은 서양 근대 문명의 보편성에 대한 의문이 결정적으로 된 순간이기도 했다. 제1차 세계대전으로 파괴되고 '스페인 독감'의 팬데믹으로 괴로워하는 유럽을 시찰한 량치차오^{梁啓超}는 그의 『구유심영록^{歐游心影錄}』(1920년)에서 만능이었어야 할 과학이 파산하고 행복을 가져오기는커녕 재난을 가져왔다고 말하고 '이번의 대전은 하나의 응보다'라고 단언했다.

서양 근대 문명의 '위기'에 어떻게 대처할 것인가? 이 물음이 유럽과 미국뿐만 아니라 바로 세계적인 과제가 되었다. 그에 대해 한편으로는 서양 근대 문명의 보편의 빛과 그림자를 응시한 다음, 그것을 좀 더 보편적인 것으로 열어나가고자 하는 움직임과 다른 한편으로는 지역적인 전통을 좀 더 중시하고 '근대의 초극'을 시도하고자 하는 움직임이 생겨났다. 그 두 가지 움직임이 서로 대항하여 싸우는 가운데, 철학 역시 그 보편성을 되돌이켜 다시 묻게 되었다.

이 제8권에서는 우선은 이러한 갈등으로 채워진, 위기로 향하는 철학의 세계적인 전개가 그려지게 된다. 그러나 다양한 분투에도 불구하고 제1차 세계대전 후의 세계는 위기를 극복하는 데는 이르지 못하며, 전체주의 체제의 성립을 허용하고 더 나아가 깊이 분단되어갔다. 이러한 상황은 제2차 세계대전 후에도 냉전 구조로 이어졌고, 20세기의 마지막에 이르러서야 겨우 완화되기 시작했다.

세계철학적으로 이 시대를 보게 되면, 가장 중요한 물음의 장소는 '이성과 그의 타자'라는 것이 될 것이다. 서양 근대 철학의 초석이었던 이성이 전쟁과 분단을 초래한 것이 아닐까? 테오도르 아도르노와 막스 호르크하이머 등이 제기한 쓰디쓴 물음이다. 그것은 이성이 그의 타자로서 주변화해온 것, 예를 들어 감정과 무의식, 신체와 성 그리고 종교의 재검토를 요구하게 된다. 또한 그것은 인간 중심주의적인 이해가 억압해온 삶의 방식, 예를 들어 동물과 식물의 존재 방식, 환경과 공생에 대해 사유를 촉구하게 되기도 한다. 이 제8권은 이러한 인간을 재정의하고자 한 철학적 도전에도 많은 지면을 할애하고 있다.

베를린 장벽이 붕괴하고부터 30년 동안 우리는 이럭저럭 연대하고 분단을 극복하며 극단적인 가치 상대주의에 빠지지 않는 방식으로 다양성을 존중하는 노력을 계속해왔다. 그렇지만 제1차 세계대전 전야와 아주 흡사한 과잉 소비와 과잉 생산하에서의 격차와 빈곤, 지역의 쇠퇴와 같은 지구화의 그림자가 점차 깊이 드리워지게 된 것도 확실하다. 현재의 신형 코로나바이러스의 팬데믹은 이러한 '이미 알고 있는', 그러나 손대기를 게을리해온 문제들을 분명히 드러내고 있다.

또 다른 전체주의화와 세계의 분단으로 향하지 않도록 하기 위해서는 어떻게 해야 할 것일까? 오늘날의 세계철학에 제기되는 것은 이 물음이다. 독자 모두와 함께 이 물음을 깊이 생각해보고자 한다. 그것이 이 마지막 권의 바람이다.

제1장

분석 철학의 흥망

이치노세 마사키一ノ瀬正樹

1. 과학주의와 '사실/가치'의 분리

이원론의 유전자

이원론dualism은 우리 인간에게 강력한 무기임과 동시에 벗어나기 어려운 고질병이기도 하다. 본래 우리 인간의 언어에 '부정'이 있다는 것, 이 점이 결정적이다. 'A이다'라고 말한 바로 그 순간에 'A가 아니다'라는 부정문이 보여주는 영역이 배후에 나타난다. 이원론은 이러한 의미에서 우리 인간 사유의 숙명이다. 그것은 말하자면 유전자다. 그렇게 우리는 살아갈 수밖에 없다.

그러나 이원론은 우리의 생존에 크게 공헌하고 적응도를 높여주었다. 본래 세계에 대해 알고 이해한다는 것은 '나누는' 것에 기반한

다. '이것은 이것이고, 이것이 아닌 것이 아니다'라는 대상화의 작용, 이것이 사태를 이해하는 것의 근간이다. 혼돈의 세계에 선을 긋고서 둘로 나눈다. 그렇게 함으로써 세계로 향하는 지침이 성립한다. 즉, '나누는分ける' 것이 '아는分かる' 것으로 직결되며, 아니 오히려 '나누는' 것이야말로 '아는' 것이다(이치노세 마사키, 『죽음의 소유死の所有』, 東京大学出版会, 2019년, 마지막 장 참조).

그리고 '나누는' 것에 의해 두 개의 영역이 나타나며, 나아가서는 이원론이 발생하는 바탕이 되어간다. 있음과 없음, 삶과 죽음, 생물과 무생물, 인간과 인간 이외, 안과 밖, 이것들은 너무나 근원적인 이분법이며, 이것들의 구별 없이 생존하기는 어려울 것이다. 물론 1과 0으로 이루어진 이진법(이것도 이원론의 하나다)이 디지털로서 우리 생활의 편리성을 놀라울 정도로 높여주었다는 점도 간과할 수 없다.

둘로 나누는 것의 특질

이와 같은 둘로 나누는 것에 관해 세 가지 점을 주의해두고자 한다. 첫째는 이원론에 맞서 일원론이나 셋 이상으로 나누는 다원론이 있으므로 이원론이 특히 우리의 유전자로 생각될 정도로 특별한 기반인 것은 아니지 않은가 하는 의문이 제기된다는 점이다. 대답하자면, 우선 다원론적으로 세계를 바라보는 견해에서도 역시 이원론은 근원적이라고 말할 수 있다. 예를 들어 무언가의 발생 확률 90%라는 판단의 경우에도 그것은 90%이지 그 이외의 것이 아니라는 사고 방법이 역시 근저에 가로놓여 있다. '무엇무엇은 이러이러한 것이다'라는 판단은 '무엇무엇은 이러이러한 것이 아니다'라는 판단을 논리적으로 배제한다. 다만 확률 90%라는 판단이 확률 90.0001%와는 다르다고 말할 수 있는지 아닌지는 어려운 문제이다. 그러한 식별 불가능한 차이에 관한 '모호성'의 문제는 계속해서 남는다. 그 점에 대해서는 주의해두자.

그러면 일원론은 어떠할까? 일원론이란 삼라만상을 하나의 요소로 이루어진 것으로서 파악하는 사고방식을 말한다. 예를 들어 세계는 물질만으로 이루어져 있다고 하는 유물론 등이 그 대표일 것이다. 그렇지만 이것도 역시 이원론과 이질적인 것은 아니다. 왜냐하면 여기에는 '세계와 세계 밖'이라는 구분이 역시 자리 잡고 있기 때문이다. 요컨대 일원론이란 내실을 이루는 것과 그것 이외의 것으로 구분하는 형태의 변장한 이원론이다.

둘째로 주의하고자 하는 점은 무슨 일이든 간에 둘로 나눌 때는 사실은 그 배경에 둘에 공통된 무언가가 암묵적으로 섞여 들어온다는 것이다. 토지를 둘로 나눌 때가 그 모형일 것이다. 토지를 둘로 나누어 예를 들어 국내와 국외로 나누었을 때 말할 것도 없이 국내와 국외는 같은 지구의 표면이라는 점에서 공통된다.

역으로 공통된 것이 아무것도 없다면 둘로 나누는 조작은 의미를 이루지 못한다. '인간'과 '인간 이외'를 나누는 것은 완벽하게 의미를 이룬다고 할지라도, 예를 들어 '천객만래'와 '콤프턴 효과'

를 나누는 것은 그 둘이 두 마리의 개 이름이라고 하는 특수한 경우를 제외하면 보통은 의미가 명확하지 않다. 어쨌든 이원론이라는 것은 두 개의 대립 항의 차이를 분명히 하는 것이긴 하지만, 사실은 동시에 이를테면 그 정의상 두 가지에 공통된 무언가 근저에 놓여 있는 것을 암시하기도 하는 것이다.

그리고 마지막으로 세 번째의 주의점인데, 그것은 때때로 위의 두 번째 주의점을 간과하는 것에서 생겨난다. 즉, 이원론이나 이분법은 자주 두 개의 나누어진 것들 사이의 우열로 전환하고, 때에 따라서는 차별과 편견을 촉진한다는 점을 특별히 언급하고자 하는 것이다. '나눈다'라는 것은 차이화하는 것 이외에 다른 것이 아니며, 거기에는 말하자면 자연히 배제나 순위 매기기가 몰래 들어올 수 있다. 어쩌면 본래 가치 그 자체가 우리의 유전자인 이원론에서 출발한다고까지 말할 수 있는 것이 아닐까? '선'과 '악'의 가치 이원론이 그 전형적인 예라고 할 수 있을 것이다. 이것들은 둘로 나누는 것이 앞 단락에서 지적했듯이 사실은 공통성 아래 있다는 것을 전적으로 망각한 귀결이다. 그러나 이것도 우리의 유전자인 이원론이 이룰 수 있는 일이다.

철학의 이원론

이원론의 유전자는 당연히 철학의 세계에서도 그 지배력을 유감없이 발휘하고 있다. 역사를 펼쳐보면, 플라톤의 '이데아계/감각계'의 이원론이 고전적으로는 가장 유명할 것이다. 그리고 더 나아가 근대 초기까지로 시대를 건너뛰지만, 인간에 관한 이원론이 활기를 띠어간다. 데카르트 이래의 심신 이원론이 있으며, 라이프니츠의 '이성의 진리/사실의 진리'·흄의 '관념의 관계/사실의 문제'·칸트의 '분석/종합'이라는 논리와 경험의 이원론 계보가 이어진다. 그 가운데서도 칸트는 이원론의 제왕이라고도 말해야 할 철학자로 '분석/종합' 이외에 '선험적a priori/후험적a posteriori', '초월론적/경험적', '수학적/역학적', '구성적/규제적', '사실문제/권리문제'와 같은 다양한 이원론을 차례차례 가지고 들어오며, 그것들을 토대로 마침내는 '현상계/예지계'(사물 자체)라는 근원적인 이원론을 제시한다. 그 '현상계/예지계'의 이원론을 이어받은 쇼펜하우어가 '표상/의지'라는 현란한 변화구와 같은 이원론으로 변성시킨 것이 19세기 전반이었다.

칸트의 철학이 19세기 전반에 독일 관념론이라는 대단히 사변적이고 추상적인 철학의 계보로 이어진 것은 잘 알려져 있다. 그러나 세상의 이치가 그렇듯이 반드시 반동이 다가온다. 그 발단은 19세기 말 빈에 놓여 있었다. 빈대학 교수를 맡은 물리학자이기도 했던 에른스트 마흐Ernst Mach(1838~1916)가 인간의 인식을 모두 '감각'이라는 요소에 의해 해명하는 '요소 일원론'으로 불리는 입장을 내세우고, 감각적인 증거가 없는 개념, 예를 들어 뉴턴적인 절대 시간이라든가 절대 공간의 개념과 같은 것을 배척했다. 그러한 비경험적이고 추상적인 개념과 형이상학적이고 감각에 대응하지 않는 개념을 배제하여 인간의 사유를 절약한 형태로 표현하는 것이 학문과 철학의 역할이라고 하는 '사유 경제'의 이념이 내세워 졌다. 그렇지만 이미 검토했듯이 일원론은 변장한 이원론이므로, 마흐의 '요소 일원론'은 실은 감각에서 유래한 것과 그것 이외로 구분하는 이원론이라고 할 수 있다.

논리 실증주의

이러한 빈에서의 마흐의 사상은 상당히 과격하고 오로지 명석함을 추구하는 것이었다. 그런 까닭에 구세대의 사변적 철학에 친숙해지지 않는 경향을 지니는 연구자들에게 환영받았다. 그리고 이른바 '빈학파'라고 불리는 일군의 철학자들이 그로부터 발흥해 나온다. '빈학파'란 빈대학 교수에 취임한 슐릭Moritz Schlick(1882~1936)을 중심으로 노이라트Otto Neurath(1882~1945), 카르납Rudolf Carnap(1891~1970), 라이헨바흐Hans Reichenbach(1891~1953), 헴펠Carl Gustav Hempel(1905~1997)과 같은 철학자들에 의해 구성된 넓은 의미에서의 공통된 사고방식에 따라 결합해 있던 그룹을 말하는데, 그들의 사조는 '논리 실증주의'라고 불린다. 그 공통된 이념이란 '철학의 과학화'라고 요약할 수 있다(크라프트Victor Kraft, 『빈학파ウィーン学団』, 勁草書房, 1990년, 12쪽). 철학에서도 과학적인 사고 방법, 즉 명석성, 엄밀성, 테스트 불가능한 형이상학적 사변과 선험주의apriorism의 배제라는 자세를 으뜸으로 여긴다는 것이다. '명제의 의미란 그것의 검증 방법을 말한다'라는 유명한 슐릭의 '논리 실증주의의 테제'가 그것을 상징한다(해킹 Ian Hacking, 『언어는 왜 철학의 문제인가言語はなぜ哲学の問題になるのか』, 勁草書房, 1989년, 156 ~157쪽). 검증이란 경험적으로 성립하는가 아닌가를 감각을 통해 확인하는 작업을 말한다. 이러한 논리 실증주의가 출현함으로써 이른바 '분석 철학'이 발흥했다는 것이 표준적인 역사 기술이다.

이처럼 마흐의 요소 일원론에서 발단하는 논리 실증주의는 우리가 명석하게 확인할 수 있는 감각적인 경험에 우리 인식의 기반을 두는 견지에 서지만, 거기에는 처음부터 모종의 긴장이 배태되어 있었다. 우선 첫째는 모든 의미 있는 인식을 감각에 기초하여 과학적으로 해명한다고 할 때, 그렇다면 논리와 수학은 어떻게 되는가 하는 문제가 발생한다. 논리와 수학의 명제는 '귀류법'이나 '허수' 등을 떠올려보면 알 수 있듯이 감각에 기초하는 것이 아니다. 그렇다면 형이상학적인 확신으로서 폐기해야 할까? 그렇게는 안 된다. 과학이 논리나 수학에 근거한다는 것은 명백하기 때문이다. 과학화를 표방하는 한에서 논리와 수학은 유의미한 것으로서 받아들이지 않으면 안 된다. 그러나 이 점과 관련해서는 논리와 수학의 명제가 경험과 관계가 없다고 하더라도 '단순한 표현 체계 내부에서의 관계'라는 기호와 언어 수준에서의 '규약'으로서 파악함으로써 논리 실증주의는 논리와 수학을 형이상학적 주장으로 간주하지 않고서 흡수해갔다(크라프트, 앞의 책, 20~21쪽). 이 점은 논리 실증주의가 '분석/종합'이라는 전통적인 이원론을 받아들였거나 그 이원론을 이용했다는 것을 의미한다. 논리와 수학의 주장은 분석 명제이고 경험 과학의 주장은 종합 명제라고 한 것이다.

분리형 이원론

그러나 또 하나의 긴장이 드러나게 된다. 논리 실증주의가 근거하는 과학주의의 본체인 자연 과학 그 자체에서 감각 가능하지 않은 것이 주역을 맡고 있다는 사실을 어떻게 소화할 것인가 하는 문제이다. 감각 가능하지 않은 것이란 예를 들어 전자, 전하, 뉴트리노 등의 '소립자'에 따라붙는 개념, '중력장'의 개념 등이 그에 해당한다. 과학화를 표방하는 논리 실증주의자로서는 이것들을 감각 가능하지 않은 까닭에 형이상학적인 것으로서 폐기한다고는 말할 수 없다. 이리하여 논리 실증주의를 대표하는 철학자 카르납Rudolf Carnap(1891~1970)은 이러한 이론적 개념들이 '원초적primitive' 개념으로서 인정되는바, 왜냐하면 그것들을 단적으로 인정함으로써 우리의 경험이 좀 더 수미일관하게 설명되기 때문이라고 하여 도구주의적인 해결을 꾀했다(퍼트넘Hilary Putnam, 『사실/가치 이분법의 붕괴事實/價値二分法の崩壊』, 法政大学出版局, 2006년, 27쪽 참조).

이것은 어떻게 이해될 수 있을까? 소박하게 생각해서 이것은 분명히 논리 실증주의에 중대한 균열이 발생했다는 것이 아닐까?

적어도 여기에서의 문제를 좀 더 명확히 이해하기 위해서는 '분석/종합'에 대응하는 '감각적 경험/논리·수학'이라는 이원론을 넘어서서 '분석/종합'이라는 이원론 그 자체를 하나의 항으로 하는 또 하나의 상위의 이원론에 눈길을 돌려야만 한다. 논리와 수학 등의 분석적 명제가 경험적 사실 해석을 위한 도구라고 하는 카르납의 말에 따르게 되면, '분석/종합' 그 자체는 전체로서 '사실' 내부의 이원론으로서 이해할 수 있다. 그런데 그것을 '사실'로서 파악할 때 그 대립하는 항을 깨닫게 된다. 그것은 '가치' 또는 '규범'이다. 그중에서도 특별히 언급된 것은 '윤리'에 관한 언명이다. 이 점에 관해서는 논리 실증주의의 영향 아래 있던 영국 옥스퍼드대학의 A. J. 에이어^{Alfred Jules Ayer}(1910~1989)의 파악 방식이 가장 과격한 동시에 극적이다.

에이어는 윤리에 관한 언명이란 사실에 관한 언명이 아니므로 참과 거짓이 말해질 수 없는 단순한 감정의 발로에 지나지 않는다고 한다. 그는 이렇게 말한다. '단지 도덕적인 판단을 표현하는 데 지나지 않는 문장은 아무것도 말하고 있지 않다', '그것은 순수하게 감정의 표현이며, 그런 까닭에 참과 거짓의 범주 아래 오지 않는다. 그것은 고통의 외침이나 명령의 말이 검증 불가능한 것과 같은 이유에서 검증 불가능하다. 왜냐하면 그것들은 진정한 명제를 표현하지 않기 때문이다.'(에이어, 『언어·진리·논리^{言語·眞理·論理}』, 岩波現代叢書, 1955년, 132쪽). 더 나아가 과격하게 다음과 같이 말하기도 한다. '윤리적인 개념은 사이비 개념이며, 그런 까닭에 분석 불가능하다.'(같은 책, 138쪽) 이리하여 여기서 '사실/가치' 또는 '사실/규범'의 이원론이라는 격렬한 견해가 모습을 나타낸다 (다만 엄밀하게는 가치와 규범은 다르다. 미적 가치 등은 규범성과 는 관계하지 않기 때문이다. 그러나 여기서는 규범성을 가치나 평가의 핵심을 이루는 것으로서 파악하여 이하의 논의를 전개한 다).

즉, 사실은 지식으로서 인식될 수 있지만, 가치나 규범은 지식으로서 성립하지 않는 외침과 같은 것이라는 통렬한 차이화가 들어오는 것이다. 이것은 이원론의 특징으로서 이야기한 세 번째 점, 즉 이원론이 우열이나 차별을 촉진하는 경향이 있다는 사태에 대응할 것이다. 여기에는 분명히 사실은 지식을 구성하는 중요한 것이지만, 윤리와 가치와 규범은 사이비의 비본질적인 것이라고 하는 모종의 차별이 나타나 있다(묘하게도 이것 자체가 가치 부여이지만 말이다). 즉, 여기서 사실과 가치·규범을 엄격하게 구별하는 '분리형'의 이원론이 표명되는 것이다.

2. 분리형 이원론의 전개

'흄의 법칙'

논리 실증주의와 같은 우열을 암암리에 포함하는 함의를 별도로 하면, 실은 '사실/가치' 또는 '사실/규범'의 이원론은 철학에서 유서 깊은 전통적인 견해이다. 아마도 가장 유명한 것은 이른바 '흄의 법칙Hume's Law'일 것이다. 그것은 다음과 같은 취지의 흄의 발언에서 유래한다. 즉, 도덕의 논의는 자주 '이다'라든가 '아니다'라는 통상적인 언어로 논의되어왔음에도 불구하고, 갑자기 '해야 한다'라든가 '해서는 안 된다'라는 말로 맺어지는 논의로 변해버린다. 이 변화는 대단히 중대하다. 왜냐하면 '해야 한다'와 '해서는 안 된다'라는 것은 새로운 관계로 왜 '이다'와 '아니다'로부터 그와 같은 새로운 관계가 도출되는 것인지 그 이유를 제시할 필요가 있기 때문이라는 것이다(흄, 『인간 본성에 대하여人性論(四)』, 岩波文庫, 1952년, 33~34쪽).

　　냉정하게 생각해보면, 이러한 사고방식은 확실히 직관적 타당성을 지닌다. 내가 이전에 든 예는 날마다 학교에서 반 친구에게 맞고 있는 아이의 예이다. 날마다 그는 맞고 '있다'라는 사실이 성립해 있다. 그러나 이로부터 그는 날마다 맞아'야 한다'라고 결론짓는 것은 누가 생각하더라도 이상할 것이다. '사실/가치·규범'의 근원적 이원론은 철학사에서 전통적으로 주장되어왔다. 대략적인 방식으로 말하자면, 여기에서의 '사실/가치·규범'의 이원론은 칸트의 '현상계/예지계', 쇼펜하우어의 '표상/의지'와 같은 이원론으로도 흘러 들어가 있다. 만약 논리 실증주의자들이 '사실/가치·규범'의 이원론에 찬성하고, 그러나 칸트나 쇼펜하우어의 철학과 같은 형이상학적인 사상을 배제하고자 했다면, 그 가장자리에서 보면 왜 그런지 집안싸움처럼 보인다.

자연주의적 오류

그리고 근현대에 이르러 '흄의 법칙'에 다른 각도에서 지지를 보낸 것이 G. E. 무어George Edward Moore(1873~1958)의 '자연주의적 오류'라고 불리는 논의이다. 무어는 『윤리학 원리』에서 '선은 정의할 수 없다'(『倫理学原理』, 三和書籍, 2010년, 110쪽)라고 말하고, 선은 선이라고 직관적으로밖에 알 수 없다는 입장을 내세웠다. 그러한 입장에서 보면, '선'이란 '바람직한 것으로 실현해야 하는 것'이지만, 그것을 '기분 좋다'라든가 '바란다'라는 우리의 심리적 '사실'로부터 정의하는 것은 잘못이다. '기분 좋다'라든가 '바란다'라는 것은 심리에서의 자연적 사실인 까닭에, 그러한 자연적 사실에 의해 '선'을 정의하는 잘못으로 인해 '자연주의적 오류'라고 불린다.

실제로 19세기의 철학자 J. S. 밀John Stuart Mill(1806~1873)은 『공리주의』에서 규범적인 '이어야'를 함의하는 '바람직하다'에 대해 '무언가가 바람직하다는 것을 보여주는 증거는 사람들이 실제로 그것을 바라고 있다는 것밖에 없다고 나는 생각한다'(『세계의 명저』 49, 中公バックス, 1979년, 497쪽)라고 말하고 있다. 즉, 바라 '야 한다'라는 것을 바라고 '있다'에 의해 근거 짓고 있는 것이다. 바로 '자연주의적 오류'처럼 들린다. 그러나 사실 이러한 밀의

논의는 조금 전에 거론한 날마다 맞고 있는 아이 예의 직관적 타당성에도 불구하고 의외로 일정한 설득력을 지닌다. 왜 아이는 맞'아야' 하지 않는다고 우리는 생각하는 것인가? 그것은 자신과 타인이 의미도 없이 맞는 것이 불쾌하기 때문이 아닌가? 역으로 말하면, 때린다거나 맞는다거나 하지 않는 사태를 '바라고 있는' 것이고, 따라서 때린다거나 맞는다거나 하지 않는 사태가 '바람직한' 것이라는 논리가 잠재해 있는 것이 아닐까? 이 언저리에서 '사실/가치·규범'이라는 전통적 이원론의 의외의 문제성이 조금씩 머리를 쳐든다.

비트겐슈타인

그런데 앞에서 거론한 무어도 20세기 전반에 케임브리지대학에서 활약한 분석 철학자이다. 이 무어와 앞에서 언급한 논리 실증주의자들은 서로 상당히 색깔이 다르지만, 결국은 '사실/가치·규범'의 이원론에 따르고 있었다는 의미에서 모종의 공통성을 갖추고 있다. 그리고 같은 케임브리지대학에서 거의 같은 시대에 활약한 이색적인 철학자 비트겐슈타인Ludwig Wittgenstein(1889~1951)도 이러한 근원적 이원론에 편들고 있었다.

비트겐슈타인 철학의 출발점은 물론 『논리 철학 논고』(이하에서는 『논고』)에 놓여 있다. 이것은 상당히 별난 책이지만, 우리의 사고를 구성하는 참된 명제는 세계의 사실을 그린 것이라고 하는 그림 이론을 전개한 책이라고 아주 싹둑 잘라 요약하더라도 잘못이 아닐지도 모른다. 그러나 실제로 읽어보면 알 수 있듯이 그러한 표면상의 주장 배경에서 우리의 세계에 대한 견해의 두 종류를 보여주는 근본적인 이원론의 책이라는 것이 떠오르는 짜임새로 되어 있다. 그는 다음과 같이 쓰고 있다. '철학은 사유할 수 있는 것을 통해 안쪽으로부터 사유할 수 없는 것을 한계 지어야만 한다'(岩波文庫, 2003년, 4·114, 52쪽), '철학은 말할 수 있는 것을 명확하게 표현함으로써 말할 수 없는 것을 가리켜 보이고자 할 것이다.'(같은 책, 4·115, 52쪽) '말할 수 있는 것'이란 세계의 사실에 대응하는 사항, 즉 사유할 수 있는 것이며, '말할 수 없는 것'이란 그 바깥쪽의 사항, 즉 인과와 윤리 등을 말한다. 『논고』는 해석에 따라서는 오히려 '말할 수 없는 것'의 모습을 보여주는 것을 주요한 목적으로 한 것이 아니었을까 라고도 파악할 수 있다.

이러한 비트겐슈타인의 논의 배경에서는 앞에서 언급한 칸트와 쇼펜하우어의 이원론이 미친 영향을 찾아볼 수 있다. 실제로 많은 증언에서는 비트겐슈타인 자신이 아무래도 쇼펜하우어로부터의 영향을 인정하고 있었다는 것이 엿보인다(와이너David Avraham Weiner, 『천재와 재인 — 비트겐슈타인에 대한 쇼펜하우어의 영향天才と才人—ウィトゲンシュタインへのショーペンハウアーの影響』, 三和書籍, 2003년, 참조). 요컨대 '말할 수 있는 것'이 '현상계'와 '표상'에 (완전하게는 아니지만) 대체로 대응하고, '말할 수 없는 것'이 '예지계'나

'의지'에 (완전하게는 아니지만) 대체로 대응한다는 것이다. 비트겐슈타인 자신은 그 후 큰 폭으로 견해를 변용시켜가지만, 그럼에도 그의 논의에는 이러한 이원론이 형태가 변화된 잔재로서 계속해서 고착해 있다.

어쨌든 이러한 비트겐슈타인의 이원론은 비트겐슈타인과 동향의 빈 사람들을 주축으로 하는 논리 실증주의자들에게 그들의 '사실/가치·규범'의 이원론을 밑받침하는, 게다가 '가치·규범' 쪽을 낮게 평가하는 같은 편의 논의로 보였다. 그러나 이제 언급했듯이 만약 『논고』가 말할 수 없는 윤리의 세계 등을 (말하는 것이 아니라 저절로 나타나는 것으로서) 부각하는 것을 목표로 하는 책이라고 한다면, 논리 실증주의자들의 기대는 빗나가게 된다. 실제로 비트겐슈타인은 논리 실증주의의 '빈학파'에는 절대 가담하지 않았다.

규칙의 역설

그렇지만 '사실/가치·규범'이나 '말할 수 있는 것/말할 수 없는 것'은 그 후에도 분석 철학 속에서 계속해서 영향을 미친다. 비트겐슈타인 철학을 논의함으로써 일약 명성을 얻은 아메리카의 철학자 솔 크립키Saul Aaron Kripke(1940~)는 비트겐슈타인이 『철학적 탐구』에서 시사한 '규칙의 역설'을 논의한다. 그것은 굳이 단순화하여 말하자면 수의 병렬로부터 발견될 수 있는 규칙성은 무수하게 있다는 귀결을 도출하는 역설paradox이다(크립키 자신의 예는 대단히 엉뚱한 것으로 여기서는 알기 쉬운 예로 한다). 예를 들어 '1, 2, 4, 7, 11, 16, 22 ……'로 늘어선 수열과 관련해 거기서는 어떠한 규칙성이 발견되는가, '22'의 다음 수는 무엇인가라는 물음이 제기된다면 어떠한가? 우리는 아마도 여기서 계차수열의 규칙성을 발견하고 '29'라고 대답할 것이다. 그렇지만 사실은 '22' 다음에 오는 수는 무엇이든 좋다. 어떠한 수라도 규칙성 아래로 회수할 수 있다. 예를 들어 '51'이어도 좋다. '1, 2, 4, 7, 11, 16, 22, 51, 22, 16, 11, 7, 4, 2, 1, 2, 4, 7, 11, 16, 22, 51, 22, 16'이라는 수열이 상상되고 있다면, 틀림없이 뛰어난 규칙성일 것이다. 그런데도 대부분 사람이 '29'라고 대답하게 된다면, 왜 많은 사람이 그렇게 생각하는 것이냐는 물음이 나오는 것도 자연스러울 것이다.

이에 대해 '이 수열의 다음 수를 물어보면, 나는 "29"라고 대답할 것이다'라는 경향성(유리의 깨지기 쉬움이라든가 화를 잘 냄과 같은, 사태나 사람이 지니는 경향)에 호소하는 설명이 우선 생각된다. 그러나 경향성에 호소한다는 것은 사실을 기술하는 것일 뿐이다. 크립키는 여기서 요구되는 대답은 사실을 기술하는 것이 아니라 규범적인 대답을 어떻게 도출하는지가 문제라고 이야기한다. 즉, '이 수열의 다음 수를 물어보면, 나는 "29"라고 대답해야 한다'라는 방식으로 대답해야만 한다고 말하는 것이다(크립키, 『비트겐슈타인의 역설ウィトゲンシュタインのパラドックス』, 産業図書, 1983년, 70쪽 참조). 여기에서도 '사실/가치·규범'의 이원론의 강한 영향력이 엿보인다.

3. 분리형 이원론에서 혼합형 이원론으로

콰인과 분석성의 문제

그렇지만 이미 암시해 두었듯이 '사실/가치·규범'이라는 이원론은 절대적인 구별이 아니다. 그렇기는커녕 이원론의 특질 두 번째로서 적었던 것처럼 이원론의 배경에는 공통된 무언가가 전제되어 있다. 거기에 눈길을 돌리게 되면 둘의 차이화의 격렬함은 자연스럽게 완화된다. 내가 보기에 논리 실증주의가 높이 내건 '사실/가치·규범'의 이원론이 서서히 이원론 그 자체의 내적 성질에 따라 자연스럽게 차이성이 완화되어가는 도정이야말로 분석 철학이 걸어온 길이 아닐까 생각된다. 그리고 만약 논리 실증주의의 '사실/가치·규범'의 이원론이야말로 분석 철학의 원래 핵심이라고 한다면, 그런 한에서의 분석 철학의 역사는 멸망·종언을 향하고 있다고 말할 수 있을 것이다.

본래 실제로는 '사실'의 개념을 구성하고 있던 '분석적 명제'와 '종합적 명제'의 단계에 무엇인가 '사실/가치·규범'의 이원론을 무너뜨리는 계기가 숨어 있었다고 생각된다.

그것은 '분석적 명제'의 개념에 관계된다. '분석적 명제'란 요컨대 '논리적 진리'를 말한다. 그리고 논리적 진리의 기반은 동어반복 또는 정의에 놓여 있다. 요컨대 '일본인 여성은 일본인이다'라든가 '독신자는 결혼하지 않았다'와 같은 문장이 그 예에 해당한다. 그런데 이러한 문장은 어떠한 방식으로 참이라고 인정되는 것인가? 그것은 언어 표현 '무엇무엇은 이러이러한 것이다'라는 형식에서 '무엇무엇'에 '이러이러한 것'이 포함된 경우는 전체 문장이 절대적으로 참이라고 받아들'여져야 하기' 때문이고, 정의를 표현하는 것은 의사소통의 전제로서 받아들'여져야 하기' 때문이 아닐까?

이러한 '이어야 한다'는 논리적 규범이라고 불리며, 여기에서 문제로 삼아온 윤리적·도덕적 규범과 전적으로 같은 것이 아니다. 그러나 규범성으로서는 같으며, 실제로 그것을 깨뜨리면 타자와의 교류에 지장을 초래한다는 점에서 동등하다. 실제로 '일본인 여성은 일본인이다'라는 문장을 긍정할 수 없다면, 그 사람은 언어 능력을 의심받으며, 타자와의 의사소통은 어려워진다. 그리고 앞 절에서 문제로 삼은 수열의 규칙성에 관계하는 규범성도 실은 (절대적이지는 않다고 하더라도) 논리적 규범의 유형으로 간주할 수 있다. 그렇다면 '사실'을 구성하는 '분석적 명제'라는 부분에 처음부터 '가치·규범'으로 결부시키는 계기가 배태되어 있었던 것이 아닐까?

게다가 분석 철학의 역사를 말할 때 반드시 언급되는, 미국을 대표하는 분석 철학자 콰인Willard Van Orman Quine(1908~2000)의 「경험주의의 두 도그마」라는 논문을 토대로 하게 되면, 분석성이 사실·가치와 연결되는 계기를 지니기 이전에 본래 '분석/종합'이라는 이원론에서의 대비도 괴이한 것이라는 점이 떠오르게 된다. 콰인은 '분석성이란 무엇인가'라고 묻고, 분석성이 지니는 의의의 핵심에 '동의성同義性'이 있다고 갈파하며, 그렇다면 '동의성이란 무엇인가'라고 묻고서는 그 답의 후보로서 '정의', '교환 가능성', '의미론적 규칙'과 같은 것을 거론한다. 그러나 그러한 동의성을 설명하는 후보가 되는 것을 음미해가면, 결국 동의성 그 자체에 순환적으로 의존하고 있다는 것이 판명되고, 이리하여 분석성이란 무엇인가 하는 것은 명확하지 않다는 것이 이해된다. 그렇다면 본래 '분석/종합'이라는 구분 자체가 실은 명료한 구별이 아니라는 것이 된다. 이러한 것이 콰인 논의의 요점이다. 그렇다고 한다면 분석성이 무엇인지 명백하게 알 수 없다고 하더라도, 분석성이 규범성을 배태하고 있다고 한다면, 어쩌면 분석성과 선명하게 구별되지 않는 종합성에도 규범성이 암암리에 들어와 있는 것이 아닐까? 그렇다면 '분석/종합'이라는 두 항으로 이루어진 '사실/가치·규범'의 '사실'도 규범성과 무관하지 않은 것이 아닐까? 아무래도 그러한 연상을 완전히 거부할 수는 없다고 생각된다.

오스틴의 언어 행위론

실제로 콰인의 논의를 경계로 하여 분석 철학은 분명히 본질적인 변용을, 아니 논리 실증주의를 분석 철학의 모체로 생각한다면, 스스로 무너지는 변용을 이루어간다. 그러한 변용을 촉진한 또 하나의 축은 이른바 '언어 행위'론이다. '언어 행위'란 언어를 발하는 것에는 단지 사태를 기술하는 것 이외에 발화로써 무언가를 행하는 활동도 포함되어 있다는 착상을 전개하는 논의이다. 옥스퍼드대학의 J. L. 오스틴John Langshaw Austin(1911~1960)이 전개한 논의가 언어 행위론의 효시가 되었다. 예를 들어 '도쿄 타워는 도쿄도 미나토구에 있다'라는 문장은 사실을 기술하는 문장이라고 생각되지만, 그에 반해 '나는 내일 10시까지 원고를 제출하기로 약속합니다'라는 약속문은 어떠할까? 약속한다는 사실을 기술하는 것일까? 물리 화학 현상으로서 어딘가에 '약속한다'라는 현상이 존재하는 것일까? 그렇지 않을 것이다.

'약속한다'라고 말함으로써 약속이라는 사태가 성립하게 된다. 오스틴은 발화가 행위를 수행하는 장면을 셋으로 나누어 정리했다. '발화 행위locutionary act', '발화 내 행위illocutionary act'(발화 수반 행위), '발화 매개 행위perlocutionar act'(발화 효과 행위)의 셋이다. '약속한다'에 따라 말하자면, 발화 행위란 문자 그대로 '약속한다'라는 음성을 발하는 행위이며, 발화 내 행위란 발화로써 약속을 한다고 하는 행위를 수행하는(아마도 핵심적인) 측면이며, 발화 매개 행위란 '약속한다'라는 발화로써 발화자의 성질 등을 전한다거나(이 사람은 시간을 정확히 구획하여 약속하는 꼼꼼하고 빈틈이 없는 사람이라는 인상을 준다거나 하는 따위) 편집자를 안심시킨다거나 하는, 발화로써 무언가의 영향을 미치는 행위라는 측면이다(오스틴, 『언어와 행위言語と行爲』, 講談社学術文庫, 2019년, 제8장 참조).

　이러한 오스틴의 논의와 관련하여 현재의 맥락에 비추어 주의해야 할 점은 첫째는 언어 행위론이라는 것이 실은 내재적인 지향성으로서 본래 모든 발화와 언명(자신의 마음속만으로 발하는 속말도 포함하여)은 기술記述적으로 생각되는 것도 모두 행위 수행적인 것으로서 자리매김한다고 하는 입론을 촉구한다는 점이다. 실제로 오스틴 자신도 그와 같은 사고방식에 다가갔다. 요컨대 행위가 자주 가치 평가의 대상이 된다는 것을 근거로 한다면, 사실 기술적인 언명이나 지식으로 생각되는 것도 결국에는 가치적인 것으로 회수될 수 있다고 생각될 수 있는 것이 아닐까? 예를 들어 언뜻 보아 사실 확인적으로 생각되는 발언인 '창문이 열려 있다'를 예로 취해보자. 이 문장을 교실에서 교사가 창가의 학생에 대해 발한다면, 무엇보다도 우선 '창문을 닫아라'라는 의뢰의 발언으로서 받아들여질 것이다. 나아가 교사의 발언 어조가 날이 선 것이었다면, 교사에 대한 공포감을 학생에게 가져다줄지도 모른다. 이것들은 발언 매개 행위의 효과로 생각된다. 요컨대 사실 확인적 기술로 생각되는 언명도 때때로 행위 수행적인 것으로 받아들여지고 가치 평가의 대상으로 되어가는 것이다. 이리하여 '사실/가치·규범'의 다리 놓기가 여기서 이루어진다.

　그러나 또 하나 주의해야 하는 것은 언어 행위로 여겨지는 것 중에서도 특히 발화 행위와 발화 매개 행위 사이에는 상당한 거리가 놓여 있는 것으로 논의가 구성된다는 점이다. 발화 매개 행위는 조금 전에 말했듯이 가치 평가적인 측면으로 향하지만, 발화 행위는 순수하게 발성이라는 물리적 현상을 다루고 있어 행위라기보다 행동으로 표현하는 것이 적절한 위상이다(인간 이 외의 동물에도 발화 행위는 실행 가능할 것이다). 그렇다면 발화 행위는 오히려 가치 평가로부터 멀고 거의 '사실'이라고 칭하고 싶어지는 측면이다. 이 두 측면이 나누어져 있다는 것은 언어 행위가 어느 면에서는 '사실/가치·규범'이라는 이원론을 여전히 유지하고 있다는 것을 보여준다고 생각된다.

'이다'와 '해야 한다'의 혼합

어쨌든 언어 행위론이 분석 철학의 흐름에 커다란 변혁을 가져왔 다는 점은 의심할 수 없다. 오스틴의 논의를 이어받아 언어 행위론 을 발전시킨 미국의 철학자 존 설[John Rogers Searle](1932~)은 '사실'의 개념에 대해 '분석/종합'이 아니라 '적나라한 사실[brute fact]'과 '제도 적 사실[institutional fact]'이라는 두 종류의 양상을 구별했다. 이것도 새로운 이원론일지도 모른다. '적나라한 사실'이란 '두 물체는 양자 사이 거리의 제곱에 반비례하는 동시에 양자의 질량의 곱에 비례하는 힘으로 서로 끌어당긴다'와 같은, 자연 과학에 근거하는 경험적으로 관찰 가능한 사실을 말한다. 이에 반해 '제도적 사실'이 란 '다저스는 3 대 2로 자이언츠를 눌렀다'와 같이 인위적 제도에 따라 성립하는 사실이다(설 Searle, 『언어 행위言語行爲』, 勁草書房, 1986년, 88~89쪽).

설은 특히 제도적 사실에 초점을 맞추어 그것이 사실임과 동시에 규범을 포함한다고 지적하고, '사실/가치·규범'의 이원론의 해체 또는 '이다'와 '해야 한다'를 엄격히 구별하는 '흄의 법칙'의 반박을 시도한다. 설이 예로 드는 것은 '나는 이러이러한 것을 약속한다'라는 언명이다. 이것은 약속이 행해졌다는 제도적 사실의 내실이다. 그렇지만 이 언명은 동시에 발언자인 나에게 '약속한 내용을 이행해야 한다'라는 규범을 귀속시키기도 한다. 다만 이것은 '약속'이라는 아무래도 규범적 성격을 지니는 개념인 까닭에, 그렇게 논의되는 것이라는 인상을 피할 수 없을지도 모른다. 그렇지만 예를 들어 앞에서 내가 사실 기술적인 발언의 예로 든 '도쿄 타워는 도쿄도 미나토구에 있다'를 상기해보자. 이것은 실은 잘 생각해보면 '제도적 사실'이다. '도쿄도 미나토구'와 같은 행정 구획은 분명히 인위적 제도이기 때문이다. 그리고 이 발언을 들은 사람은 이 문장을 긍정'해야' 한다. 왜냐하면 그것을 부정하게 되면 잘못이라고 지적당하고, 그런데도 부정하는 것을 고집하게 되면, 의사소통 능력과 교양에 관한 의심을 사게 될 것이기 때문이다. 그러한 의미에서 특히 제도적 사실은 사실이면서 '해야 한다'라는 규범성을 혼합해 지닌다.

사실 이 점은 '적나라한 사실'에도 원리적으로 해당한다. '적나라한 사실'로서 든 두 물체에 관한 앞의 예를 돌이켜보자. 이것은 분명히 현재 승인되고 있는 물리 법칙을 전제한다. 그렇다면 이것은 받아들여'져야 하는' 문장이게 된다. 받아들여지지 않으면 역시 잘못이라고 지적당하고, 의사소통 능력과 교양에 대한 의심을 받게 된다. 요컨대 실제로 '사실'이라는 것에는 논리 실증주의의 견지나 '흄의 법칙'에 반해 한결같이 규범성이 뒤섞여 있는 것이다. 이 점은 앞에서 콰인의 분석성에 관한 논의를 확인할 때 '사실'은 규범성과 무관하지 않다는 연상이 생겨난다고 말했지만, 그러한 연상이 근거가 있는 것이라는 점을 보여주는 것이기도 하다. 실제로 물리 법칙은 그것을 전제하는 한에서 분석성과 마찬가지로 규범적인 효과를 미친다. 물리 법칙에 근거한 사실에 관한 발언에 '해야 한다'라는 규범성이 뒤섞여 있다는 것은 실은 자연스러운 일이다.

혼합형 이원론의 침투

사실과 규범성(가치성)의 혼합이라는 양태는 좀 더 비근한 것에서도 짐작할 수 있다. 냉정하게 생각하면, 사실의 지적이 '해야 한다'를 내포한다는 것 따위는 혼한 일이다. '태풍이 다가오고 있다'라는 지적은 그것이 정말이라면 사실의 기술인 것은 당연하다고 하더라도, '일찍 귀가해야 한다'라든가 '대비를 해야 한다'와 같은 규범성을 수반한다는 것은 일상적으로 생각하더라도 조금도 이상하지 않다. 언어 행위론의 논조는 이러한 일상적으로 알기 쉽고 명료한 사태를 철학적 편향을 벗어나 정직하게 전개한 것이자 철학의 논의로서의 성숙성을 느끼게 한다.

실제로 앞에서 언급한 비트겐슈타인은 자신의 초기 입장을 넘어서서 후에는 대단히 시사적인 논의를 전개하기에 이르렀다. 앞에서 크립키의 이름과 함께 언급된 『철학적 탐구』에 그것이 집약되어 있다. 후기 비트겐슈타인의 기본적 발상은 '언어 게임'이라는 개념에서 나타난다. 우리는 지식과 의견을 교환할 때 언어를 사용하지만, 그러한 언어의 사용은 게임과 같은 것으로 느슨한 규칙성을 지닌다. 언어의 의미란 그러한 사용의 모습과 같은 것이다. 그리고 다양한 '언어 게임'들은 엄밀하게 같은 것이 아니라 '가족 유사성'을 지니는 데 지나지 않는다. 또한 '언어 게임'을 통제한다고 할 규칙성도 실은 확정적인 것이 아니다. 앞에서 언급한 '규칙의 역설'은 이러한 맥락에서 나타난다. 그렇지만 비트겐슈타인은 규칙성이 무작위적으로 되고 타자와의 교류는 불가능해지는 파멸적 사태로 된다고는 생각하지 않는다. 만년의 『확실성 문제』에서는 궁극적인 근저에서 예를 들어 '내게는 손이 있다'와 같은 것은 의심할 수 없는 전제로 해야 하는 확실성으로서 우리 생활의 기반이 된다고 파악한다. 이러한 기반은 '삶의 형식'이라는 개념과 결부된다(다만 삶의 형식은 문화 등에 따라 다를 수 있다).

요컨대 비트겐슈타인 후기의 논의에서는 사실이 '언어 게임'의 규칙성, 즉 일종의 규범성에 느슨하게 통제되고 있으며, 나아가 그 근저에는 '삶의 형식'이나 확실성이라는, 본래 '언어 게임'을 가능하게 하는 근원적인 규범성이 가로놓여 있다고 생각된 것이다. 이러한 삶의 형식이나 확실성은 『논고』에서의 '말할 수 없는 것'과 비슷한, 우리 말의 바깥쪽에 자리하는 것이며, 그런 의미에서 '말할 수 있는 것/말할 수 없는 것'이라는 이원론이 비트겐슈타인의 철학을 꿰뚫고 있다고 볼 수도 있다. 또한 해석에 따라서는 초기의 '말할 수 있는 것/말할 수 없는 것'의 단계에서는 '말할 수 있는 것'이 '사실'에 대응하고 있었지만, 후기의 '언어 게임/삶의 형식·확실성'이라는 대비에서는 역전되어 '말할 수 없는 것'에 대응한다고 상정되는 '삶의 형식·확실성' 쪽이 근원적 '사실'로서 암시되고 있다고 읽을 수도 있을 것이다. 또는 이러한 해석 가능성이 있다는 것은 본래 사실과 규범이라는 맞짝이 마치 빙빙 돌 듯이 영원히 서로 반전될 수 있는 사태를 시사하는 것인지도 모른다.

적합 방향

그야 어쨌든 20세기 후반에 들어서면 분석 철학은 논리 실증주의의 속박을 떨쳐버리고서 '사실/가치·규범'이라는 분리형 이원론을 극복해가며, '사실/가치·규범'의 혼합을 표면으로 떠올려가게된다. 그렇지만 오스틴의 발화 행위와 발화 매개 행위의 대비, 설의 '적나라한 사실'과 '제도적 사실'의 대비, 비트겐슈타인의 '언어 게임'과 확실성의 대비와 같은 것으로부터 짐작할 수 있듯이 '사실/가치·규범'이라는 대비는 논리 실증주의 정도로 격렬한 대비는 아니라 하더라도 여전히 인정되고 있다. 이러한 점에 대한 설득력 있는 논의로서 비트겐슈타인의 제자인 엘리자베스 앤스컴 Gertrude Elizabeth Margaret Anscombe(1919~2001)의 논의에서 발단하여 후에 설이 더욱 전개한 '적합 방향'이라는 사고방식에 대해 언급하고자 한다.

'적합 방향'이란 신념이나 사실에서의 언어와 세계의 관계와 욕구나 명령(규범)에서의 언어와 세계 관계의 서로 반대되는 방향성을 보여주는 논의이다. 앤스컴의 예를 조금 알기 쉽게 해보자. A가 아이로부터 오렌지색의 슬라임을 사 오라는 부탁을 받았음에도 불구하고 귤 맛의 젤리를 사 왔다, 그리고 (어쩐 일인지 A의 부인으로부터 부탁을 받아) A의 행동을 은밀히 감시하는 탐정이 있어 메모에 'A는 마멀레이드를 샀다'라고 적었다는 예이다. 이 경우 A와 탐정 두 사람 모두 잘못한 것이지만, 그러한 잘못을 바로잡는 방식이 다르다. A의 경우 '오렌지색의 슬라임을 사야 한다'라는 것이어서 귤 맛의 젤리를 샀다는 행동이 바로잡혀야 한다. '해야 한다'에 대응하는 부탁과 규범의 언어 표현은 그대로 두고 세계 측에서 발생한 사실이 다시 행해져야만 한다. 그에 반해 탐정의 경우 A가 귤 맛의 젤리를 샀다는 세계 측의 사실은 그대로 두고 'A는 마멀레이드를 샀다'라는 언어 표현이 정정되어야만 한다. 즉, A에 관계되는 규범과 관련해서는 '세계를 언어에 world-to-word' 적합하게 하는 방향성이 성립하고, 탐정에 관계되는 보고해야 할 사실과 관련해서는 '언어를 세계에 word-to-world' 적합

하게 하는 방향성이 성립하며, 그렇게 사실과 규범은 적합 방향이
서로 반대로 되어 있다고 하는 논의이다.

　적합 방향의 논의는 알기 쉽게 '사실/가치·규범'의 지울 수
없는 차이를 보여주는 탁월한 착안이다. 다만 냉정하게 생각하면,
이러한 적합 방향도 순차적이고 다층적으로 반전될 가능성이
없는 것이 아니다. A가 귤 맛의 젤리를 아이에게 가지고 갔더니
'뭐야 아빠, 그게 아닌데요'라고 말하더라도 '그래도 이 젤리 먹음
직하니까 이걸로 좋아요'라고 이미 발생한 사실이 우선될 가능성
도 있으며, 탐정의 메모 경우도 A의 부인으로서는 '아, 그렇다면
마멀레이드가 떨어졌으니까 바로 마멀레이드를 사야 했던 거구나'
라고 하여 사실은 거부되고 사실에 반하는 규범이 발생하는 일도
있을지 모른다. 사실과 규범은 상호 변환적이라고 하는 사태가
여기서 떠오른다. 또는 사실과 규범이 시간 경과적으로 교체될
수는 있었다고 하더라도 사실 그 자체, 규범 그 자체의 독립된
고유한 적합 방향은 변화하지 않았다고 말할 수 있을지도 모른다.
그러나 현상으로서는 사실과 규범의 반전이 일어나고 구별이
흔들린다는 것은 틀림없다.

　실제로 일본의 법률에서도 '시효 취득'이라고 하여 일정 기간
토지를 점유했다는 사실이 있는 경우, 일정한 조건으로 점유자의
소유권을 인정한다는 규칙이 있다(민법 162조와 163조). 점유의
사실이 소유권이라는 규범적 양태(제멋대로 침해되어서는 안 된
다는 등의 양태)로 변환해 가는 것을 법률이 인정하는 것이다.

그렇다면 논리 실증주의의 '사실/가치·규범'의 격렬한 분리는 사실은 우리의 실생활에서 이미 처음부터 파탄해 있었던 것이 아닐까?

4. 화합형 이원론으로의 길

짙은 윤리적 개념

이상과 같이 분석 철학이 발흥할 수 있게 만든 논리 실증주의의 '사실/가치·규범'의 이원론은 20세기 후반에 이르러 거의 해체되고 있다. 본래의 분석 철학은 거의 종식·멸망을 향해 나아간 것이다. 이 점을 언어 행위론에 따라서 뿐만 아니라 '메타 윤리학'이라고 불리는 영역에 따라서도 추적할 수 있다. '메타 윤리학'이란 무엇이 선한 것이고 무엇이 정의인지를 직접 논의하는 것이 아니라 선이나 정의와 같은 윤리적 개념에 대해 분석하는 영역을 말한다.

여기서 다루어야 하는 사람은 영국의 철학자 버나드 윌리엄스 Bernard Arthur Owen Williams(1929~2003)이다. 윌리엄스는 전통적인 윤리학이 '선악'이라든가 '정의'와 같은 추상도가 높은 용어에 초점을 맞추어 논의를 전개해왔던 것에 대해 반성의 눈을 돌려 '배신, 약속, 잔혹, 용기'와 같은 구체적 내용으로 가득 찬 '짙은 윤리적 개념'으로 주제를 확정해야 하는 것은 아닌지 제언했다. 현재는

이러한 용어법에 근거하여 선악 등의 전통적인 윤리적 개념은 '옅은 윤리적 개념'이라고 불린다. 그리고 '짙은 윤리적 개념'은 세계가 어떻게 있는가 하는 사실에 의해 결정됨과 동시에 상황과 인간과 행위에 관한 평가를 수반한다(윌리엄스,『윤리학과 철학의 한계 生き方について哲学は何が言えるか』, 産業図書, 1993년, 215~216쪽). 이에 반해 '옅은 윤리적 개념'에는 사실에 근거하는 측면은 없고 평가적인 요소밖에 수반되지 않는다고 한다.

확실히 예를 들어 일본의 헌법 제36조에서는 '잔학한 형벌은 절대로 이를 금한다'라고 명시되어 있으며, 최고 재판소 판결에서는 불로 태워 죽이는 형벌, 기둥에 묶어 찔러 죽이는 형벌, 삶아 죽이는 형벌 등은 헌법 위반이지만, 교수형은 반드시 그렇지는 않다고 했다. 불로 태워 죽이고 찔러 죽이며 삶아 죽이는 것, 이것들은 분명히 실제로 발생하는 물리적 사실로서의 현상 없이 확인될 수 없다. 그런 의미에서 '잔학·잔혹'과 같은 '짙은 윤리적 개념'은 사실에 근거하여 그 의미의 윤곽이 주어진다. 그러한 사실적 현상에 대해 평가가 더해짐으로써 윤리적 개념으로서 성립하게 된다. 윌리엄스는 여기에서의 사실로서의 기술적 측면을 '세계 지도적'이라고 부르고 평가적 측면을 '행위 지도적'이라고 불러 적합 방향의 논의와 비슷한 개념 장치를 사용한다.

일반적으로 '짙은 윤리적 개념'에 의해 제시되는 사태와 관련하여 기술적 측면과 평가적 측면을 분리할 수 있다고 하는 논의는 '환원적 논의'라고 불리며, 그러한 분리의 조작은 '풀어놓기|disentanglement'라고 불린다. 풀려 놓이는 평가적 측면은 '선악' 등의 '옅은 윤리적 개념'으로 환원된다는 취지이다. 윌리엄스는 환원적인 '풀어놓기'의 논의를 전형적으로 시사하는 것이 R. M. 헤어 Richard Mervyn Hare(1919~2002)의 '기술적'과 '명령적'을 나누는 논의라고 한 다음, 환원적 논의를 비판한다. 그 요점은 환원적인 '풀어놓기'의 논의가 올바르다고 한다면, 사실로서의 현상적 외형만 같게 되면, 평가적 요소가 전혀 없더라도(우주인 등을 상정할 수 있을 것이다) '짙은 윤리적 개념'을 이해하고 적용할 수 있게 되지만, 그것은 윤리적 개념에 대한 이해의 본질을 벗어날 거라는 것이다(윌리엄스, 같은 책, 234쪽).

화합형 이원론과 덕 인식론

이러한 윌리엄스의 논의에 대해 사이먼 블랙번 Simon Blackburn (1944~)이 이의를 제기했다. 블랙번이 문제로 삼는 것은 '짙은 윤리적 개념'에 대한 이해나 적용과 관련해 불일치가 있었던 경우의 대처법에 대해서이다. 윌리엄스는 윤리적 개념의 정수를 사실적 측면이 아니라 평가적 측면에서 찾았지만, 평가는 문화에 의존한다고도 말한다(윌리엄스, 같은 책, 239쪽). 그러나 블랙번에 따르면, 그렇게 되면 '짙은 윤리적 개념'에 대해 사람들 사이에 불일치가 생긴 경우에 비교나 조정의 기반이 되는 사실이 없는 이상, 실은 전혀 다른 개념에 대해 말하고 있어 이야기가 서로 맞물리지 않고, 그래서 불일치라는 것은 있을 수 없게 되는 것이 아닐까 하고 반론한다. 그런 다음 블랙번은 윤리적 개념을 사용한 판단이나 표현의 평가적인 계기를 '억양'과 '태도'에 의해 파악할 것을 제안하고, 그러한 태도의 계기와 사실 기술적 계기는 전혀 분리될 수 없으며, '그러한 두 가지는 혼합물이 아니라 화합물 또는 아말감을 구성하고 있고, 태도와 기술은 서로 침투한다'라고 말한다 (Blackburn 1992, 'Through Thick and Thin', *Proceedings of the Aristotelian Society*, supplement 66, p. 298). 이러한 화합형 이원론에 의해 논리 실증주의에서 시작되는 '사실/가치·규범'의 분리형 이원론, 분석 철학의 핵심을 이룬 이원론은 분명히 종언을 맞이했다.

이 조류는 오늘날 아리스토텔레스 전통을 계승하면서 이를테면 포스트 분석 철학 또는 신 분석 철학으로서 융성을 맞이하고 있는 '덕 인식론virtue epistemology'과 융합하려고 하고 있다. '덕 인식론'이란 인식의 영위 속에 잠재하는 덕 혹은 가치를 주제화하는 논의 영역을 말하는데, 일반적으로 어니스트 소사Ernest Sosa(1940~)에게서 발단하는 '덕 신뢰론자'와 린다 자그제브스키Linda Trinkaus Zagzebski(1946~)를 대표로 하는 '덕 책임론자'로 양분된다. 덕 신뢰론에서는 지각이나 기억 등의 신뢰할 수 있는 기능에 가치가 놓여 있고 그러한 기능을 수행하는 성질에 가치가 있다고 파악하여 그것을 인식론의 문제에 반영시켜간다. 그에 반해 덕 책임론에서는 유덕한 동기나 유덕한 행위로 향하는 것에 대해 책임을 짊어지는 인식자의 성격, 거기에 덕성이나 가치를 두고서 지식의 문제를 독해하고자 한다. 특히 나는 덕 책임론에 주목하고자 한다. 거기서는 다른 논의에 귀를 기울이는 허심탄회함이나 증거에 비추어 올바른 지식을 얻고자 하는 지적 용기 등이 구체적인 덕으로서 논의된다.

이러한 덕 책임론에서의 허심탄회나 지적 용기는 말할 것도 없이 '짙은 윤리적 개념' 이외에 다른 것이 아니다. '짙은 윤리적 개념'에 대해 분석 철학의 계승자들이 다다른 화합형 이원론은 덕 책임론의 맥락에서 인식 주체의 모습으로서 좀 더 세련화되어 왔다고 파악할 수 있다. 이러한 인식 주체, 이것이 '사실/가치·규범'이라는 이원론의 두 항 모두에 공통된 배경이라고 하는, 사실은 처음부터 자명했던 사태가 점차 스스로 모습을 나타냈다고 말할 수 있는 것이 아닐까? 나 자신은 이러한 인식 주체를 블랙번의 용어를 원용하여 특유의 억양으로 목소리를 내고 고유한 태도로써 타자와 어울리는 '퍼슨person'이라고 파악하고자 한다.

그리고 편견이나 선입관 등에 홀리지 않고서 증거를 정당하게 평가한 데 기초하여 지식을 얻어야 한다고 하는, '신념의 윤리'라고 불리는 논의 영역, 로더릭 치좀Roderick Chisholm(1916~1999) 등이 정력을 기울여 연구를 축적해간 논의 영역(발단은 1877년에 발표된 윌리엄 킹던 클리퍼드William Kingdon Clifford(1845~1879)의 논의에 놓여 있다)도 이러한 흐름과 궤를 같이한다. 이러한 근간의 동향들에서는 바로 '사실/가치·규범'의 이원론을 가볍게 뛰어넘는 것에 사태의 진상을 밝혀내는 관점이 놓여 있다고 하는 공통의 발상이 엿보인다. 논리 실증주의를 핵으로 하는 분석 철학은 이제 임무를 마치고, 분석 철학의 계승자들은 용기를 지니고서 새로운 무대로 발걸음을 내디디고 있다.

☞ 좀 더 자세히 알기 위한 참고 문헌

— 비트겐슈타인Ludwig Wittgenstein, 『논리 철학 논고論理哲学論考』, 노야 시게키
野矢茂樹 옮김, 岩波文庫, 2003년. 비트겐슈타인 초기의 대표작이다. 빈학파
에 의한 논리 실증주의 운동에도 커다란 영향을 주었다. 난해하지만,
틀림없이 읽을 가치가 있다.

— J. L. 오스틴John Langshaw Austin, 『언어와 행위言語と行爲』, 이이노 가쓰미飯野勝
己 옮김, 講談社学術文庫, 2019년. 언어 행위론의 금자탑이다. 제Ⅷ강에서
의 언어 행위의 세 가지 구분은 지금도 자극으로 넘쳐난다. 새로운
논의 영역을 구축해가는 신선함을 느낄 수 있다.

— 버나드 윌리엄스Bernard Williams, 『윤리학과 철학의 한계生き方について哲学は何
が言えるか』, 모리기와 야스토모森際康友·시모카와 기요시下川潔 옮김, 産業図
書, 1993년. 윌리엄스의 인내력 있고 강인한 사유를 추체험할 수 있는
책이다. '짙은 윤리적 개념'을 처음 명시적으로 주제화하여 다룬 것으로
서 높은 가치를 지닌다.

— 이치노세 마사키一ノ瀬正樹, 『영미 철학 입문英米哲学入門』, ちくま新書, 2018
년. 필자의 저작이지만, 이 장에서 언급하지 못한 D. 루이스 등에 의한
분석 철학에서의 인과론, 즉 '반사실적 조건 분석'의 수법 등이 논의되고
있다. 읽어주시기를 바란다.

세계 종교인 회의

오키나가 다카시[沖永宜司]

세계 종교인 회의는 1893년에 시카고시에서 개최된, 동서의 종교인이 모인 회의를 제1회로 한다. 이것은 콜럼버스의 신대륙 발견 400주년을 기념한 기술 박람회인 세계 콜롬비아 박람회에서의 20여 개의 국제회의 가운데 하나였다. 하지만 이 회의는 동양의 종교들을 포함하여 다양한 종교의 주장을 분명히 보여주고, 사상의 다양성을 대규모로 세계에 보여주는 것이기도 했다. 그리스도교 프로테스탄트뿐만 아니라 이슬람, 자이나교, 남전 불교, 미국 국내의 신종교 운동 등으로부터도 200여 명의 대표자가 각각 연설하고, 특히 힌두교의 스와미 비베카난다 Swami Vivekananda, 일본의 임제종 원각사파의 샤쿠 소엔[釋宗演]의 연설 등은 큰 주목을 받고 영향을 남겼다.

거기서의 샤쿠에 의한 연설 「붓다에 의한 가르침으로서의 인과의 법칙」은 과학적 합리성과 종교적 신념의 좁은 틈에 놓이게 된 아메리카 프로테스탄트의 공감을 얻는 것이었다. 이 연설은 불교의 인과법을 과감히 중심으로 말하고, '거룩한 붓다는 이 (인과라는) 자연법칙의 창시자가 아니라 이 법칙의 최초의 발견자로 자리매김함으로써 창조론과 양립하지 않는 근대 과학의 생각에 친화성이 있었기 때문이다. 실제로 진화론에 반하는 그리스도교 창조론의 문제점은 이미 인과법 속에 존재하는 석가세존에게서는 해소된다. 또한 이 연설은 '도덕적 권위의 원천은 인과의 법칙이다라고 하여 도덕적인 올바름도 인과에 근거한다는 것을 강조하고 합리성과 종교적 신념과의 일치를 주장한다. 그렇지만 이것들만이 불교의 중심 교의는 아닌바, 샤쿠가 굳이 그것들을 선택한 배경에서는 그렇게 함으로써 아메리카 종교 지도자에게 효과적으로 연출해 보이겠다는 그의 의도도 엿보인다.

샤쿠의 이 연설을 높이 평가한 아메리카의 불교학자로 다원주의의 영향 아래 과학과 모순되지 않는 종교의 모습을 추구하고 있던 폴 케라스는 샤쿠의 귀국 후에 영어에 뛰어난 불교인의 파견을 샤쿠에게 의뢰했다. 그리하여 미국으로 건너간 것이 샤쿠의 일본어 초고를 영역한 스즈키 다이세쓰鈴木大拙로, 다이세쓰는 케라스 밑에서 번역 등의 작업을 거들면서 아메리카에서 선을 보급하는 발판을 다져갔다.

확실히 회의에서 아메리카 측에서는 그리스도교적 세계관에 의해 비서양의 종교들을 포섭하고자 하는 의도도 어른거리고 있었다. 그러나 이 회의에서 동양의 종교들과 아메리카의 이슬람 운동, 여러 파의 신종교들 등에도 연설 기회가 주어짐으로써 결과적으로 그러한 종교 운동의 존재 의의를 드러내고, 또한 일본의 불교가 아메리카에 보급되는 계기가 되었다. 그렇지만 이러한 세계적 규모의 종교 간 대화가 개최된 것에는 동양의 신비주의도 포함한 다양한 정신문화를 이미 참신하게 받아들이고 있던 아메리카의 토대가 반영되어 있었다고 말할 수 있다.

그 후에도 세계 종교인 회의는 1993년 시카고, 1999년 케이프타운, 2004년 바르셀로나, 2009년 멜버른, 2015년 솔트레이크시티, 2018년 토론토로 이어지며, 각각의 시기에 국제적으로 긴급한 문제를 주제로 하여 개최되어간다.

제2장

유럽의 자의식과 불안

히가키 다쓰야檜垣立哉

1. 들어가며 — 유럽 대륙 사상 개관

세계철학사의 중심으로서 유럽 철학

세계철학사 속에서 20세기 전반의 유럽 사상을 그리는 과제는 고유한 어려움을 수반한다. 왜냐하면 세계철학사의 시도란 독일·프랑스·영미라는 구분이 엄연히 존재하는 '근대 철학사'의 영역을 횡단하고 해체하고자 하는 것으로 생각되기 때문이다. 하지만 20세기의 유럽 철학이라는 것은 그것 자신이 '유럽 중심주의'적인 것일 수밖에 없다. 또한 한편으로는 그 내용의 화려함이라는 점에서도 그러한 측면이 있다는 것도 부정할 수 없다.

19세기부터 20세기의 초기에는 독일에서는 신칸트학파 — 헤르만 코헨Hermann Cohen(1842~1918)과 하인리히 리케르트Heinrich John Rickert(1863~1936) — 가 음성을 자랑하며, 오스트리아에서는 에른스트 마흐Ernst Mach(1838~1916) 이후의 논리 실증주의 흐름 — 후에 영미권의 주류가 되는 것의 원천 — 이 있었다. 이것들은 독일 현상학의 에드문트 후설Edmund Husserl(1859~1938, 주저『이념들 I』, 1913년, 『데카르트적 성찰』, 1931년)이나 그것을 존재론적으로 다시 파악하는 마르틴 하이데거Martin Heidegger(1889~1976, 주저『존재와 시간』, 1927년)의 활약으로 이어져 간다.

다른 한편 프랑스에서는 19세기적인 스피리추얼리즘을 계승하면서 독일에도 있었던 삶의 철학 — 빌헬름 딜타이Wilhelm Dilthey(1833~1911)나 게오르크 짐멜Georg Simmel(1858~1918) 등 — 의 흐름과 호응하는 가운데 앙리 베르그송Henri Bergson(1859~1941)이 독자적인 사상을 전개했다(주저『물질과 기억』, 1896년). 20세기 중기에는 이러한 신칸트학파나 베르그송의 흐름을 극복하듯이 오히려 독일 현상학의 자극을 섭취하면서 소설가이기도 한 장 폴 사르트르Jean-Paul Sartre(1905~1980, 주저『존재와 무』, 1943년)나 모리스 메를로퐁티Maurice Merleau-Ponty(1908~1961, 주저『지각의 현상학』, 1945년)가 스스로의 사유를 전개한다. 독일 사상은 전후 발터 벤야민Walter Benjamin(1892~1940)과 관계를 지녔던 테오도르 아도르노Theodor Wiesengrund Adorno(1903~1969, 주저『부정 변증법』, 1966년)가 프랑크푸르트학파를 전개하고, 위르겐 하버마스Jürgen Habermas(1929~) 등으로 이어져 간다.

20세기 전반의 유럽 사상은 틀림없이 '세계 사상의 중심'이었다. 그것은 그 후에 나타나는 포스트모던이라고 하는 사상 무리가 이러한 20세기 초의 사상들을 비판적으로 이어받거나 그것들을 토대로 하여 성립하는 것에서 보더라도 알 수 있을 것이다. 포스트모던의 구조주의적 인류학자로 구분되는 클로드 레비스트로스Claude Lévi-Strauss(1908~2009, 주저 『야생의 사고』, 1962년), 지그문트 프로이트Sigmund Freud(1856~1939)의 정신 분석을 구조주의적으로 다시 파악한 자크 라캉Jacques Lacan(1901~1981, 주저 『에크리』, 1966년), 나아가 오히려 20세기 후반에 두각을 나타내는 에마뉘엘 레비나스Emmanuel Lévinas(1906~1995)조차 20세기 초에 태어나 전반기에 그 활동을 시작한다. 20세기 전반의 대륙 철학은 독일에서는 사회 철학으로 계승되고, 프랑스에서는 구조주의나 포스트모던 사상으로의 흐름을 낳은 것이기도 하며, 그런 점에서 이미 사상사에서 확고한 모습을 보여주고 있다.

유럽의 불안과 자의식

그러나 동시에 생각해야 하는 것은 이 시기의 유럽이 특히 두 차례의 전쟁으로 상당한 상처를 입었다는 점이다. 독일은 제1차 세계대전의 패배 후에 나치즘이 대두하여 파시즘 국가를 형성했고, 두 번째의 패배는 나치즘에 대한 집요한 비판과 더불어 오랫동안 꼬리를 끌었다. 프랑스는 두 전쟁에서 전승국이 되었지만, 나치스·독일의 점령으로 괴멸적인 타격을 입었다. 위에서 든 사상가들도 하이데거와 나치즘의 관련이나 사르트르와 레지스탕스 운동의 연결 등, 이러한 시대 흐름과의 관련을 무시할 수 없다.

또한 유럽 전체를 보더라도 프랑스 혁명 이후의 거듭되는 정변을 거쳐 프랑스가 '민주주의'라는 정치 모델을 만들어 내고, 동시에 19세기적인 제국주의 체제에서 영국과 프랑스가 세계 곳곳을 식민지화하여 경제적인 영화를 자랑하는 것과 더불어 독일도 신흥 자본주의 국가로서 대두해간 데 반해, 20세기에 들어서자 경제적으로도 정치적으로도 시대의 초점은 자본주의의 중심으로서는 미국으로, 그리고 공산주의 혁명을 실현한 소비에트 연방으로 이행해 가게 된다. 세계의 수도로서의 19세기 파리, 바로 벤야민이 그려낸 유럽의 수도의 영화가 20세기 초에는 점차 그 힘을 잃어 갔던 것도 틀림없다.

이 점은 19세기 말부터 모종의 세기말 사상이 유럽의 곳곳에서 보인 것과도 관련될 것이다. 화가 구스타프 클림트Gustav Klimt (1862~1918) 등에 의한 빈 세기말 운동이든, 샤를 보들레르Charles-Pierre Baudelaire(1821~1867, 주저 『파리의 우울』, 1869년)나 아르튀르 랭보Jean Nicolas Arthur Rimbaud(1854~1891, 주저 『지옥의 계절』, 1873년)를 중심으로 하는 프랑스 시詩에서의 상징주의 운동이든, 그러한 '유럽의 농익음'과 그 후의 '몰락 의식'을 예견하는 것이었다.

즉, 유럽은 17세기의 과학 혁명을 이어받아 근대 사회로부터 20세기에 이르기까지 정치 경제적으로 세계의 중심으로서 스스로의 지위를 쌓아 올렸지만, 19세기 말부터는 사상의 융성과는 정반대로 오히려 그 '어둠'을 포함하여 전개해 가게 되는 것이다. 포스트모던 사상은 바로 그러한 유럽성의 해체를 자기의 기축에 놓을 것이다. 그것은 구부러진 자의식과 불안의 나타남이라고도 말할 수 있는 것이 아닐까?

20세기 초의 대륙 사상에서는 이러한 '몰락하는 자의식'이 엿보인다. 1918년에 간행된 오스발트 슈펭글러Oswald Spengler(1880~1936)의 비교 문명학적인 책인 『서구의 몰락』이 그 책의 내용보다도 오히려 충격적인 '제목'으로 인해 유행하게 된 것은 이러한 지위 저하를 누구나 몸으로 느끼고 있었기 때문일 것이다. 서양을 '아벤트란트Abendland', 요컨대 저물녘의 땅으로 그리는 것은 프리드리히 니체Friedrich Nietzsche(1844~1900)로부터 하이데거Martin Heidegger(1889~1976)까지 이어지는 일이기도 하다. 20세기 전반의 유럽 사상은 세계철학적으로 보았을 때 이러한 '영화'와 그로부터의 '몰락'이라는 배경에 어디선가 관계되지 않을 수 없는 운명을 짊어지고 있다.

대중과 기술이라는 주제

그런데 그때 중요해지는 논점에는 두 가지가 있을 것이다. 하나는 '대중'의 성립과 그 평가이다. 아메리카에 앞서 자본주의적인 물질문화를 실현한 유럽에서 그 사상과 정치성에는 대중의 형성이 배후에서 따라붙는다. 그것은 자본주의의 성숙을 맞이한 이상 당연한 일이지만, 이러한 대중을 어떻게 파악할 것인지는 파시즘의 연관에서도 커다란 문제가 된다. 또한 거기에는 벤야민에게서 보이듯이 '미디어'를 어떻게 다룰 것인가 하는 주제도 얽히게 된다.

또 하나는 유럽의 원동력으로서 자연 과학의 발달과 그것의 산물인 기술을 어떻게 평가할 것인가 하는 것이다. 서양 사회는 17세기 이후, 수많은 근대 과학적인 앎을 만들어 내고 그것을 기술에 적용하여 세계에 군림해왔다. 하지만 이러한 앎이나 기술은 이미 인간의 손을 떠나 그 자신이 통제 불가능한 것이 되었다. 현재도 커다란 문제인 이러한 기술에 대한 물음이 20세기 전반에는 이미 위급한 것이 되어 있었다는 것을 간과할 수 없다.

이러한 문제들이 앞에서 말한 두 차례의 전쟁 사이, 특히 1930년 대를 중심으로 다양한 논자에 의해 다루어지는 것도 우연이라고는 생각할 수 없다. 유럽 사상은 데모크라시와 과학 기술의 산물인 대중이라는 존재와 제어 불가능한 과학 기술을 앞에 두고 그것을 사상적으로 어떻게 다룰 것인지에 대해 바로 '불안'을 가지고서 주제화하지 않을 수 없게 되는 것이다.

2. 대중사회와 사상 — 오르테가와 벤야민

오르테가와 『대중의 반역』

대중을 주제로 내세울 때, 지금까지 등장하지 않은 철학자를 다루고자 한다. 그것은 독일과 프랑스가 아니라 대항해 시대의 황금기를 보내고 유럽으로서도 변경으로 내몰리고 있던 스페인에서 나타난 호세 오르테가 이 가세트José Ortega y Gasset(1883~1955)이다. 언뜻 보면 스페인 사상가를 대륙 철학을 논의하는 장에서 처음에 다루는 것은 기묘하게 보일지도 모른다. 하지만 오르테가는 1930년대에 『대중의 반역』이라는 책을 저술하고, 앞에서 말한 슈펭글러의 『서구의 몰락』을 비판적으로 다루면서 대중론의 원형이라고도해야 할 것을 만들어 냈다. 말하자면 중심에서 벗어난 비스듬한곳으로부터의 시선으로 유럽을 조감하는 자세를 오르테가는 갖추고 있다.

오르테가는 유력한 저널리스트 집안에서 태어나 혜택받은 환경에서 자라나며, 독일에 유학하여 신칸트학파의 철학에서 커다란영향을 받았다. 그는 스페인으로 돌아와 '삶의 이성'이라는 키워드아래 많은 작품을 저술했지만, 마드리드대학의 교원이 되었음에도프랑코 정권에 대한 스페인 시민전쟁 때(1936년) 나라를 떠나남미와 포르투갈을 떠돌았다. 이러한 점에서는 뒤에서 이야기하는벤야민이 유대 상인의 대단히 유복한 가정에서 태어나 아카데미즘의 장소에 몸을 두지 못하고서 글을 쓰고, 나치스·독일에서 벗어나기에 앞서 자살한 것과 경력 면에서뿐만 아니라 거기서의 기술 스타일과 관련해서도 겹쳐진다. 이 두 사람은 뒤에서 이야기하듯이 정치적 견지를 달리하면서도 '대중'이라는 것에 대해 생각하는 본보기를 보여준다는 점에서도 결부된다. 좀 더 말하자면 하이데거가 '사람·세인das Mann'으로서 '현존재'의 비본래적인 존재 방식을 묘사하는 것(『존재와 시간』)과도 통하는 점이 있다.

오르테가는 세계 제국이라는 영화를 상실하는 동시에 바르셀로나를 거느리는 카탈루냐와 마드리드를 중심으로 하는 카스티야로 분열하는 스페인에 대한 애착으로 가득 찬 우려의 생각을 지니고 있었다. 그렇지만 그가 그리는 '대중'론은 프랑스 혁명 이후의 사상과 영국의 자유주의도 포함하는 '유럽인'에게 있어서의 '총체적인 문제'를 응시하고 있다. 이 점은 『대중의 반역』에 덧붙여진 「프랑스인을 위한 서문」에서도 읽어낼 수 있다.

오르테가에게 대중이란 무엇인가?

오르테가의 『대중의 반역』은 서두에서부터 '오늘날 유럽의 사회생활에서 가장 중요한 한 가지 사실'로서 '대중이 완전한 사회적 권력의 자리에 올랐다'(『대중의 반역』, 『오르테가 저작집 2オルテガ著作集2』, 白水社, 53쪽)라는 것을 지적한다. 대중이 시대의 주인공으로 되는 것은 봉건 사회로부터 부르주아 사회로 전진해온 19세기까지

의 유럽의 존재 방식에 대한 명확한 '반역'이기도 하기 때문이다.

그러나 그러한 '대중'에 관한 오르테가의 기술은 대단히 준엄하다. 서두의 말에 이어서 묘사되는 것은 이러한 '대중'은 자기 자신을 지도할 수도 사회를 지배할 수도 없다는 것이다. '대중'이란 바로 '범속'한 것이면서 '단호함과 범속이라는 것의 권리'(같은 책, 62쪽, 강조는 원저, 이하 같음)를 주장한다. 그들은 바로 '평균화'의 시대인 근대를 완성하고 그 '범용함'에서 유럽에 일찍이 존재했던 다양성을 소멸시킨다. 이러한 대중은 '삶이 자유인 상태'를 처음부터 자명하게 여기고 그 한계를 생각하지 않는다. 이러한 무책임한 범용함은 '인류의 운명에서 하나의 파국으로도 될 수 있다'(같은 책, 128쪽)라고도 묘사되며, 슈펭글러의 『서구의 몰락』의 견해마저 낙관적이라고 말한다.

오르테가의 이러한 지적은 한편으로는 귀족주의적이고 보수적인 동시에 고답적으로도 보일 것이다. 20세기는 프롤레타리아트가 발흥하고 공산주의를 달성한 시대이기도 하다. 그렇게 해서 전면에 출현한 '노동자'와 민주주의적인 자유주의의 산물이기도 한 대중을 오르테가는 대단히 부정적으로밖에 파악하지 않는다.

하지만 우선은 1930년이라는 이 책이 출판된 연대에 주목해야 한다. 이 시대는 제1차 세계대전과 제2차 세계대전의 짧은 사이 시기의 평화이다— 일본에서 보자면, 다이쇼 데모크라시로부터 쇼와로 이행하는 시기 조금 후이다. 그러나 30년대 이후의 유럽에서는 나치스·독일이 대두하고 파시즘이 맹위를 떨치게 된다. 스페인에서는 프랑코의 독재가 시작된다. 소비에트 연방에서는 혁명의 열기 후에 스탈린주의가 위세를 떨치게 된다. 여기서 오르테가는 파시즘과 생디칼리슴(노동조합주의)을 똑같이 비판한다. 이러한 시대의 움직임을 뒷받침하는 것은 바로 '상대에게 도리를 이야기하는 것도, 자신이 도리를 지니는 것도 바라지 않고, 오직 자신의 의견을 밀어붙이려는 자세를 취하는'(같은 책, 122쪽) 인간 '유형'이 나타났기 때문이라는 것이다. 그것은 바로 '범용'하고 '평균적'일 것을 바라는 대중이 낳은 것이다.

'대중'이란 한편으로는 그때까지 억압되어온 프롤레타리아트가 역사의 전면에 출현한 것이다. 그것은 자유 민주주의에서 확실히 중요한 존재이다. 오르테가는 특별히 그러한 민주주의 모두에 반대하는 것이 아니다. 그러한 것이 아니라 오히려 유럽적인 인간의 '범형'이 위에서 말한 것과 같은 '대중'에게 탈취당하고 마는 것이야말로 위기를 품고 있다. 범용하고 평균적인 대중이 귀착하는 곳은 모든 '삶'의 '관료화'(같은 책, 175쪽) 이외에 다른 것이 아니다. 이러한 것들이 20세기 전반의 가장 큰 문제이기도 하며 수많은 폭력과 파괴를 낳은 온상이 되었다는 것을 오르테가의 대중론은 지적하고, 나아가서는 그것이 전 세계에 퍼져나간다는 것을 암시한다. 세계의 균질화와 삶의 관료화에 수반하는 무책임성이라는 문제는 지구화가 한층 더 격렬해지는 현대와도 통하는 것이라고 할 수 있다.

벤야민과 복제 기술론에서의 아우라의 상실

대중에 관해 논의를 전개하는 또 한 사람의 대표적 인물은 벤야민이다. 벤야민은 오르테가나 하이데거가 보수주의적인 사상가로 파악되는 데 반해 좌익적인 사상가로 보이지만, 실제로는 그 근저에서는 유대교적인 색채가 대단히 강하다. 벤야민은 「폭력 비판론」(1921년)과 「역사의 개념에 대하여」(1940년)라는 정치사상에서의 중요한 논고를 저술함과 동시에 몇 번에 걸쳐 고쳐 쓴 버전을 지니는 「기술적 복제 시대의 예술 작품」(제2판, 1935~1936년)이라는 현대 예술론에 있어 불가결한 논고를 남기고 있다 (『벤야민 선집 1ベンヤミン・コレクション1』, ちくま学芸文庫). 거기서 주장되는 '아우라의 소멸'은 오르테가가 말하는 '대중화', '평균화'라는 사태와 강하게 연결되며, 또한 '복제 기술'을 다루는 것은 기술과 대중의 관계를 좀 더 명확히 하는 것이다.

이전의 예술이란 회화든 음악이든 어떤 일회성을 지니는 '아우라'에 의해 에워싸여 있었다. 그러나 사진이나 영화와 같은 근대의 기술이 만들어 내는 본질적으로 '복제' 가능한 예술에는 그러한 일회성이 결정적으로 빠져버린다. 그런 까닭에 예술 작품에 대한 태도가 변화한다. 그리하여 바로 평균화된 예술을 대중은 손에 넣게 된다.

벤야민은 대중을 복제화된 기술을 수용하는 존재로서 파악해 간다. 그것은 저널리즘을 통해 날마다 전달되는 각종의 뉴스 영화에 의해 그 신체와 동화되는 존재이다. 기계를 통해 동시에 다수의 대중이 보게 되는 사태는 바로 인간 그 자체를 기계화해간다. 그리고 거기서의 인간은 바로 아우라를 상실하게 된다. 나치즘이 영화라는 장치를 이용하여 그 세력을 확대하고 있던 1930년대에 위와 같이 기술하고 있는 것은 상징적인 의미를 지닌다고 생각할 수 있다.

하지만 모종의 대중 혐오로서 읽을 수 있고 또한 그 상황에 대해 막막하게 느끼는 것은 이해할 수 있으면서도 어떻게 대응하면 좋을지 명확하게는 보여주지 않는 오르테가 — 또는 '사람'(세인 ·das Mann)을 이야기하는 하이데거 — 와는 달리 벤야민은 이러한 시대로부터이긴 하지만 대중에 뒤얽힌 다른 모양의 가능성을 발견하고자 한다. 그것은 이 논고의 말미가 파시즘에 의한 정치의 미학화에 맞선 코뮤니즘에 의한 미학의 정치화라는 전략을 적고 있는 것에서도 알 수 있다. 하지만 역시 거기서도 정치와 기술과 '대중'을 연결하는 '다른 모양의' 관계성이 어떻게 가능한지는 현대에까지 남겨진 물음이기도 하다.

3. 실증주의 및 기술에 대한 회의

후설의 현상학

오르테가나 벤야민과는 다른 방향에서 '위기'를 논의한 것은 후설이다. 후설은 수학과 논리학에 관한 연구에서 시작하여 『이념들』(전 3권)을 중심으로 하는 책들에서 커다란 영향력을 현재에도 미치고 있는 현상학을 창시했다. '순수 의식'으로의 회귀를 논의한 후설의 현상학은 '사태 그 자체로'라는 표어와 함께, 이미 언급했듯이, 하이데거의 존재론으로 이어져 갔다. 또한 다른 한편으로는 프랑스 사상에도 크고 많은 영향을 주며, 포스트모던 사상에도 비판적으로 계승된다.

후설의 현상학이란 심리주의와 물리주의에 젖은 우리의 자연주의적인 태도를 '현상학적 환원'에 의해 '괄호 치기'하고 '초월론적 주관성'이라는 '현상 그 자체'의 장면으로 돌아가게 하는 것이다. 그리고 만년에는 그러한 초월론적 영역 자신의 성립을 '생활 세계' 또는 '상호 주관적인' 타자와 관련하여 사고하는 것으로 이행해 간다. 프랑스의 메를로퐁티의 현상학에서는 오히려 '현상학적 환원'의 최종적인 불가능성을 논의하면서 — 이것은 후설이 절대로 인정하지 않은 논의이다 — 이러한 후기의 사유를 이어받아 '살아 있는 신체'로서의 신체론을 그려내는 독특한 전개를 이루어 내고 있다.

그러한 후설이지만, 만년에는 『유럽 학문의 위기와 초월론적 현상학』(1936년, 이하에서는 『위기』, 中央公論社)이라는 강연 원고를 토대로 한 저작을 완성하여 독자적인 방식으로 '위기'라고 여겨지는 시대의 존재 방식을 그려내게 된다.

그 자신이 유대인이었다는 점 때문에도 후설은 이미 나치스·독일이 정권을 탈취한 이 시기에 정치적 박해를 받기도 했다. 다만 『위기』에서 제시되는 것은 그와 같은 형태의 '위기'가 아니다. 거기서는 오히려 유럽의 '학문 총체'에서의 '위기'가 지적된다. 후설은 이 저작에서 데카르트 이후의 유럽의 철학들과 현재에 이르는 그 흐름을 더듬어가면서 바로 학문 자신의 위기를 정치의 위기 시대에 말한 것이다. 그것은 어떠한 것일까?

실증주의적 경향에 대한 비판

단적으로 말하자면 문제가 되는 것은 학문의 '실증주의적 경향' 그 자체이다. 17세기 이후 서양의 자연 과학이 그 정점에 도달하는 이 시기에 후설은 그 의의를 충분히 인정하면서도 그러한 사고 방법이 바로 인간의 심적인 삶이나 정신성에까지 침입해오는 것에 대해 비판적이다. 실증주의적 학문과 그것이 낳는 앎을 충분히 평가하면서도 그러한 것이 우리의 삶 전체를 뒤덮어가는 경향을 지닌다는 것은 바로 사상에서의 '위기'인 동시에 '유럽 학문'의 위기라고 생각되었다. 그러한 실증주의적 자세는 본래 후설이 말하는 '생활 세계'로부터의 발생에 근거 지어져야 하며, 그것을 거치지 않는 논의는 전도된 것에 지나지 않는다. 그러한 것이 아니라 '생활 세계'에 뿌리박은 본래의 앎의 기반으로 되돌아가야만 한다고 후설은 생각한다. 이것은 메를로퐁티가 그의 신체론에서 객관적이고 생리적인 신체가 아닌, 스스로의 삶과 의식이 그에 기반하는 '살아 있는 신체'를 끌어들인 것과 겹쳐진다.

이것은 유럽이 바로 자연 과학과 그 기술에 의해 세계의 총체적인 유럽화를 불러일으켜 온 것에 대한 반성을 묘사하는 것이라고 할 수 있다. 어쨌든 여기에서도 1930년대라는 시대에 따라붙는 '위기'가 학문 전체의 성립이라는 방향에서 파악되고 있었다.

다만 그리하여 후설에게서— 그리고 다음에 다루는 하이데거도 그러하지만— 유럽이라는 이념적 대상과 이념적 존재 자체가 의심되는 것은 아니다. 그것은 이 저작의 마지막 장이 '인류의 자기 성찰로서의, 이성의 자기실현으로서의 철학'이라는 이름을 달고 있는 것에서도 알 수 있다. 후설은 생활 세계와 타자를 논의하기는 하지만, 거기서의 논의가 그리스 이래로 계승되고 있는 '유럽적 이성'이라는 텔로스=목적을 잃는 것은 아니다. 이 점은 포스트모던의 논의 속에서 곧바로 비판되는 요점이 될 것이다. '위기'란 바로 유럽의 '위기'인 것이지만, 그 해결은 실증주의적인 학문을 초월론적으로 총괄하는 '유럽적인 이성'으로 되돌아감으로써 성취되어야 하기 때문이다.

이어서 다루는 하이데거의 기술론은 좀 더 명확히 과학 기술이 산출하는 기술에 초점을 맞추어 이러한 상황을 분석하고 있다.

하이데거의 사유

이미 이야기했듯이 하이데거는 후설의 현상학을 이어받으면서도 그것을 '존재론'으로서 다시 그려내고, 그리스 이후의 유럽 사상이 모종의 '존재 망각'에 빠져왔다는 것을 지적한다. 하이데거의 주저인 『존재와 시간』은 1927년에 간행되었지만, 실제로는 계획된 것의 3분의 1에 지나지 않으며, 그 후반을 이루어야 하는 것은 강의 등에서 다양한 방식으로 이야기되기는 했지만, 저작으로 완성되지는 못했다. 거기서는 본래 아리스토텔레스 이래의 그리스적인 사유가 지니고 있던 존재의 탐구가 바로 존재론의 역사로서 다시 더듬어져야 했다.

그러나 하이데거에게서도 '존재 망각'에 의해 비판되는 것은 근대 이후의 유럽 학문인 동시에 그것이 실증주의적인 것으로 향한다는 것이었다. 이런 의미에서는 후설과 방향성을 같이한다.

그러나 후설과 달리 나치즘과 친화성이 있던 하이데거는 나치스 정권하에서 프라이부르크대학의 총장에 취임하고 '학장 취임 연설'을 행했다(1933년) — 다만 그 후 나치스와 의견이 맞지 않아 사임한다—. 하이데거와 나치즘의 관계에 관해서는 근간에 공개된 『검은 노트』라고 불리는 문서의 존재 등도 포함하여 아직도 현실적인 주제가 되어 있다. 그런 의미에서 학문에 대한 침잠으로부터 실증주의를 비판하고 위기를 묻고자 한 후설과는 정치에 대한 관계에서 다름이 있다. 하지만 근대 과학의 학적 지배에 대항하고 유럽 학문의 현 상황을 비판하여 그리스적인 잃어버린 '기원'을 찾는 방향성과 관련해서는 후설보다 강고하다고도 할 수 있다. '아벤트란트', 요컨대 저물녘의 땅으로서의 유럽을 그 기원으로부터 다시 일으키는 것을 하이데거는 '존재 망각'의 역사를 다시 파악함으로써 시도한 것이다.

하이데거와 기술론

그러한 하이데거에게는 일련의 '기술'에 대한 논고가 있다. 하이데거의 기술에 대한 사유는 역시 1930년경에 개시되어 1953년에 「기술에 대한 물음」으로서 완성되었다(『技術への問い』, 平凡社 ライブラリー). 이 논고에서는 독일의 사상가·소설가인 에른스트 윙거Ernst Jünger(1895~1998)의 『노동자』(1932년)라는, 제1차 세계대전의 패배에 대한 반성으로부터 '총동원'의 사상을 전개한 저작의 영향이 보인다. 거기서 하이데거는 기술의 본질을 '게슈텔Ge-stell'이라는 '닦달'이라고도, 또는 바로 윙거의 영향을 받았다는 점에서 '총체적인 몰아세우기 체제'라고도 옮길 수 있는 말로 제시한다. 그것은 당시 커다란 문제가 되어 있던 원자력의 이용도 포함하며, 근대 기술이 자연 자신을 그대로의 존재 방식으로 이용하는 것이 아니라 바로 대지의 에너지를 무진장하게 '총동원'하고 '몰아세워'가는 사태에 대한 비판을 이룬다. 대지에 거주하고 농경을 수행해온 인간에 대해 근대 과학은 그러한 대지와의 연관성을 떼어놓고 철저한 자연 착취를 수행한다고 묘사하는 것이다.

하이데거는 이에 맞서 기술이 본래 지니고 있어야 할 제작, 요컨대 포이에시스로의 회귀를 구상한다. 그것은 '존재 망각'에 대한 비판과 같은 시기의 것이다. 이리하여 마지막으로 독일 낭만파 시인인 프리드리히 휠덜린Friedrich Hölderlin(1770~1843)의 '위기가 있는 곳에서 구원도 자라난다'라는 말을 끌어내고, 기술의 제작, 요컨대 포이에시스적인 사용법에 그 미래를 맡기는 기술을 수행하기에 이른다.

하이데거의 기술론은 현대 기술을 '위기'로 파악할 때 원자력도 시야에 넣으면서 그 특질을 폭로하고, 우리의 삶의 현장을 아득히 떠난 과학 기술에 대한 비판과 그 회복을 그린다는 점에서 기술에 관한 전형적인 논의라고 생각된다.

그러나 마지막으로 휠덜린을 끌어내 시작詩作으로서의 포이에시스에서 구원을 찾는 한에서는 바로 그것이 거대하게 대중화하고 바로 평균화되고 관리되는 사회 속에서 과학 기술이 기능하는 것에 맞서 얼마만큼의 저항 내용을 찾아낼 수 있는지는 명확하지 않다. 또한 그러한 시작이 그리스적인 사유의 기원을 추구하는 측면을 지니는 이상, 그것이야말로 유럽적 중심주의 속에서 이야기되고 '해결'되는 '위기'에 지나지 않는다고도 말할 수 있다. 이것은 후설이 유럽적인 이성에 대한 신뢰를 두면서 '위기'를 논의하고 있던 것과 같은 구도이기도 하다.

그러면 이렇게 해서 '대중화'와 '기술'이라는 서로 교차하는 부분도 있는 두 가지 주제를 축으로 기술해온 지금까지의 논의를 시대에 대한 각각의 관계를 다시 파악하면서 비판적으로 정리해보자.

4. 오늘날에 대한 과제 ― 결론을 대신하여

20세기 전반의 유럽 철학은 대단히 풍부한 내용과 전개를 자랑하고 현대에 이르기까지 유효한 사고의 밑그림을 만들어 냈다. 그럼에도 불구하고 그 핵심에서 스스로의 '세계 지배' 방식에 대한 비판을 포함한다고 하는 일종의 전도된 자의식으로 관철되고 있다고도 말할 수 있다. 대중의 발흥이란 틀림없이 유럽의 민주주의 혁명, 즉 프랑스 혁명으로부터 러시아 혁명에 이르는 흐름 속에서 산출된 것이며, 자유주의와 통하는 그 존재 방식은 한편으로는 세계의 모범이 되는 유럽의 인류사적 성과이다. 하지만 다른 한편으로 대중은 문화를 타락시키고, 바로 여기서 거론한 인물이 각각 관계하는 1930년대 이후의 파시즘이 초래한 폭력성과 밀접한 연결을 사실상 지니게 된다. 더 나아가 17세기 이후의 과학이 그 절정에 도달한 것처럼 볼 수 있는 20세기에 그것이 제시하는 기술은 미디어를 통해 대중이라는 존재 그 자체에 작용함과 동시에 그것 자신이 갖추고 있는 특성에 의해 '삶의 기반'이라는 우리가 서 있는 지반을 간과하고 망각하게 만들기도 한다. 유럽은 자기의 앎이 지닌 우수함의 결정이라고도 해야 할 이러한 사태들에 대해 자기 자신에게 칼을 찌르는 것과 같은 거동으로 나아가지 않으면 안 되었다. 이것은 '세계철학사'적인 관점으로부터는 대단히 커다란 역사의 아이러니라고 말해야 하는 것이 아닐까?

　다만 첫째로 이러한 유럽의 자기 비판적인 자세는 철학 그 자체의 존재 방식을 생각할 때 중요한 논점 그 자체가 아닐까? 철학이란 본래 비판을 그 원동력으로 한다는 측면을 지닌다. 그렇지만 스스로가 성립하게 하는 사회 기반과 그 조건에 대해 이렇게 광범위한 형태로 비판을 전개하는 것은 이 시대의 고유한 특징이기도 할 것이다. 20세기 전반의 유럽 사상의 화려함과 현란함이 자기의 세계적인 지위의 '몰락' — 그리고 그것은 아메리카의 거대화와 소비에트 연방의 성립이라는 당시의 사정을 넘어서서 아시아와 아프리카 등의 발흥을 수반한 지구화가 진행되는 '현재'에 점점 더 격화하고 있다 — 이라는 '그늘'을 포함하면서 성립하고 있다는 점은 몇 번이고 다시 생각해보아야 할 것이다.

　하지만 또 하나 지적하지 않을 수 없는 점은 오르테가의 대중 비판에서든 후설의 실증주의 비판이나 하이데거의 기술 비판에서든 결국 그것이 어떻게 비판으로서 기능하는 것인지, 요컨대 그것을 넘어서서 무언가 새로운 앎에 이르렀던 것인지는 역시 불명료하다는 것이다. 가까스로 대중/기술 사회에서도 새로운 숨결을 느끼고 있던 벤야민의 경우에도 코뮤니즘이라는, 현재는 거의 가치를 상실한 언어에서 발견하는 희망이 어떠한 구체적인 모습을 그리는 것인지 명확하다고는 말할 수 없다. 그러나 이것은 그들을 비난하는 것이 아니다. 20세기 후반에 대중화는 인터넷의 등장 등에서 점점 더 격렬해지고, 기술과 관련해서도 네트워크 사회와 원자력 발전 문제 또는 생명의 공학적 조작 등을 보면, 당시와는 비교할 수 없을 정도로 진화하고 그 통제는 이루어질 수 없는 상태가 되었다. 현재를 살아가는 우리도 그것을 비판적으로 보는 견지를 잃지 않고서, 그러나 그러한 현 상황을 토대로 언어를 자아내야만 할 것이다. 그것은 20세기 전반의 이러한 철학의 움직임을 토대로 하여 그 연장선상에서 그리는 수밖에 없는 것이다.

☞ 좀 더 자세히 알기 위한 참고 문헌

— 호세 오르테가 이 가세트José Ortega y Gasse, 『대중의 반역大衆の反逆』, 『오르테가 저작집 2』, 白水社, 1969년. 이 책에는 사사키 다카시佐々木孝가 옮긴 이와나미문고판(2020년)도 있다. 오르테가에 대해서는 일본에서는 니시베 스스무西部邁가 추켜세운 것으로 유명하지만, 오히려 오르테가 저작집을 보면 그는 미술론으로부터 역사 철학까지 다양한 주제에서 시대에 대응하고 있으며, 대중론이 그 속에 자리하고 있다는 것을 생각해야 하는 것은 아닐까 생각된다.

— 미시마 겐이치三島憲一, 『벤야민 — 파괴·수집·기억ベンヤミン — 破壊·收集·記憶』, 岩波現代文庫, 2019년. 벤야민에 대해서도 본문에서는 많은 것을 언급할 수 없었지만, 여기에서는 상세하게 그 자신의 삶이 더듬어지며, 하나의 줄거리로는 말할 수 없는 벤야민 논의의 흐름을 추적할 수 있다.

— 가토 히사타케加藤尚武 편, 『하이데거의 기술론ハイデガーの技術論』, 理想社, 2003년. 자그마한 편저 책이지만, 하이데거 자신의 사유에 대한 상당히 신랄한 비판을 포함하며, 그 어구에 대해서도 상세한 독해가 이루어진다. 하이데거의 기술론은 모리 이치로森一郎 편역의 『기술이란 무엇인가技術とは何だろうか』(講談社学術文庫, 2019년)도 있으며, 다양한 번역의 시도가 이루어지고 있다.

— 기다 겐木田元, 『메를로퐁티의 사상メルロ=ポンティの思想』, 岩波書店, 1984년. 조금 오래되었지만, 본문에서 그다지 많이 언급하지 못한 메를로퐁티에 관해 한눈에 내다보기 대단히 좋은 정리가 이루어져 있다. 그 밖에 『메를로퐁티 독본メルロ=ポンティ讀本』(法政大学出版局, 2018년) 등이 있다.

제3장

포스트모던 또는 포스트 구조주의의 논리와 윤리

치바 마사야千葉雅也

1. 프랑스의 포스트 구조주의와 그 세계적 영향

포스트모던, 포스트 구조주의

포스트모던이란 근대(모던) 이후의 시대이다. 그러한 시대 구분을 인정할 것인가 아닌가를 둘러싸고 이전에 논쟁이 이루어졌지만, 18세기의 계몽기로부터 19세기에 걸쳐 성립한 근대 사회는 두 차례의 세계대전을 거쳐 자본주의의 발전으로 변질해가고, 21세기가 되어 인터넷의 보급 이후, 특히 SNS의 보급 이후에는 20세기의 전후 세계와도 다른 양상을 드러내고 있다. 따라서 현재에도 근대성의 기본 구조는 이어지고 있다고 하더라도— 그런 까닭에 '후기 근대'라고도 말할 수 있지만—, 포스트모던이라는 표현을 대체로

20세기 후반부터의 상황을 보여주는 것으로서 대강 사용하는 것은 허락될 것이다.

포스트모던을 사상사적인 개념으로 정의한 것은 장-프랑수아 리오타르Jean-François Lyotard(1924~1998)의 『포스트모던의 조건』(1979년)이다. 리오타르는 근대에서의 진보나 평등과 같은 '큰 이야기' 또는 '이념'에 대해 회의하게 되고 앎의 운동이 좀 더 분산적, 다원적으로 되는 상황을 포스트모던이라고 불렀다. 이 장에서도 이 정의를 전제로 한다.

포스트모던 사상으로 불리는 것은 주로 질 들뢰즈Gilles Deleuze(1925~1995)와 자크 데리다Jacques Derrida(1930~2004), 리오타르 등으로 대표되는 1960년대 후반부터의 프랑스 '포스트 구조주의'의 철학이며, 또한 그 영향을 받은 포스트 식민주의나 젠더/섹슈얼리티의 이론 등이다(북미에서 포스트 구조주의적인 인문 연구는 일반적으로 '시어리theory'라고 불린다). 이탈리아의 조르조 아감벤Giorgio Agamben(1942~) 등도 포스트 구조주의를 근거로 한 사상을 전개하고 있다. 일본에서는 아카데미즘보다 제약이 적은 재야의 문예 비평으로부터의 연장선상에서 1980년대에 프랑스의 동향에 자극받은 '뉴아카데미즘'이 흥했다(가라타니 고진柄谷行人, 아사다 아키라淺田彰, 나카자와 신이치中澤新一 등).

세계철학이라는 관점에서 보면 포스트모던 사상은 서양 문화의 '정전canon'을 중심으로 하는 종래 아카데미즘의 해체를 밀고 나가고, 그 권위적 시야에서는 충분히 다루어오지 못한 대중문화나 소수자 문제 등도 포섭하는 영역 횡단적 정신을 활성화하며, 세계의 각 곳과 또한 다양한 사정을 지니는 당사자에게서 각각에 고유한 구체성과 추상성의 균형을 시도하는 실험적 고찰을 뒷받침하는 것이 되었다고 말할 수 있을 것이다.

그렇지만 곧바로 덧붙이자면, 포스트모던이라는 표현을 거부하는 자는 대체로 포스트 구조주의에 대해 의혹과 혐오를 지니는데, 그에 대해서도 뒤에서 언급한다.

포스트 구조주의의 대표로 여겨질 수 있는 동시에 (본인은 거부한다고 하더라도) 포스트모던이라는 표현이 부자연스럽지 않다고 필자가 파악하는 사람은 특히 들뢰즈와 데리다이지만, 이 장에서는 좀 더 넓게 미셸 푸코Michel Foucault(1926~1984)와 에마뉘엘 레비나스Emmanuel Lévinas(1906~1995) 등 동시대의 철학자도 취급하고자 한다. 그리고 포스트 구조주의의 계보를 이어서 현재 활약하고 있는 퀑탱 메이야수Quentin Meillassoux(1967~) 등에 대해서도 언급한다.

2. 포스트모던의 논리

차이와 이항 대립 — 들뢰즈, 데리다

포스트 구조주의의 논자는 각각 매우 개성적이지만, 이 한 무리의 사상은 다양한 의미에서 기존의 상식과 사회 체제에 대해 '전복적' 경향을 지닌다고 말할 수 있다. 또는 '역설을 농한다'라고도 말하고 싶어지는 고도한 수사학을 특징으로 한다. 이러한 반항적인 기본 성격은 1968년의 파리 5월의 사건과 자주 결부된다.

역설을 농하는 전복적 사상, 그것의 가장 중요한 핵심어는 '차이 difference'이다. 이 개념을 시대를 상징하는 것으로 밀어 올린 것은 들뢰즈의 주저 『차이와 반복』(1968년)이며, 또한 데리다의 일련의 작업이었다. 데리다에게는 시간·공간적인 엇갈림이라는 의미를 포함하는 '차연 différance'이라는 조어가 있다.

차이와 대립을 이루는 것은 '동일성'이다. 들뢰즈의 철학은 동일성에 대해 이차적인 차이가 아닌 차이, 즉 그것 자체에서의 제1차적인 차이의 철학이다. 들뢰즈에 따르면, 차이에 대해 동일성 쪽이야말로 이차적이다.

동일성이 최초의 것이 아니라는 것, 동일성은 정말이지 원리로서 존재하지만, 다만 이차적인 원리로서, 생성한 원리로서 존재한다는 것, 요컨대 동일성은 "다른 것" 주위를 돌고 있다는 것, 이것이야말로 차이에 그것 본래의 개념 가능성을 열어주는 코페르니쿠스적 전회의 본성이며, 이 전회로부터 보자면, 차이는 사전에 동일적인 것으로서 정립된 개념 일반의 지배 아래 머무는 것이 아니다. (들뢰즈, 『차이와 반복差異と反復』 상, 자이쓰 오사무財津理 옮김, 河出文庫, 2007년, 121~122쪽)

'A는 ~이다'라는 형태로 사물에 대해 서술하는 것, 요컨대 사물이 동일적으로 이러이러하다는 것을 정하는 것이 로고스이다. 그리고 그 본성이 동일적으로 이러이러하다고 전제되는 바의 사물의 조합으로서 상식적인 세계가 성립한다. 이러한 인식에 대해 전복적 태도를 보이는 것이 포스트 구조주의(포스트모던) 사상이다. 하지만 그것은 사물이 한순간이라도 어떠한 동일성도 지니지 않는다는 완전히 카오스적인 주장을 하는 것이 아니다 ― 앞의 인용에도 있듯이 이차적이기는 하지만 동일성은 '원리로서 존재하는' 것이다. 동일성은 어떤 측면에서는 임시로 인정되지만, 동시에 모든 것은 끊임없는 차이'화' 속에 놓여 있다. 다른 한편 데리다는 들뢰즈보다도, 말하자면 '그늘'이 있는 논조로 동일성 성립의 불완전이나 실패에 주목한다.

데리다에 따르면, 서양의 로고스는 이항 대립에서 성립하는 동시에 이항 대립에는 한편을 우위, 다른 편을 열위로 하는 비대칭성이 놓여 있다. 그러한 이항 대립이 여러 개 차례차례 서로 겹쳐짐으로써 앎의 시스템이 구축된다. 거기서 데리다는 이항 대립의 그러한 가치적 비대칭성이 반드시 일관되게 성립하지는 않는다는 것을, 요컨대 동일성을 유지할 수 없다는 것을 미시적인 텍스트 독해를 통해 밝히고자 한다. 그와 같은 텍스트 독해의 전략이 '탈구축'이다. 탈구축이란 이항 대립의 '결정 불가능성'에 주목하는 기술이다.

(…) 고전적 철학에서와 같은 대립에서 우리는 무언가의 마주 보는 것과 같은 평화적 공존에 관계하는 것이 아니라 어떤 폭력적인 위계적 서열 짓기에 관계하고 있습니다. (…) 해당 이항 가운데 한쪽이 다른 쪽을 (가치론적으로, 논리적으로 등등) 지배하고 높은 자리를 차지하는 것입니다. 그러한 대립을 탈구축한다는 것은 우선 어떤 일정한 시점에 그러한 위계 서열을 전도시키는 것입니다. (데리다, 『입장들^{ポジシオン}』, 다카하시 노부아키^{高橋允昭} 옮김, 青土社, 2000년, 60쪽)

이러한 '전도' 작업의 결과 데리다는 '이미 (이원적인) 철학적 대립 속에 뜻대로 포함되지 않는 것이지만, 그럼에도 불구하고 그 대립 속에 깃들이고 그것에 저항하며 그것의 질서를 교란하는' 것과 같은 것, '결정 불가능'하다고 하는 것, 하지만 제3항도 아닌 것을 가까스로 개념화한다(같은 책, 63쪽). 그것은 예를 들어 독도 약도 아닌, 선도 악도 아니고 내부도 외부도 아닌 '파르마콘^{pharma-kon}' 등이다(데리다, 「플라톤의 파르마케이아」, 『산종^{dissémination}』 수록).

동일성(에 의한 로고스의 체계)과 차이라는 것이 이제 문제로 하는 최대의 이항 대립은 곧 포스트 구조주의의 메타 이항 대립이지만, 이에 대해서도 탈구축적인 취급이 필요하다. 즉, 단지 차이에 우선권을 주는 것이 아니라 동일성과 차이가 서로를 맞당기는

'틈새'에 주목하는 것이 포스트 구조주의의 사유이다.

동일성과 차이의 이중성, 이중 구속 사유

이것은 들뢰즈에게서의 '잠재적 virtuel인 것'의 경우에도 그러하다. 잠재적인 것이란 차이의 존재 방식을 말한다. 그것과 대립하는 것은 '현실적 actuel인 것'이며, 이쪽이 동일성 측이다. 그러나 이 이항은 잠재적인 것이 현실화하는 과정에서, 또한 역으로 현실적인 것이 언제나 잠재적인 것을 수반하는 형태로(데리다적으로) 상호 의존하고 있다. 동일성 측과 차이 측의 관계는 존재론적인 '이중성'으로서―비유하자면, 양자 역학에서 말하는 바의 '입자와 파동의 이중성'과 같이―파악해야만 한다.

포스트 구조주의(포스트모던) 사상에서는 대극적인 두 가지 원리가 주어질 때, 그 한편으로 세계를 설명하는 것이 올바르다고 한편만을 옹호하는―이를 위해 다른 편의 지지자와 승부가 결정될 때까지 논쟁하는―것이 아니라 이항을 이중화하여 어느 쪽이든 보존하고 둘 사이의 긴장 관계에서 사고하는 이중 구속적 상태를 의도적으로 받아들일 것이 요구된다. 이하에서는 '이중 구속 사유'라는 표현을 사용하고자 한다.

이중 구속 사유에는 'A∧¬A'(A인 동시에 비-A이다)라는 모순 명제가 함의되는 것으로 보인다. 모순 명제로부터는 어떠한 명제를 끌어내더라도 참이 되는 논리학에서의 '폭발 explosion'이 일어나는 까닭에, 따라서 포스트 구조주의(포스트모던) 사상은 난센스라고 하는 귀결이 도출될 수 있는 것으로도 보인다. 하지만 그렇게 서둘러서는 안 된다.

『차이와 반복』 이전에 젊은 들뢰즈는 '모순에까지 이르지 않는 차이의 존재론을 만들 수 없는 것일까'라고 말하고 있었다(들뢰즈, 「장 이폴리트『논리와 실존』」, 『무인도 1953~1968無人島 1953~1968』 수록, 마에다 히데키前田英樹 감수, 우노 구니이치宇野邦一 외 옮김, 河出書房新社, 29쪽). 여기서 말하는 '모순'이란 우선 헤겔의 개념이다. 들뢰즈는 헤겔의 변증법으로 회수되지 않는 차이의 철학을 지향하고, 그것이 형태를 취하게 된 것이 『차이와 반복』이었다. 여기서 더 나아가 논리학상의 모순 개념의 문제를 덧붙이게 되면, 다음과 같이 세 가지 경우를 분리할 수 있다.

① 헤겔적인 변증법에 의해 모순이 종합된다.
② 논리학적으로 모순이 폭발하게 된다.
③ 어느 쪽도 아니고 부정 관계에 있는 이항의 이중 구속을 사유한다.

이 ③이 포스트 구조주의(포스트모던)의 특징이다. 이중 구속 사유란 두 항 사이의 부정을 '미완료'인 채로 매달아 둠으로써 두 항을 동시에 보존하는 것이다. 들뢰즈는 베르그송주의를 이어받고 모든 것을 지속적으로 생성 변화하는 과정으로서 바라보지만,

그것이야말로 부정을 미완료에 머무르게 하는 것과 같은 뜻이다 — 프랑스의 포스트 구조주의에는 전반적으로 베르그송적인 것이 남아 울려 퍼지고 있다. 모든 이항 대립은 생성 변화의 도상에, 다시 말하면 이중 구속 상태에 놓여 있으며, 거기서는 상호적으로 한편에 다른 편이 잠재적인 그림자로서 따라다닌다. 이제 초점이 되어 있는 어떤 것인가에는 그것에 상반되는 잠재적인 어떤 것인가가 언제나 따라다닌다. 의식에 '무의식'이 따라다니듯이 말이다.

이러한 이중 구속 사유가 포스트 구조주의(포스트모던)의 수용에는 필수적이지만, 역으로 말하면 이러한 사고법 자체를 물리치는 것이 포스트 구조주의(포스트모던)에 대한 전체적 비판이라고 말할 수도 있을 것이다.

구조주의에서 포스트 구조주의로

포스트 구조주의에 선행하는 50~60년대의 구조주의에서 그 '구조'라는 것은 어떤 독특한 존재론적 수준에서 상정되는 것이었다.

구조주의에서는 현실의actual 사물이 지니는 존재 방식은 어떤 추상적 구조를 이루고 있다고 보지만, 그 구조 자체가 실재한다고 말하게 되면 플라톤주의가 된다. 하지만 그러한 것이 아니라 현실의 구체적인 사물이 동시에 가상적으로virtual 추상적 구조이기도 하다는 이중성을 인정하는 것이 구조주의의 안목이었다고 말할 수 있을 것이다. 구조는 구체적·특수적인 것이 아니라 추상적·일반적인 것이기는 하지만, 순수하게 이데아적인 것도 아니라고 하는 중간적 위치에 있다. 여기서도 중요한 것은 '미완료'의 논리라고 할 수 있을 것이다.

구조주의에는 과학주의의 어조가 놓여 있고, 구조라는 차원을 도입함으로써 인문적 사태에 대해서도 참된 존재 방식을 기술할 수 있다는 기대가 높아지고 있었지만, 그 내재적 비판으로서 다음의 포스트 구조주의 단계가 나타나기 시작했다. 구조란 복수의 항의 관계 짓기인데, 그 기초 단위는 이항 대립이며, 이항 대립 일반의 성립에 대한 회의론이 생겨났다(그것은 '미완료' 논리의 철저화이다). 그 대표적인 작업이 데리다의 『그라마톨로지에 대하여』(1967년)이다. 여러 이항 대립을 서로 뒤얽히게 한 구조를 가상적으로 상정하는 단계로부터 하나의 구조의 요소인 이항 대립 자체에서의 가상적인 이중성을 문제로 하는 이중 구속 사유에 다다른 것이다.

니체, 프로이트, 맑스

동일성보다도 차이로라는 방침은 이성에 대해 비이성의 중요성을 말하는 전복이며, 19세기에 그것을 분명히 보여준 것은 니체와 프로이트였다.

크게 거슬러 올라가게 되면, 이성이나 표상과 맞짝을 이루는

'힘'의 철학사라는 계보가 고대부터 있지만, 그 이원성을 근대적으로 주제화한 것은 쇼펜하우어이다. 하지만 쇼펜하우어의 사상은 맹목적인 '의지'의 힘을 표상 아래 억압하려고 하는 (신경증적인) 것이었다. 그것을 근거로 하여 니체는 『비극의 탄생』(1872년)에서 음악의 원리인 '디오뉘소스적인 것'을 긍정 평가하고, 그것과 조형의 원리인 '아폴론적인 것'의 이중성을 주장했다. 이 이중성은 프로이트에게서의 무의식sexuality과 의식의 이중성에 대응시킬 수 있다.

또한 여기에 맑스를 접목하게 되면, 자본주의의 질서에 의해 착취당한 노동력을 자율화하는 프로그램에는 자본 측에서 보면 비이성적·디오뉘소스적인 섹슈얼리티(다형 도착)에 어떻게 정신 분석적으로 마주 대할 것인가 하는 문제가 포함되게 될 것이다.

프로이트의 정신 분석은 통상적인 주체관을 전복했다. 통상적이라는 것은 스스로가 하는 것의 의도를 자신이 알고 있다, 알고서 하고 있다는 식으로 자기가 투명한 것과 같은 주체이다. 그에 반해 정신 분석에서는 스스로가 왜 이렇게 하는지를 자신이 알지 못한다고, 즉 의식에는 나타나지 않는 이유(맹목적인 의지)가 무의식에 존재한다고 상정한다. 극단적으로 말하자면 사람은 '거꾸로 된' 것을 한다. 요컨대 바로 미워하는 까닭에 사랑하는 행동을 취하거나 바로 사랑하는 까닭에 그 대상을 멀리하거나 한다. 결국 정신 분석적 주체에서는 직접적으로 부딪치면 모순될 수밖에 없는 이항 대립이 의식/무의식이라는 위상학적인 구별을 통해 병립하고 서로를 조건 짓고 있다.

프로이트는 논리적으로 처리할 수 없고(논리적 폭발을 귀결시키기 때문에) 또한 헤겔적 변증법으로도 회수되지 않는 정신의 '구획partition'을 가정했다. 그것은 모순 및 종합으로 귀착하는 논리적 가속 즉 무시간화를 미완료인 채로 하는 지속 그 자체로서의 공간성이며 — 데리다는 그것을 '간격화espacement'라고 불렀다 —, 그것이야말로 이중 구속적 사유에서의 두 개의 층의 존재 근거 이외에 다른 것이 아니다.

지배와 피지배의 이중 구속 — 푸코

이중 구속이라는 관점에서 푸코의 권력론을 일별해보려고 한다. 푸코의 권력론은 지배자와 피지배자의 무의식적인 공범 관계를 드러내는 것이다. 『감옥의 탄생』(1975년)에서는 폭력에 의해 압도되지 않고서도 자발적으로 일정한 규범에 따르도록 작용하는 권력의 기술을 '규율 훈련discipline'이라고 이름 지었다. 이 논의에서는 '지배하다/되다'라는 능동/수동의 단순한 이항 대립을 허물어뜨리고 피지배자 측에 이를테면 능동적 수동(자진해서 받아들이는 피지배)이라고도 해야 할 상태가 있다는 것을 간파하고 있다.

이것을 예를 들어 다음과 같이 응용해보자. 악정이나 불상사에 대항하기 위해 활동하는 집단이 있다. 그들도 사실은 규율 훈련적으로 조직화되어 있으며(그렇게 볼 수 있다), 그 활동은 결국

비판받아야 할 대상과 공통된 지배 형태를 재생산하게 될 것이다
……와 같은 '불쾌감을 주는' 비판을 할 수도 있다. 하지만 이러한
비판은 긴급하게 필요한 정치 대립을 무효로 만드는 '도긴개긴론'
이라고 하여 다시 비판된다. 일본에서는 이러한 포스트모던 비판이
동일본 대지진 이후의 인터넷상에서 되풀이되고 있다.

그런데 후기의 푸코에게서는 '자기에 대한 배려'라는 그리스·
로마의 주제가 다루어지는데, 이것도 이중 구속적이다. 그것은
권력으로부터 거리를 두고서 자율성을 지니는 것에 관한 고찰이지
만, 동시에 그것은 신자유주의적인 자기 책임론과도 비슷해진다.
상황에 휘말리지 않는 자기의 유지는 상황의 객관적 비판을 위해
필요함과 동시에, 책임을 피하고서 자기 이익을 최대화하고자
할 뿐인 에고이즘이 될 수도 있다. 그런 까닭에 이러한 이중 구속은
해악이라고 하여 역시 명확한 '적대시'가 필요하다고 이항 대립의
복권을 추구하는 비판이 있을 수 있다. 하지만 그렇다면 앞에서
말했듯이 비판되어야 할 대상과 비슷한 것을 결국 재생산하게
된다(처음의 목적과는 반대의 결과가 된다)고 포스트모던의 관점
에서는 다시 비판하지 않을 수 없다.

들뢰즈, 데리다, 푸코 등에서도 일련의 이항 대립적인 개념이
있지만, 그것은 단순히 '좋은 항/나쁜 항'으로는 나누어지지 않는
이중 구속을 이룬다. 그렇게 개념을 다루는 것은 독자에게 참을성
을 강요하는 것이지만, 그것을 견디는 것 자체가 포스트 구조주의
(포스트모던)의 윤리·정치적 의의라고 말할 수 있다. 텍스트 독해

에서도 '친구와 적'이라는 칼 슈미트적인 대립을 탈구축할 필요가
있다.

3. 타자와 상대주의

동일성과 타자성의 이중 구속

　문화나 사회 시스템의 동일성을 의심하는 것은 '타자'를 어떻게
사유할 것인가 하는 문제와 일치한다. 포스트 구조주의의 '차이의
철학'은 '타자의 철학'이기도 하다. 포스트 구조주의는 제국주의
지배를 거친 지역들의 관점에 서는 포스트 식민주의와 여러 소수자
의 관점에서 종래의 규범을 탈구축하는 퀴어 연구 및 장애 연구
등으로 이어졌다.

　발본적인 '타자론'의 대표자는 레비나스와 데리다이다. 레비나
스는 『전체성과 무한』(1961년)에서 하이데거의 존재론을 (나치
가담을 염두에 두면서) 동일성의 철학으로서 비판하고, 존재론으
로의 에워쌈으로부터 배제되는 '무한히' 먼 것으로서의 타자로
향하는 철학을 전개했다. 이처럼 포스트모던 맥락에서는 '절대적
으로 도달할 수 없는 타자'라는 타자 개념이 자주 등장한다.

　그러나 이에 대해 데리다는 레비나스가 타자의 타자성을 이를테
면 순화하고자 했다고 염려하고, 레비나스에게서 '윤리적 비폭력'

앞에 놓여 있는 동일성과 타자성의 이중 구속에 주목할 필요성을 말하고 있다(데리다, 「폭력과 형이상학」, 『에크리튀르와 차이』 수록). 이 한 가지로부터도 명확하듯이 포스트모던 사상에서는 타자를 절대화한다고 단순하게는 말할 수 없다.

포스트·포스트모던의 상대주의 비판

오늘날 때때로 포스트모던 사상은 '나쁜 상대주의'라고 비판받는다. 하지만 이것은 새로운 사태가 아니며, 관련된 논자들은 이전부터 그러한 종류의 비판을 받아왔다.

상대주의적 사고는 이전에 해방적인 의의를 지니고 있었다. 클로드 레비스트로스Claude Levi-Strauss(1908~2009)의 구조 인류학은 서양과는 이질적인 문화·사회 시스템을 대등한 것으로서 서양과 나란히 놓았다. 또한 롤랑 바르트Roland Barthes(1915~1980)의 '저자의 죽음' 선언에 의한 텍스트 독해의 자유화, 데리다가 행하는 것과 같은 본 줄거리를 의도적으로 보지 못하게 하는 읽기도 서양의 중압에 대한 대담한 도전이자 아카데미즘에 신선한 바람을 통하게 하는 것이었다. 따라서 반발도 컸다. 그렇지만 그들도 종래의 학적 규범을 무시한 것이 아니라 오히려 신중하게 그것과의 긴장 관계를 만들어 내고 있다는 것을 보지 못해서는 안 된다. 그것은 포스트모던적인 경향을 계승하는 현재의 연구자와 관련해서도 마찬가지다.

하지만 오늘날 당시와는 양상이 변하고 있다. 21세기 초에 포스트모던적인 상대주의가 충분히 일반화하여 권위주의가 약체화하고 — 인터넷이 그것을 극적으로 가속했다 — 발언의 민주성이 높아진 단계에서 그 해방을 가능하게 한 바로 그 상대주의가 도리어 족쇄가 된 것처럼 보인다. 발언권을 구석구석까지 확대하는 것에 상대주의는 확실히 도움이 되었지만, 이제 특정한 이해관계에 기초하여 발언하는 단계에 이르면, 명제의 이중 구속을 강조하는 상대주의는 족쇄가 된다. 근간에 이야기되는 근대주의, 계몽주의의 복권은 프로이트적으로 보게 되면, 자기의 주장에 따르는 무의식으로서의 상반된 것이라는 잠재적 존재의 '억압' 위에 놓여 있다고 말할 수 있을 것이다.

어쨌든 포스트모던 또는 포스트 구조주의적인 것을 '모든 것은 어떻게라도 말할 수 있다'라는 조잡한 상대주의 이해로 밀어 넣는 것은 잘못이다.

정치적 목적을 위해 허위를 강변하는 이른바 '포스트 트루스'의 만연을 포스트모던 사상에 결부시키고 확고한 증거나 사실에 입각한 사회 비판을 수행해야 한다고 하는 '포스트 포스트모던'적이라고 말할 수 있을 언론은 일정한 필요성을 지니긴 하지만, 의미의 맥락 의존성이라는 불가피한 조건을 억압하고자 하는 것이기도 하다. 증거나 사실을 자연 과학에 기초하게 하는 경우든 아니면 종교적 신념과 같은 것으로 절대적인 주장을 하는 경우든 그 어느 쪽도 맥락에 따른 의미의 흔들림을 의사소통을 통해 끊임없이 조정하는 노고와 동시에 그 조정이 결코 진리에 이르지 못하며 어떤 '일정한 결론'으로밖에 되지 않는다는 불순함을 견뎌 내는 노고를 벗어나려고 한다는 의미에서는 같은 뿌리이다. 언뜻 보아 비―상대적인 것의 정립은 언제나 불안정한 의미 차원을 내쫓고, 다른 인간에 대한 기계적이고 잔혹한 대응을 정당화하는 것이 될 것이다(나치의 과학주의를 상기하라).

포스트모던 사상이 시도하는 것은 어떤 사회 상태를 '영속화'하려고 하는 경향에 대한 대항이다. 그것이 실질적으로 지향하는 것은 규범으로부터의 일탈을 고려하면서 사람들을 기계적이 아니라 동적인 '신뢰' 형성의 운동에서 공존할 수 있게 하는 '준―안정적' 인 사회 상태를 끊임없이 재구성해가는 것이다.

4. 부정 신학 비판의 그다음으로

부정 신학 비판 ― 데리다와 『비평공간』파

이항 대립의 결정 불가능성에 주목하는 것이 포스트 구조주의에 서는 일종의 형식적 문제가 되어 복수의 논자에게서 이항 대립의 결정 불가능성 그 자체, 즉 유의미한 사유의 불가능성 ― 구조주의 적으로 말해서 의미란 이항 대립에 의해 구성되는 것이다 ― 을 어떤 특권적인 개념으로 지시하고, 그것을 사유를 구동하는 중심점으로서 취급하는 논의의 패턴이 형성되었다. 사유 불가능성이 블랙홀과 같은 것으로서 중심에 놓여 있고, 그에 의해 역설적으로 사유가 구동된다. 인간의 사유는 끊임없이 이항 대립에서 벗어나는 '무언가=X'를 둘러싸고서 계속해서 겉돈다. 이 중심점을 가리키는 특권적인 개념이란 예를 들어 들뢰즈의 '역설적 심급'이며, 자크 라캉의 '팔루스'이다. 데리다는 이러한 개념을 '초월론적 시니피앙'이라고 명명함으로써 이상의 패턴을 메타 관점에서 파악하고 있었다.

일본에서는 가라타니 고진의 『은유로서의 건축』(1983년), 아사다 아키라의 『구조와 힘』(1983년), 아즈마 히로키東浩紀의 『존재론적, 우편적』(1998년)과 같은 『비평공간』파의 작업에 의해 이상의 패턴이야말로 서양 근현대 사상의 본질이라는 견해가 확립되었다. 아즈마는 그것을 '부정 신학 시스템'이라고 부른 다음, 그것을 똑똑히 볼 수 있었던 데리다는 그 외부, '우편'의 메타포로 말해지는 또 하나의 사유 불가능성을 문제로 하고 있었다고 논의한다. 초월론적 시니피앙은 단수의 중심점이지만, 그에 반해 복수적인 사유 불가능성으로 향하는 것이 데리다의 작업이었다고 생각된다. 이러한 '부정 신학 비판'이라는 화제는 2000년대 일본의 현대 사상에서 강대한 패러다임이 되었다.

단수적인 사유 불가능성을 중심으로 하는 시스템 — 또는 이항 대립의 결정 불가능성을 한 점으로 집약하는 시스템 — 의 외부라는 문제의 장은 '사변적 실재론Speculative Realism'으로 불리는 2010년 전후의 사조에서 세계적인 관심사가 된다.

이중 구속의 철저화인 동시에 무화 ── 메이야수

사변적 실재론의 불을 붙이는 역할을 맡은 퀑탱 메이야수는 『유한성 이후』(2006년)에서 들뢰즈와 데리다 등을 넘어서는 야심을 분명히 지니고서 칸트로부터 포스트 구조주의까지의 오랜 전개의 근저에 놓여 있는 '상관주의'를 비판한다.

메이야수에게서 상관주의란 우리 인간은 스스로의 사유 구조(칸트가 초월론적인 것으로서 묘사한 것)와 상관하는 형태로 생겨나는 '현상'밖에 사유할 수 없다고 하고, 그런 까닭에 상관의 외부가 사유 불가능한 것으로서 정립된다(칸트에게서의 사물 자체)고 하는 것이다. 상관적 사유에는 사유 불가능한 것이 그림자로서 붙어 있으며, 사유는 그에 의해 구동되고 있다. 이것은 앞에서 말한 부정 신학 시스템에 해당한다. 그리하여 메이야수는 이미 사유 불가능하지 않은 실재, 요컨대 이제 사유 가능한 다른 외부로서의 실재가 있고, 그것은 수학적인 것이라고 한다. 이 시도는 일본의 맥락으로부터는 부정 신학 비판의 일종으로 볼 수 있다.

그리고 메이야수는 세계의 수학적 질서가 궁극적 근거를 지니지 않는 우연적인 것이며, 그런 까닭에 세계는 갑자기 자연법칙 수준에서 다른 질서로 변할 가능성이 있다고 주장한다. 이리하여 질서에는 비이성의 그림자가 수반하는 것이 아니라 질서가 총체로서 그것 자체가 비이성적인바, 다시 말하면 아폴론적인 것이 총체로서 디오뉘소스적이라고 하는 형태로 선행 세대가 상정한 이중 구속의 '틈새'를 극한까지 압축하고, 이를테면 이중 구속의 철저화인 동시에 무화로서의 단일한 유물론에 도달하는 것이다(메이야수 자신은 자기의 입장을 '사변적 유물론'이라고 부르고 있다).

비철학적 내재주의 ─ 라뤼엘

근래 영어권에서 재평가가 진행되고 있는 프랑수아 라뤼엘 François Laruelle(1937~)은 1980년대에 선구적으로 부정 신학 비판으로 간주할 수 있는 논의를 제기하고 있었다. 라뤼엘은 처음에 자신의 이론을 '비철학'이라 칭하고, 그 후에는 '비표준 철학'이라고 고쳐 부르고 있다.

비철학이란 철학 전체를 이항 대립에 의한 구축물로 보는 동시에 거기서 벗어나고자 하는 들뢰즈와 데리다 등의 기도도 범위에 넣어 그것 역시 철학에 필연적으로 부수된 사유라고 일괄한 다음, 철학 및 그 탈구축의 전체에 대한 외부에 자리하고서 밖으로부터 분석할 수 있는 위치에 서는 것이다. 이런 의미에서 비철학은 일종의 메타 철학이라고 할 수 있다. 라뤼엘에 따르면, 그 비철학적 외부란 절대적인 내재성이며, 모든 이항적 분절화의 앞에 놓여 있는 '일자'이다. 존재 개념과 일자 개념을 분리하고 전자의 포스트 하이데거적인 맥락을 물리치기 위해 후자를 끌어올리는 것이다.

순수 내재적인 일자는 철학 측에서 보면 부정 신학적인 사유 불가능한 것으로서 비치지만, 그것 자체에서 비철학적으로 다른 관계 방식이 가능한 것이다. 이항 대립을 사용하지 않는 다른 관계 방식, 라뤼엘은 그것을 '프라그마틱스'라고 부른다. 프라그마틱스에서의 일자는 무한한 외부가 아니라 유한한 것이라고 한다.

또한 라뤼엘은 근래의 저작 『비표준 철학』(Laruelle, *Philosophie non-standard. Générique, quantique, philo-fiction*, Kimé, 2010)에서는 철학과 비철학의 두 가지 관점을 양자 역학을 참조하여 '입자와 파동의 이중성'과 같이 파악하는, 철학과 비철학(메타 철학)의 관계에 대한 이를테면 '메타 메타 철학'적인 이론 구성을 시도하고 있다.

파괴적 가소성 ― 말라부

카트린느 말라부Catherine Malabou(1959~)의 작업도 부정 신학 비판의 맥락에 관계지을 수 있다.

말라부는 데리다의 지도하에 헤겔을 재평가하는 박사 논문을 썼다(『헤겔의 미래』, 1994년). 메이야수와 마찬가지로 말라부 역시 선행 세대의 극복에 대해 자각적이다. 말라부는 고차적인 동일성에 모든 것을 수렴시키는 것으로서 기피되어온 헤겔 변증법 속에 새삼스럽게 강조되어야 할 생성 변화의 사상이 있다고 보고, 그로부터 '가소성plasticité'이라는 개념을 추출한다. 그리고 들뢰즈와 데리다가 '탈'을 지향한 것에 대해 역행하고, 오히려 '외부 없음'에서의 내재적 변화성을 긍정한다. 그 '외부 없음'이란 물질의 수준이며, 일종의 유물론을 지지하게 된다.

『새로운 상처 입은 자들』(2007년)에서는 뇌 손상과 알츠하이머병을 예를 들고서 라캉이 부정 신학적으로 설명하는 바의 무의식의 운동이 거기서 전개되는 뇌 신경 자체(물질적인)가 파괴됨으로써 부정 신학적 설명으로부터 완전히 외적으로 불러일으켜지는 정신의 변화가 있다는 것을 지적하고, 거기에 '파괴적 가소성'이라는 개념을 할당했다.

정리하자면, 부정 신학적·상관적 외부에 대한 외부에 내재한다라는 것에서 말라부, 메이야수, 라뤼엘은 공통된다.

칸트주의에 대한 대안

부정 신학의 외부로라는 이 문제의식의 근저에 놓여 있는 것은 칸트에게서의 사유와 사물 자체의 세트이다. 20세기 사상의 한 시기에는 칸트주의의 현대적 세련화로서 부정 신학 시스템이 성립했다(하이데거, 라캉). 하지만 그 후에 칸트주의에 대한 대안이 시도되었다. 부정 신학 비판에서는 칸트 이전에서 자원을 구하는 경우도 많다. 특히 흄은 들뢰즈에게 있어 중요한 참조점이며, 메이야수도 흄에게서의 인과성에 대한 회의론으로부터 근원적 우연성을 추출하고 있다. 또는 후기 푸코가 그리스·로마로 거슬러 올라간 것도 비–칸트적인 것의 탐구였다고 할 수 있을 것이다.

부정 신학 비판의 원형은 푸코의『말과 사물』(1966년)에 놓여 있다. 푸코에 따르면, 칸트도 거기에 속하는 근대성이란 인간이 무언가 숨겨진 '보이지 않는 것'을 구하는 운동에 휘말려 들어가는 것이다. '보이지 않는 것'이 언제나 있다는 것이 근대적 '유한성'이며, 그렇게 유한한 까닭에 인간은 무한히 (단수적인) 사유 불가능성으로 계속해서 내몰린다. 푸코는 그런 의미에서의 근대적 인간, 요컨대 부정 신학적인 인간이 아무래도 종언을 맞이할 것이라고 예언했다. 메이야수가 '유한성 이후'라고 말하는 것은 푸코를 근거로 하고 있으며, 유물론에 내재함으로써 이미 무한히 먼 X에 들볶이지 않게 되는 것이 인간의 종언 이후의 내실이라고 말하는 것이다.

5. 인간의 종언 이후, 포스트모던의 윤리

포스트 구조주의(포스트모던) 사상은 푸코가 분명히 한 의미에서의 근대적 인간의 유한성에 진지하게 마주하는 것이었다고 말할 수 있다— 즉, 이항 대립으로 의미를 영구히 고정할 수는 없으며, 이항 대립이 결정 불가능해지는 '보이지 않는 것'으로 인간은 계속해서 향하게 된다는 것, 요컨대 부정 신학적이라고도 형용되는 이 구도에 진지하게 마주하는 것이다. 이항 대립의 결정 불가능성을 새삼스레 말하는 것에 대한 기피로서의 포스트모던 비판은 불가피하다고 해야 할 근대성의 부인 이외에 다른 것이 아니다.

그리고 근대적, 부정 신학적 인간의 종언을 어떻게 논의할 것인가 하는 과제가 떠올랐다. 2000년대에는 그것과의 관계에서 '동물' 론이 세계적으로 화제가 되었다.

아즈마는 『존재론적, 우편적』의 다음에 『동물화하는 포스트모던』(2001년)을 쓰고, 알렉상드르 코제브Alexandre Kojève(1902~1968)의 '역사의 종언'론을 염두에 두고서 포스트모던 단계에서의 인간은 이미 부정 신학적으로 무한한 물음을 지니지 않게 되었으며, 동물로서의 본능에 기초하면서 지각의 반복이 형성하는 습관에 의해 살아갈 뿐이게 되었고, 그것을 체현하는 것이 '오타쿠'라고 하는 견해를 제시했다. 이 지각(오로지 경험적인 것)과 습관으로 주체성을 환원하는 줄거리도 칸트로부터 흄으로라는 거슬러 올라감이라고 말할 수 있다.

헤겔을 읽는 코제브는 변증법의 결과로서 인간은 완성에 이른다고, 즉 역사는 종언한다고 하고, 그 이후의 이미 지향하는 바가 없어진 상태로서 소비 생활을 구가할 뿐인 '아메리카적 동물'과 형식적으로만 부정성과 놀이하는 '일본적 속물근성'이라는 두 가지 양태를 들었다. 그런데 푸코의 경우는 인간이 완성에 이르는 것이 아니라 '소멸'하는 것이며, 그 귀결의 위치에 아즈마는 코제브에게서의 동물성과 속물근성을 합성한 것과 같은 상태로서의 오타쿠를 놓은 것이라고 말할 수 있을 것이다— 코제브로부터 목적론적 인간주의를 잘라 내고 변증법을 푸코에게서의 부정 신학적인 것으로서의 근대성으로 바꾼 다음에 말이다.

이항 대립적 로고스는 유한한 인간에게서 이를테면 특권적으로 실패한다— 그것이 근대적 인간학이었다. 하지만 그 특권적 실패란 이항 대립으로는 '딱 나누어떨어지지 않는' 무언가 X를 무한히 계속해서 추구할 수 있는(다른 동물에게는 없는) 특별한 역능을 의미한다. 따라서 사실 그것은 실패이자 성공인 것이며, 참으로는 실패하지 않았다 ……라는 것이 아마도 아즈마의 논의일 것이다. 그다음을 묻는 것은 우리가 좀 더 실패해야만 하고 철저하게 실패를 마주해야만 한다는 것이 된다.

우리는 딱 나누어떨어지지 않는 X를 무한히 계속해서 추구할 수 있는 것과 같은 '바로 그the 인간'이 되는 데 실패하고 만다는 아즈마의 논의는 근대성이 수미일관하게 성립한 것 따위란 본래 없었다는 함의를 지닐 것이다. 역으로 우리를 규정하는 조건은 딱 나누어떨어지지 않는 X를 무한히 계속해서 추구할 수 없는 채로 무언가로 나누어떨어져 버리는 것이 아닐까? 좀 더 먼 미지의 것으로라는 벡터 이전에 인간이란 기본적으로 동물적으로, 요컨대 본능적으로 행동하며, 또한 습관화된 호불호로 움직이고, 반성도 하지 않은 채 같은 판단을 되풀이하는 것인바, 그것은 체념할 수밖에 없다. 그 경향성은 사람에 따라 다양하고 복수적이다.

라뤼엘은 『보통 사람의 전기』(François Laruelle, *Une biographie*

de l'homme ordinaire. Des Autorités et des Minorités, PUF, 1985)에서 순수 내재적인 일자로서 살아가는 인간을 '보통 사람'이라고 부른다. 그것은 비철학적인 인간이며, 요컨대 이항 대립의 앞, 그리고 동시에 이항 대립의 탈구축 앞에도 있는 그러한 인간이다. 보통 사람은 비철학적으로(또한 탈구축적으로) '프라그마틱스'를 살아간다. 구조적으로 말해서 그것은 사태의 '속'(보이지 않는 것)을 추구하는 것과 같은 것을 하지 않고 다만 그때마다 필요성에서 극히 세속적으로 행위를 연쇄적으로 할 뿐이다. 라뤼엘에게서 보통 사람은 유한하다고 이야기되지만, 그 유한성은 칸트·푸코적이지 않은바, 요컨대 근대적 유한성이 아니다. 그것은 근대적 유한성 이후 또는 그 앞의 유한성이다. 왜냐하면 그것은 무한 원점을 향해 멈추지 않고서 욕망을 전개하는 것이 아니라 그때마다 행위가 유한한 과정으로 끝나는 것이기 때문이다.

동물, 보통 사람. 이러한 형상은 하이데거의 '다스 만Das Mann'(사람·세인), 퇴락한 인간과 결부될 수 있다. 하이데거에게서 본래성에 눈뜬다는 것은 부정 신학적인 유한성을 자각하는 것이었다. 그것을 자각하지 못한 채 노동과 소비에 얽매여 있을 뿐인 인간은 퇴락적이다. 하지만 포스트모던이란 다스 만적인 퇴락을 퇴락으로서가 아니라 '평시'의 그래야 할 존재 방식으로서 긍정하는 것이다. 다시 말하면 긍정되고 있는 것은 '세속성'이다.

이제 그 실현이 '보이지 않는 것'인 이념, 즉 커다란 이야기에 인도되어 사람들은 단수적인 미래를 향해 결집한다. 그것은 결국

하이데거에게서처럼 파시즘이 되기도 하고 또한 그것에 저항하는 운동의 원리가 되기도 한다. 단지 개개의 세속성을 살아가고 있을 뿐이라면, 저도 모르는 사이에 무언가의 체제를 추인할 가능성이 있다는 포스트모던 비판도 자주 들린다. 악으로 여겨지는 체제가 있다면, 단지 개별을 살아갈 뿐인 것은 같은 죄이며, 명확히 대항 결집에 눈떠야 한다는 비판이 자주 이루어진다. 이것은 하이데거에게서의 퇴락 비판과 같은 형태의 것이다. 하지만 거기서 간과되고 있는 것은 어떠한 것이든 결집이라는 것 자체에 저항하는 세속성이며, 나이브하기 때문에 악을 추인하게 되는 것이라고 이야기되는 나이브함보다 더욱더 철저하게 나이브하고 내재적인 것과 같은 동물, 보통 사람으로서 살아갈 가능성이다.

결집에 저항하고 서로 이질적인 보통을 살아가기. 그것은 단지 개인주의적으로 생활을 보수하는 것이 아니다. 개별을 철저히 함으로써 도리어 개별의 바탕이 깨지고, 결집에 저항하는 다른 '함께함'으로 향하는 역설적 전개에 베팅하는 것이다. 지금도 포스트모던적인 것에 얽매인다는 것은 다름이 아니라 개별을 철저히 함으로써 '함께함'으로 통하는 비밀의 통로를 믿는다는 것이다.

☞ 좀 더 자세히 알기 위한 참고 문헌

— 다카하시 데쓰야高橋哲哉, 『데리다 — 탈구축과 정의デリダ—脱構築と正義』, 講談社学術文庫, 2015년. 『산종dissémination』에 수록된 「플라톤의 파르마 케이아」를 논제로 하여 이항 대립이란 무엇인가, 그 탈구축이란 무엇인 가라는 가장 기초적인 점부터 설명하기 시작하며, 탈구축을 우선 텍스트 독해의 방법으로서 명확히 한 다음, 그 윤리적 의미를 밝혀 나간다.

— 요시카와 야스히사芳川泰久·호리 치아키堀千晶, 『들뢰즈 키워드 89ドゥルー ズキーワード89』, せりか書房, 2015년. 들뢰즈 및 들뢰즈+가타리에 관해서는 이 책에서 대표적인 개념의 이미지를 붙잡고 나서 다른 해설서로 나아가 는 것이 좋을 것이다. 이 책을 가벼운 마음으로 넘겨 가는 것은 바로 '리좀적' 경험이며, 개념들이 많은 방향으로 서로 연관되는 모습을 잘 알아볼 수 있다.

— 신카이 야스유키愼改康之, 『미셸 푸코 — 자기에게서 벗어나기 위한 철학 ミシェル・フーコー—自己から脱け出すための哲学』, 岩波新書, 2019년. 푸코의 변천 을 간결하게 제시하고 있으며, 특히 근대적 유한성에 관한 설명이 상당히 명석하다. 근대란 어떠한 시대인가라는 문제를 중심으로 하여 다양한 측면을 지니는 푸코의 경험을 한눈에 조망할 수 있다.

— 아즈마 히로키東浩紀, 『존재론적, 우편적存在論的, 郵便的』, 新潮社, 1998년. 이 책은 데리다론이지만, 동시에 포스트 구조주의 전체에 관한 날카로운 분석이다. 일본 현대 사상을 대표하는 책 가운데 하나. 이 책 및 『동물화하 는 포스트모던動物化するポストモダン』(講談社現代新書)은 일본에서의 포스 트 구조주의·포스트모던 이해의 방향성을 크게 규정했다.

제4장

페미니즘의 사상과 '여성'을 둘러싼 정치

시미즈 아키코^{清水晶子}

1. 젠더는 미움받는다 ── 안티 젠더의 시대에

젠더의 어려움

'젠더'라는 것은 거추장스러운 용어이다. 한편으로 '젠더'는 이미 자주 보게 되는 용어가 되었고 대체로 그 의미도 이해되었다고 말해도 무방할 것이다. 요컨대 남성이라든가 여성이라든가 하는 이야기, 성별과 관계된 무엇인가라고 말이다. 그렇다, 거기까지는 좋다. 문제는 그로부터 더 나아가서이다. 그렇다면 젠더란 남녀의 다름을 바꿔 말한 것일 뿐인 용어인가? 성별과 관계되기는 하지만, 그것과는 다른 것인가? 남성이라든가 여성이라고 말하면 끝나는 이야기라면, 왜 젠더 따위의 용어를 *끄*집어낼 필요가 있었을까?

이러한 물음들은 어느 것이든 다 정당한 것이지만, 그에 대답하고자 한다면 '여성'이라거나 '남성'이라거나 '성별'이라는 것에 관한 사유의 정치에 발을 들여놓아야만 하며, 그 나름대로 번거로워진다. 그렇지만 그러한 세부적인 것을 알지 못하더라도, 대강의 것을 이해하면 '젠더'를 사용하는 데서 그렇게 큰 어려움은 겪지 않을 것이다―본래 남성이라든가 여성이라든가 하는 이야기라고 생각하면, 뭔가 젠체하는 설명을 빼더라도 무엇에 관한 것인지 누구라도 알 수 있는 것이다. 이리하여 '젠더'는 모두가 왠지 모르게 알고 있다고 하더라도 그렇게 잘 알지 못한 채로 사용하는 그러한 뭔가 거추장스러운 용어가 되고 말았다.

'젠더'의 이와 같은 거추장스러움은 조금 다른 차원의 거추장스러움, 모종의 어려움을 이 말에 가져다주었다. 예를 들어 1970년대 후반부터 2000년대 전반에 걸친 이른바 '백래시'(일반적으로는 사회적, 정치적으로 커다란 변화나 진전이 있을 때, 그에 대해 강한 부정적인 반응이 생기는 것이지만, 여기서는 페미니즘이나 여성의 권리를 요구하는 사상이나 운동을 비판하고 되돌리려고 하는 금세기 초 일본에서의 정치적·사회적 조류를 말한다)를 생각해보자. 2005년 발족한 자민당의 '과격한 성교육·젠더프리 교육실태조사 프로젝트팀'이 같은 해 7월의 제12회 '남녀 공동 참여 기본계획에 관한 전문조사회'에 제출한 자료에서는 그 이전부터 보수파가 비판을 제기하고 있던 '젠더프리'라는 말에 더하여 '젠더' 그 자체에 대해서도 '젠더라는 관점, 수법을 넣어 ······

가려고 하는 것에 대해 국민의 합의는 이루어지지 않았다', '남녀평등으로 좋다', '오해를 생기게 하고 현장이 혼란한 원흉이다' 등을 이유로 하여 이 말을 사용해서는 안 된다, 삭제해야 한다는 논평이 이러쿵저러쿵 열거되어 있다.

그것만 빼놓으면 이것을 '남성이라든가 여성이라고 말하게 되면 끝나는데도 불구하고 젠더라고 말하면 뜻을 알 수 없고 혼란스럽다, 따라서 이 말은 사용하지 말자'라는 순진한 제안으로 받아들이는 것은 불가능하지 않을지도 모른다. 그렇지만 만약 이것이 실제로 그러한 이야기일 뿐이라면, 정부 여당의 프로젝트팀이 고작 하나의 말에 구애되어 반복해서 언급할 필요도 없을 것이다. 그렇다면 '젠더'라는 용어의 도대체 무엇이 그 정도로 강하게 미움을 받았던 것일까?

안티 젠더 운동

이것을 이해하기 위해서는 백래시 시대의 일본에서 한번 눈을 밖으로 향해 보는 것이 좋을지도 모른다. 실제로 '젠더'에 대한 적대시는 백래시 시대의 일본에 특유한 것이 아니다. 특히 2010년대에 들어서서 성에 관한 권리의 보장이나 젠더 평등의 달성을 위한 시도에 대한 격렬한 반발이 여러 나라에서 볼 수 있게 되었다. 2018년에 대학에서의 젠더 연구 금지라는 행정 방침을 내세운 헝가리의 오르반 정권은 그것의 가장 알기 쉬운 귀결이라고 할 수 있겠지만, 안티 젠더 운동으로 총칭되는 이러한 움직임들은 그리스도교 보수층, 신자유주의 경제 체제 속에서 진행된 젠더 주류화 정책에 반발하는 사람들, 나아가 때로는 여성의 권리 옹호를 주장하는 페미니스트의 일부까지 끌어들이면서 각지의 우파 포퓰리즘을 뒷받침하고 거기에 사람들을 동원하는 하나의 회로를 제공하고 있다.

안티 젠더 운동이 자주 공격의 대상으로서 언급하는 것이 '젠더 이데올로기'이다. 2000년대 일본에서의 백래시 언설을 떠올리게 하는 이 말은 국외에서는 오히려 2010년대의 안티 젠더 운동의 고조와 함께 널리 퍼진 것이지만, '젠더 이데올로기'에 오염되어 있다고 해서, 또는 그것을 확산하고 있다고 하여 비판받는 대상은 일본 백래시의 공격 대상과 명확히 겹친다—성적 소수자(LGBTQ+, 남녀로 이분화된 성별에 기초한 이성애 제도에 포섭되지 않는 성적 자기 인식과 성적 지향을 지니는 사람들)의 권리 주장, 성과 생식에 관한 건강과 권리Sexual and Reproductive Health and Rights의 옹호, 그리고 성교육과 젠더 연구가 그것들이다. 이것들은 모두 다 생물학에 기초한 남녀의 본질적인 차이와 남녀 각각이 지니는 자연의 특질을 부정하고 성별이란 사회적·문화적으로 구축된 것이라고 하는 잘못된 이데올로기—젠더 이데올로기—의 산물로서 그 이데올로기를 널리 퍼뜨리고 있다는 것이다.

여기서 중요한 것은 안티 젠더 운동이 기피하고 비판하는 것은 어디까지나 젠더라는 '이데올로기'이지 남성과 여성의 다름이 아니라는 점이다. 오히려 젠더는 '남성이라든가 여성이라고 말하게 되면 끝날' 것을 그것으로 끝나지 않게 하는 것으로서 비판된다는 점에 주의해야만 한다. 성적 소수자의 권리이든 성과 생식에 관한 건강과 권리이든 성교육이든 젠더 연구이든 그 모두가 남성이라거나 여성이라는 것은 이러저러한 것이라고 하는, 세부적인 것은 어쨌든 큰 틀에서는 사회의 다수파가 공유하는 감각과 이해에 맞서 그것과는 다른 방식으로 남성이자 여성이라는 것이 가능하며, 거기에 그치지 않고 인정되어야 할 정당한 권리라는 것을 주장해왔다. 그러한 주장들이 젠더라는 이데올로기의 산물이라고 한다면, 그때의 젠더란 곧 '남성'과 '여성'의 외연을 비판적으로 확대할 것을 요구하고 그것을 가능하게 하는 견지 이외에 다른 것이 아니게 될 것이다.

그리고 아이러니하게도 이것은 그때까지 오로지 언어상의 성별을 가리키는 것으로 사용되고 있던 '젠더'라는 말이 1970년대 후반 이후에 영어권의 페미니즘과 여성학에서 좀 더 넓게 사용하게 되었을 때, 그 말에 기대하고 나아가 실제로 그 말이 수행해온 활동에 대한 정확한 이해라고 말할 수 있을 것이다. 젠더란 '여성이란 누구인가'의 이해를 둘러싼 20세기 후반의 페미니즘 사유, 그 이해를 끊임없이 비판하고 수정하고 확대하고자 하는 페미니즘 정치에 채택되고 사용되어온 개념인 것이다.

2. 인간과 여성 사이에서 ― 생물학적 결정론에서 벗어나기

생물학적 결정론과 인간으로서의 여성

여기서 2010년대의 안티 젠더 운동으로부터 시계의 바늘을 되돌려 페미니즘이 '여성이란 누구인가'를 어떻게 생각해왔는지 확인해두고자 한다.

19세기 후반부터 시작된 여성 참정권 운동으로 대표되듯이 20세기 전반의 여성 운동에 대해 우선 중요했던 것은 여성이 인간으로서 남성과 동등한 권리를 지닌다는 것을 주장하고 그 권리를 획득하는 것이었다. 물론 인간으로서의 권리 주장은 이 시기에 갑자기 나타난 것이 아니다. 거슬러 올라가면 18세기에 프랑스 혁명의 영향 아래 인권 선언에서 주창된 권리가 여성에게도 적용되어야 한다고 논의한 올랭프 드 구주Olympe de Gouges(1748~1793)나 그와 거의 동시대에 여성도 남성과 마찬가지로 이성을 갖춘 존재라고 하며 여성의 권리를 옹호한 메리 울스턴크래프트Mary Wollstonecraft(1759~1797)가 있으며, 19세기에는 존 스튜어트 밀John Stuart Mill(1806~1873)에 의한 여성 참정권 주장도 있었다. 따라서 '여성은 남성과 평등하게 인간이다'라는 주장 자체는 반드시 신기한 것은 아니었지만, 여성은 인간으로서 무언가의 점에서 남성보다 약하고 열등한 존재이며 남성에 의한 보호와 관리를 필요로 한다고 하는 생각은 뿌리 깊게 존재하고 있었다. 그리고 과학적 인종주의가 강한 영향력을 지니고 우생학이 싹트기 시작한 이 시대에 백인종이 우월하다는 근거로서 '과학', 특히 생물학이 제출되었듯이, 여성의 남성에 대한 열위와 남녀의 차이 근거로 여겨진 것도 '과학'이자 생물학적인 자웅의 차이였다.

여성은 본래 생물로서 남성과는 다르며, 아이를 낳아 기르는 것에 뛰어나다고 하더라도 합리적인 판단을 내리고 자기의 몸을 지키는 능력에서 남성과 같다고는 생각되지 않는다 — 장-자크 루소Jean-Jacques Rousseau(1712~1778) 등 18세기의 계몽주의자에게서 이미 보이는 이와 같은 생물학적 결정론의 주장은 여성은 남성의 보호 아래 아이를 낳아 기르는 것에 전념해야 한다는 이른바 '분리된 영역'론을 뒷받침하고, 가정이라는 사적 영역에 갇혀 있던 여성들로부터 공적 영역에의 참여 기회와 시민으로서의 권리를 빼앗는 작용을 했다.

'해부학은 숙명이다'라는 1924년의 지그문트 프로이트Sigmund Freud(1856~1939) 논고에서의 악명 높은 한 구절이, 형태학적 차이가 심적인 발달의 차이로서 나타나는 이상, 양성에 평등한 권리를 요구하는 페미니스트의 주장에도 한계가 있을 것이라는 맥락에 놓여 있다는 것은 시사적이라고 말할 수 있을지도 모른다. 뒤집어 말하면 그것은 남성과 평등한 권리를 되찾고자 하는 여성들은 무엇보다도 우선 자신들이 본질적으로 남성과 다르다는 것이 아니라 말하자면 같은 인간이라는 것, 생물로서의 자웅의 차이는 '여성이란 누구인가'를 결정하지 않는다는 것, 요컨대

해부학은 숙명이 아니라는 것을 주장할 필요가 있다는 것이기도 했다.

'여성으로 된다'라는 것

'사람은 여성으로 태어나는 것이 아니다. 여성으로 되는 것이다.' 1949년에 출판된 시몬 드 보부아르Simone de Beauvoir(1908~1986)의 『제2의 성』의 이 한 구절이 반세기 이상을 거친 현재에 이르기까지 페미니스트들에 대해 그 중요성과 매력을 잃지 않은 것은 그것이 남녀평등의 주장에 오랫동안 앞을 가로막아 온 생물학적 결정론의 저주─'해부학은 숙명이다'─에 대한 가슴이 후련해지는 것과 같은 간결하면서도 명료한 응답이 되었기 때문이다. 보부아르는 계속해서 아이는 태어난 순간부터 자동적으로 자신을 성별화된 존재로서 인식하는 것이 아니라 다른 사람들을 통해 비로소 스스로를 여성적인 또는 남성적인 존재로서 경험하게 되는 것이라고 말한다. 특정한 신체를 가지고 태어난 사람은 그 신체 때문에 자동적으로 여성으로, 요컨대 우리 사회가 '여성'으로 인식하는 모습으로 되는 것이 아니다. 해부학은 숙명이 아니며, 여성을 만들어내는 것은 그 신체를 둘러싼 다른 사람들이자 사회인 것이다. 젠더라는 말은 사용하고 있지 않지만, 여기서 보부아르가 보여주는 것이 해부학상의 성차(섹스)와 신체에 주어진 문화적·사회적인 의미(젠더)의 구별이라고 생각하는 것에도 그렇게 큰 무리는 없을 것이다.

　그러나 사람은 여성으로 태어나는 것이 아니며, 따라서 해부학은 숙명이 아니었다고 하여, 그렇다면 그렇게 여성으로 된 사람은 남성과 같은 인간이라고 말할 수 있는 것일까? 오히려 여성으로 된 사람은 그 시점에 이미 사람이 아니라 여성인 것이 아닐까? 그렇다고 한다면 결국 그와 같은 여성에게 남성과 평등한 권리를 요구하는 것은, 프로이트와는 다른 의미에서긴 하지만, 역시 한계가 있는 것이 아닐까?

　실제로 『제2의 성』에서 보부아르가 반복해서 분명히 하는 것은 여성으로 된 사람은 사람이 아니라는 것이다. '여성이란 무엇인가'를 추구하는 이 저작에서 보부아르는 본래 사람이란 암묵적으로 언제나 남성이며, 여성은 그와 같은 언제나 남성인 인간으로부터 일탈한 특수한 사례로 여겨져왔다고 논의한다. 여성도 인간이라는 것이 아니다. 인간의 타자로서 설정된 것이 '여성'인 것이라고 말이다. 따라서 '해부학은 숙명이다'를 부정하고 여성도 인간이라고 주장하는 것만으로는 불충분하게 된다. 여성으로 되지 않을 것인가 아니면 여성과 인간 쌍방의 존재 방식을 근본적으로 변혁할 것인가? 여성이 인간, 즉 남성과 평등하기 위해서는 그 어느 쪽인가의 길을 취해야만 할 것이다. 그 어느 쪽을 취하든 그 여성은 우리 사회가 '여성'으로 인식하는 것과는 다른 모습이 되어 있을 것이다.

남성을 비추는 거울

본래 사람과 남성을 등호로 연결하는 우리 사회에서 남성이 자기의 타자로서 설정한 '여성' 이외의 여성은 존재하지 않는다 ─ 프랑스의 철학자인 뤼스 이리가레Luce Irigaray(1930~)에 의한 이 단죄는 앞항에서 확인한 보부아르의 착상을 좀 더 밀고 나아간 곳에 놓여 있다고 말할 수 있을 것이다.

정신 분석 이론의 대가 자크 라캉Jacques Lacan(1901~1981)에게 배운 철학자인 이리가레가 1970년대에 발표한 저작에서 주장한 것은 우리는 말하자면 거울에 스스로를 비추어 자신을 이해하지만, 서양의 문화 전통이 준비한 것은 남성 신체에 맞춘 평평한 거울뿐이며, 그 거울로는 여성 신체를 볼 수 없다는 것이었다. 남성 신체를 기준으로 만들어진 거울은 여성 신체를 여성 신체로 보게 할 수 없다. 그와 같은 사회에서 여성은 여성으로서 보일 수도 없고 이해될 수도 없으며, 남성으로부터 무언가를 ─ 구체적으로는 남자의 성기를 ─ 결여한 존재로서밖에 존재할 수 없는 것이다. 결여한 남성으로서의 여성. 그와 같은 여성은 남성을 남성이 바라는 형태로 비추어 내기 위한 거울로 만들어진 것에 지나지 않는다고 이리가레는 말한다. 사람과 남성을 등호로 연결하는 사회에서 여자라는 성은 본래적인 존재의 장을 부여받지 못했다. 여기에는 성이 하나밖에 없으며, 그것은 남자라는 성이다.

보부아르 때와 마찬가지로 여기서도 비판의 대상이 된 것은 남성과의 관계에서밖에 — 그 타자로서 또는 그 거울로서밖에 — 여성의 존재를 인정하지 않는 사회이며, 성적인 차이가 존재하지 않는 것이다. 따라서 여성은 남성과 같은 인간이라는 주장은 해결책이 될 수 없다. 남성과 같은 인간으로서 남성과 같은 권리를 획득하는 것으로는 결국 성적 차이는 말소된 채, 사람 즉 남성이라는 하나의 성만이 살아남는다. 필요한 것은 남성의 타자 또는 거울로서의 여성도, 남성인 사람과 같은 여성도 아니며, 남성 사회가 결여로서밖에 인식하지 않았던 여성 본래의 차이를 되찾는 것이다. 사회가 묵살하고 존재할 수 없게 해온 여성적인 것 — 남성과의 관계에서 남성을 위해 만들어진 것이 아닌, 여자라는 다른 성 — 을 말하자면 거울의 맞은편에서 찾아낼 것을 이리가레는 주장한 것이다.

3. 여성의 다양성에 대한 재상상 — 본질주의 논쟁으로부터 '젠더인 섹스'로

여성이라는 차이

남성과의 관계에 의해 정의되는 것도, 단지 남성과 같은 것도 아닌, 진정한 여성으로서의 차이를 생각하고자 하는 이와 같은 경향은 1970년대부터 1980년대의 영어권에서의 이른바 제2물결

페미니즘 운동에서도 그 형식은 다양하지만 자주 인정된 것이다. 그것은 예를 들어 '해부학은 숙명이다'에 다시 접근할 위험을 무릅쓰더라도 여성성과 모성을 결합하고 임신·출산이나 월경 주기 등에 입각한 여성성의 적극적 가치를 새롭게 만들어 내고자 하는 페미니스트의 주장으로서 나타나기도 했으며, 또는 남성 사회와 관계를 끊은 여성들만의 대안적인 공동체의 가능성 모색이라는 형태를 취하기도 했다. 이것은 동시에 사회적인 억압의 근원에서 남성에 의한 여성의 지배 유지와 재생산을 목적으로 하는 가부장제의 활동을 발견하는 급진적 페미니즘의 주장과 근저에서 통하는 경향이기도 했다.

여성이라는 차이를 추구하거나 그것을 입각점으로 하여 사회와 문화의 철저한 재편성을 지향하고자 하는 이러한 움직임들은 그러나 페미니즘의 사상과 이론에 커다란 논의를 불러들이게 된다. 1980년대의 본질주의 논쟁이다.

페미니즘에서의 본질주의란 여성이 여성이기 위해 결여할 수 없는 본질이 존재하며, 여성이 여성인 이상은 반드시 그 본질을 지닌다 ─ 그것을 지니지 않으면 여성이라고 말할 수 없다 ─ 고 하는 생각을 가리킨다. 앞 절에서 확인한 생물학적 결정론은 생물학적 본질주의의 하나로 헤아릴 수 있으며, 그것에 거슬러서 이루어지는 여성의 권리와 양성평등의 주장은 그런 의미에서 처음부터 반본질주의적인 측면을 지니고 있었다고 말할 수 있을 것이다. 그렇지만 임신·출산 등을 여성의 자연적인 특질로 재평가하고자 하는 페미니스트의 주장이 본질주의로서 다른 페미니스트들로부터 비판되는 일도 있었으며, 본래 본질주의는 생물학적 본질주의에 머무는 것도 아니다.

'여성이란 무엇인가'가 생물학적으로 결정되는 것이 아니라 사회적으로 만들어지는 것이라 하더라도 만약 거기서 여성이 여성일 수 있기 위해 불가결한 요소, 여성이라는 것의 본질을 발견한다면, 요컨대 그것이 가부장제하에서의 억압이든 아니면 사람과 남성이 등가인 사회에서의 타자화이든 여성은 반드시 그렇게 만들어지고 그렇지 않으면 여성이 아니라고 주장하게 된다면, 그것은 본질주의적인 주장이라 부를 수 있다. 그리고 그와 같은 본질주의와 페미니즘은 반드시 서로 양립할 수 없는 것이 아니었다— 여성에 대한 차별과 억압을 비판하거나 여성의 권리를 주장하기 위해서는 여성이라는 하나의 집단을 상정할 필요가 있고, 이를 위해서는 그 집단 구성원 전원에 반드시 공유되는 성질을 제시할 필요가 있다고 생각된 것이다.

그러나 본질주의의 주장은 각도를 바꾸면, 시대와 장소를 비롯한 개별 여성이 놓인 다양한 상황의 다름을 묻지 않고 모든 여성이 언제나 공통의 본질을 지닌다고 하는 보편주의적인 주장이다. 그리고 그와 같은 보편적이고 본질적인 여성이라는 차이의 주장에 대해 엄격한 비판을 보낸 것도 이 시대의 페미니즘이었다.

여성들 사이의 차이

여성이라는 차이의 탐구에 대한 의문은 누구보다도 우선 여성들 사이의 차이에 주목한 사람들로부터 제시되게 된다. 모든 여성에 공통된 사회적인 입장이나 경험을 발견할 수 있을 것이라는 상정은 특히 소수자 여성들 입장에서 보면 대단히 설득이 없는 것이며, 그뿐만 아니라 역사적으로나 문화적·사회적으로 더 좋은 대우를 받는— 예를 들어 백인, 중산 계급, 이성애자— 여성들의 입장이나 경험을 모든 여성에 공통된 본질로서 특권화하지 않는다고 말할 수 없는 것이기도 했다.

예를 들어 이리가레의 초기 대표적 저작이 프랑스에서 출판된 것과 거의 같은 시기인 1977년, 미국에서 '콤바히 리버 컬렉티브 선언문'이 나와 있었던 것에 대해서는 유의할 필요가 있을 것이다. 1970년대의 블랙 페미니즘을 대표하는 이 문서는 '백인 여성의 정치와는 다른 반인종주의적인 정치, 그리고 흑인과 백인 남성의 정치와는 다른 반–성차별적인 정치'를 분명히 주장하고, 여성이라는— 남성과의— 차이에 기초한 동일성만을 전제로 하는 것을 거부하며 남/여라는 구분선을 횡단하는 다른 요소, 즉 인종주의의 정치적 중요성을 강조한다. 블랙 페미니즘이라 불리는 사상과 운동의 특징은 단지 그 담지자가 흑인 여성이라는 점에 있는 것이 아니다. 블랙 페미니즘을 특징짓는 것은 여성이라는 차이를 안이하게 하나로 정리하여 말하는 것을 허락하지 않고 여성 속의 차이에 주목하는 관점이기도 한 것이다— 1984년에 '주인의 도구를 사용하여 주인의 집을 부술 수는 없다'라고 하여 백인 페미니스트들은 여성 간의 차이를 마주 보고서 그로부터 힘을 끌어내야 한다고 주장한 오드리 로드Audre Lorde(1934~1992)처럼 말이다.

물론 이것은 미국의 흑인 여성에게만 한정된 문제의식이 아니다. 로드가 그렇게 주장한 것과 같은 해에 찬드라 탈파드 모한티Chandra Talpade Mohanty(1955~)는 포스트 콜로니얼 페미니즘의 대표적인 논문 「서양의 눈길 아래」에서 문화적으로 구축되어온 타자로서의 대문자 '여성Woman'과 구체적인 역사와 물질적 조건을 지닌 현실의 여성들women을 구별한 다음, 서양의 페미니즘이 '제3세계' 여성들 사이의 역사적·문화적 차이를 묵살하고서 균일한 피억압자, 희생자로서 그리는 것의 기만을 비판한다. 서양 페미니즘과 식민지 지식인 등이 식민지 여성을 둘러싼 논의를 통해 자기의 지위를 정치적으로 확보하는 반면, 주변화되고 종속적인 지위에 놓인 여성들은 이름이 없는 채로 침묵을 강요받고 있다고 지적한 가야트리 차크라보르티 스피박Gayatri Chakravorty Spivak(1942~)도 균일하고 보편적인 여성이라는 차이에 기초한 정치가 현실의 여성들 사이의 차이를 말소하고, 그 결과 페미니즘을 비교적 좋은 대우를 받는 일부 여성들의 전유물로 만들어버리는 위험성에 대해 날카롭게 경종을 울린 사상가라고 말할 수 있다.

그리고 '콤바히 리버 컬렉티브'가 블랙 레즈비언 페미니스트의 단체이고, 오드리 로드 역시 레즈비언이었듯이 여성들 사이의 차이를 주장하는 또 하나의 중요한 흐름이 레즈비언과 양성애자 여성 그리고 성전환자와 같은 이른바 성적 소수자의 문화나 정치와 밀접히 관련된 사상이었다.

'여성들'의 가능성을 다시 상상하기

스스로를 '급진적 레즈비언'이라 칭한 모니크 위티그Monique Wittig(1935~2003)는 여성을 욕망하는 여성은 여성이 아니라고 하여 레즈비언을 규탄한 동성애 혐오의 정식을 역으로 이용하여 '레즈비언은 여성이 아니다'라고 선언한다. 남성에 의해 남성과의 관계에 따라 만들어지는 것이 여성이라면, 이성애주의의 관계에 들어가지 않는 레즈비언은 '여성이 되는' 것을 거절한 존재라고 말할 수 있을지도 모른다. 그러나 이 한마디는 '사람은 여성으로 되는 것이다'라는 보부아르의 말에 대한 전통적인 이해 — 보부아르는 여기서 해부학상의 성차(섹스)와 신체에 주어진 문화적·사회적인 의미(젠더)를 구별하고, 후자는 전자로부터 자연히 도출되는 것이 아니라고 논의하고 있다는 이해 — 로부터 크게 일탈하는 맥락에 놓여 있다.

위티그의 논의가 이채를 띠는 것은 본래 남성과 여성 사이에 '자연'적이고 생물학적인 다름이 있다는 생각을 그녀가 부정하기 때문이다. 그녀에 따르면 성차(섹스)라는 범주는 이성애 사회가 만들어 낸 것에 지나지 않으며, 그것을 자연적인 것으로 생각하는

것은 여성에 대한 억압을 자연화하고 변화를 방해하는 발상 이외에
다른 것이 아니다. 따라서 성차는 박멸되어야만 한다는 위티그의
논의가 다양한 여성들 사이의 차이에 대한 주목을 가능하게 한다기
보다 모종의 보편주의로 기울어지는 측면을 지니는 것이었다는
점은 부정할 수 없다. 그러나 해부학상의 성차(섹스) 그 자체를
정치적으로 만들어진 범주로 파악하는 그녀의 이해는 여성들
사이의 차이를 생각하는 데서 커다란 한 걸음을 제공하게 된다.

  본질주의 비판과 여성들 사이의 차이 주장은 확실히 역사적,
사회적으로 비교적 좋은 대우를 받는 상황에 있는 특정한 여성의
이익만을 대변하거나 그 여성들의 존재 방식을 그 이외의 여성들에
게 밀어붙이거나 하는 것을 회피하고, 그런 의미에서 '여성이란
누구인가'라는 물음에 대한 대답의 폭을 넓히는 작용을 했다.
그러나 그렇다면 그사이에 차이가 있는 '여성들'이란 본래 누구인
가? 여성이라는 것이 문화적, 사회적으로 아무리 다양하게 만들어
져 있다 하더라도 그것은 결국 생물학적인 암컷의 신체 위에
구축되는 것이 아닐까? 그런 의미에서는 여성이라는 차이가 확실
히 존재하고, 그 차이는 어떠한 문화나 사회 질서에도 선행하고
생물학적, 해부학적 또는 유전자에서의 구분에 기초하는 '자연'인
것이 아닐까?

  자연적이고 생물학적인 성차란 존재하지 않는다고 한 위티그의
주장을 이어받아 신체에 주어지는 문화적인 의미(젠더)와 사회나
문화에 선행하는 '자연'적인 성차(섹스)의 이원적인 구별이 성립

하지 않는다는 것을 보여주고 '여성들' 사이의 좀 더 다양한 차이를 가능하게 하는 방향에서 이 문제에 응답한 것이 주디스 버틀러[Judith Butler](1956~)이다. 위티그와 마찬가지로 버틀러도 여성이 숙명으로서의 해부학이라는 발상에서 벗어날 때 유효하다고 생각된 젠더와 섹스의 구분을 부정하고, '자연'적인 성차는 그 자체가 역사적, 문화적으로 그리고 정치적으로 구축된 것이라고 주장한다— '섹스는 언제나 이미 젠더이다.'

그러나 위티그에게서의 '젠더인 섹스'가 이성애주의하에서의 여성을 억압하기 위해 구축되었으며, 따라서 언제나 반드시 박멸되어야 하는 것이었던 데 반해, 버틀러에게서의 그것은 '자연'적인 성차라는 본질을 지니지 않는 까닭에 다른 형태로 변용될 수 있는 것으로서 상상된다. 다양한 여성들 사이의 차이에 대한 인식이 '여성이란 누구인가'에 대한 대답을 비교적 좋은 대우를 받는 여성들 이외에도 열어왔다고 한다면, '그 사이에 차이가 있는 여성들이란 본래 누구인가'라는 물음에 대한 포괄적이고 결정적인 대답을 불가능하게 하는 것으로서 젠더를 생각함으로써 버틀러는 여성들을 좀 더 새로운 차이로, 그리고 더 나아가서는 아직 알려지지 않은 미래의 형태로 열어두고자 하는 것이다.

본질— 그것이 '자연'적이고 생물학적인 것이든 아니면 사회적으로 구축된 것이든 간에 — 에 의해 최종적으로 규정되는 것이 아닌 젠더는 여성들 사이에 어떠한 차이가 있을 수 있는지, 여성들이 얼마나 다양할 수 있는지, 그 가능성을 부단히 다시 상상하는 것을 허용하고 요청하는 개념이 되는 것이다.

4. 나가며 — 다시 안티 젠더 시대에

이렇게 생각해보았을 때 금세기의 안티 젠더 운동이 '젠더'라는 말을 특히 미워하는 것은 왜인지, 그리고 그 이유가 비교적 정확히 '젠더'의 작용을 이해하고 있다고 말할 수 있는 것은 왜인지, 그 이유가 분명해질 것이다. 왜 거기서 주디스 버틀러가 이를테면 끝판왕과 같은, 요컨대 모든 악의 근원과 같은 지위를 부여받고 있는 것인지도 말이다.

'여성이란 누구인가'를 최종적으로 규정하는 것은 거부하지만, 그렇다고 여성이라는 범주 그 자체, 성차 자체를 박멸하는 방향으로도 향하지 않는다. 그것은 기지의 것도, 아직 분명한 형태를 취하지 않은 것도 포함한 여성들의 다양한 존재 방식을 미리 '여성'으로부터 배제하지 않는, 그러나 동시에 '여성'이라는 범주에 대해 이루어지는 차별이나 억압에 대해 '여성'으로서 저항하는 힘을 버리지도 않는 페미니스트 정치를 가능하게 한다. 여성이 어떠한 본질을 지녀야 하는가 하는 논의는 거기서 중요하지 않다. 아이를 낳아 기르는 것에 뛰어나지 않더라도, 남성이 바라는 형태로 남성을 비추어 내는 거울의 역할을 하지 않더라도, 백인이거나 중산 계급에 속하거나 하지 않더라도, 남성을 욕망하지 않거나 여성을 욕망한다고 하더라도, 해부학이나 생물학이 암컷으로 구분한 신체를 지니지 않더라도, 그것은 그 사람들을 '여성'이 아니라고 하여 잘라 내버리는 이유가 되지 않는다.

여성에게 특정한 한정된 존재 방식밖에 허용하지 않고, 그러한 것에서 벗어나는 여성들을 억압하고 벌함으로써 여성들을 분할하고 통제하는 것을 당연하게 여겨온 사람들이 자신들이 상상도 하지 못했던 모습을 보이는 여성들의 증식과 연대를 촉진하는 것과 같은 '젠더 이데올로기'에 대해 강한 기피의 감정을 보이는 것은 당연할 것이다. 그러나 그것이야말로 바로 '여성이란 누구인가'의 외연을 비판적으로 계속해서 확대해 온 페미니즘 시도의 유효성을 보여준다고도 말할 수 있을지 모른다. 30년 이상 전에 오드리 로드가 말했듯이 페미니스트의 정치는 여성들 사이의 차이를 받아들여 변혁의 힘으로 변화시킬 수 있으며, 나아가 그것을 요청하는 것이다.

☞ 좀 더 자세히 알기 위한 참고 문헌

— 다케무라 가즈코竹村和子, 『페미니즘(사고의 프론티어)フェミニズム(思考のフロンティア)』, 岩波書店, 2000년. 1990년대부터 2011년에 사망할 때까지 일본의 페미니즘 이론을 견인한 저자에 의한 입문서. 페미니즘이 무엇을 문제로 해왔는지가 명쾌하게 설명됨과 동시에 주디스 버틀러 등의 비교적 난해한 논의도 간결하게 해설하고 있어 초심자에게도 참고가 될 수 있다.

— 벨 훅스Bell Hooks, 『페미니즘은 모두의 것 — 정열의 정치학フェミニズムはみんなのもの — 情熱の政治学』, 홋타 미도리堀田碧 옮김, 新水社, 2003년. 이 장에서 언급되지 않았지만, 블랙 페미니즘의 사상가로서 알려진 벨 훅스의 대단히 인기가 많은 페미니즘 입문서. 사상사적인 해설이 아니지만, 페미니즘 사상이 무엇을 지향하는 정치에 뒷받침되고 있는지를 가르쳐주는 좋은 책이다.

— 오카 마리岡眞理, 『그녀의 '올바른' 이름이란 무엇인가 — 제3세계 페미니즘의 사상彼女の'正しい'名前とは何か — 第3世界フェミニズムの思想』, 靑土社, 2000년. 일본어로 쓰인 제3세계 페미니즘/포스트 콜로니얼 페미니즘의 명저. 선행하는 사상의 개설이 아니라 '제3세계의 여성'이 아닌 저자가 어떻게 제3세계의 여성과 마주할 수 있는지를 정성 들여 탐구해간다.

칼럼 2

현대 자본주의

다이코쿠 고지大黑弘慈

2007년에 시작되는 금융 위기는 세계를 대불황에 빠뜨렸다. 그 결과 지구화의 견인 역할이었다고 해야 할 미국은 트럼프를 맞아들이고, 유럽에서는 공적 채무 위기도 더해져 EU는 이제 분열의 위기에 놓여 있다. 자본주의의 영속성에 대한 확신은 이에 이르러 흔들리고, 다음 단계를 내다보지 못한 채, 자본주의는 본래 계속 유지될 수 있는 것인가 하는 비장감이 떠돌고 있다. 그러나 기존의 사회주의에 대한 실망으로 인해 자본주의 이후의 사회를 상상하기보다 인간의 종언을 상상하는 쪽이 쉽다는 얄궂은 상황에 우리는 놓여 있다.

그러한 가운데 좁은 의미의 경제학에는 바람직하지 않은 장기적 시야를 갖춘 업적이 전망을 가져다준다. 예를 들어 세계 체제론자 조반니 아리기Giovanni Arrighi(1937~2009)는 경제 환원주의적인 단선 사관을 의심하고, 패권 확립기의 생산 확대 국면과 패권 경합기의 금융 확대 국면의 교체가 일어나는 장으로서 자본주의를 다시 그린다. 오늘날의 '금융화' 현상은 미국의 패권 조락의 징조이며, 중국의 유교적 '시장 경제'에서 포스트 아메리카뿐만 아니라 포스트 자본주의의 가능성을 발견하는 것이다.

그러나 인류학자 데이비드 그레이버David Graeber(1961~)는 대담하게도 앞으로 5,000년이라는 초장기적인 시야에서 표권 화폐와 금속 화폐의 교체라는 맥락 속에 자본주의를 다시 놓는다. 화폐의 기원은 상식과는 반대로 메소포타미아의 계산 화폐에 있으며, 현대의 MMT는 시원의 표권 화폐가 회귀한 것에 지나지 않는다는 것이다. 그러한 화폐의 교대극을 통해 그는 동시에 부채가 그때마다 누구와 누구 사이에서 지어지고, 그것들이 현재로 어떻게 흘러드는지를 확인하고자 한다. 계보학적 추적 끝에서 떠오르는 것은 부채란 자본주의의 병리가 아니라 인간의 숙명이라는 것이다. 그러나 이러한 파악 방식 이상으로 중요한 것은 '고맙다'라는 말을 거부하는 이누이트 등의 사례를 끄집어내 그가 새로운 사회에 대한 상상력을 활성화시키고자 한다는 점이다.

물론 그러한 사회를 보편화하는 것은 현실적이지 않다. 중요한 것은 그것들과의 비교를 통해 '금융화'와 '빈곤화'를 특징으로 하는 현대 자본주의의 근저에서도 숨 쉬고 있는 '기반적 코뮤니즘'을 깨닫고 이것을 발굴하는 것이다.

그레이버는 동시에 '부지런하지 않은 가난한 자'도 행복해질 수 있는 사회를 이상화한다. 확실히 이후 AI에 의해 노동이 불필요해지고 '부지런하지 않은 가난한 자'의 층이 넓어진다고 하더라도 그들은 계속해서 활동하는 엘리트에 대해 부채 감정을 계속해서 지닐 것이다. 그러나 계산과 폭력에 뒷받침된 익명적이고 파괴적인 부채를 기존의 관계로부터 새로운 관계로 열어가는 관대한 약속(증여의 연쇄)으로 서서히 이행시켜 가는 것은 가능하다. 자본주의 이후를 전망하기 위해서는 이렇게 해서 인간의 업데이트가 동시에 탐색될 필요가 있다. 그것은 또한 '능력에 따라 일하고 필요에 따라 분배받는'(맑스) 코뮤니즘의 실현으로도 이어질 것이다.

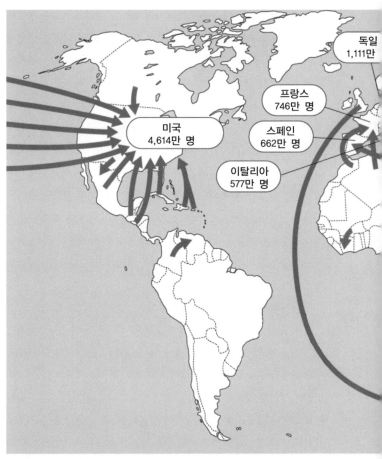

국경을 넘어서는 인구의 이동(2013년까지)

나라 이름
(사람 수)   주요 나라의 외국으로부터의 이주자 숫자(2013년 시점)

➡ 외국으로부터의 이주자 수입국과 출신국(2013년 시점, 80만 명 이상)

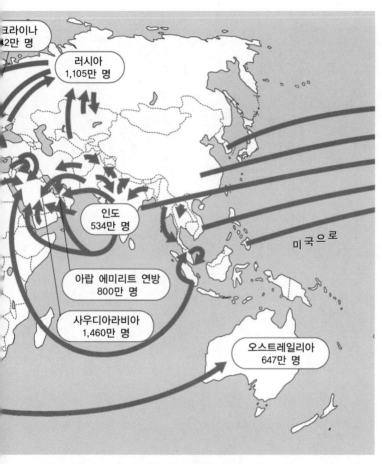

* 이주자에는 나라에 따라 난민 숫자도 포함된다[World Bank 자료]

출전: 『신상지리자료 COMPLETE 2019(新詳地理資料COMPLETE 2019)』, 帝国書院

제5장

철학과 비평

안도 레이지安藤礼二

1. 비평을 재정의하다

비평과 철학

근대적인 의미에서의 '비평'의 시작—그것은 현대까지 이어지고 있다—을 도대체 언제 어디로 자리매김할 수 있을 것인가? 외부 세계를 정확히 모사하기 위한 언어라는 생각이 이미 성립하지 않고, 언어를 언어 자체로서 사유할 수밖에 없게 되었을 때로 '비평'의 시작을 자리매김하는 것이 가장 타당할 것이다.

이 '나'가 이제 무언가를 표현하기 위해 사용하는 언어란 도대체 어떠한 것인가? 그 기능과 구조를 탐구한다. 표현하기 위한 언어에 대해 아마도 가장 의식적이었던 시인들의 영위 속에서야말로

'비평'의 시작이 놓여 있다. 예를 들어 샤를 보들레르Charles Baudelaire(1821~1867)에게서 발단하는 프랑스 상징주의의 흐름. 보들레르는 미술 비평을 쓰고 문예 비평을 쓰고 음악 비평을 쓰고, 그러한 비평의 성과 위에 독창적인 시적 세계를 구축했다.

보들레르의 시대(19세기 중반), 인간이 지니는 눈의 구조를 해부하고 분석함으로써 사진이라는 미디어가 태어났다. 사진이 외계를 정확히 모사해내는 이상, 새로운 회화는 이미 외계와는 절연해야만 한다. 새로운 회화가 정착시켜야만 하는 것은 외부 세계와 근저에서 통하는 내부 세계로부터 발생하는 것이다. 거기서는 음향과 색채와 형태, 나아가서는 미각·후각·촉각을 비롯한 감각들이 하나로 뒤섞이고 있다. 새로운 비평의 언어, 새로운 시의 언어는 감각들이 하나로 융합한 내적인 세계를 표현해야만 한다.

이를 위해 보들레르는 전혀 다른 두 가지 이념을 특이한 사상가들로부터 빌려온다. 에마누엘 스베덴보리Emanuel Swedenborg(1688~1772)로부터는 내부 세계와 외부 세계의 조응correspondence 이론을, 샤를 푸리에François Marie Charles Fourier(1772~1837)로부터는 극소로부터 극대까지의 유사analogy 이론을 말이다. 그리고 그것들을 종합하여 자기의 시 이론이자 비평의 이론을 조직한다. 보들레르는 리하르트 바그너Wilhelm Richard Wagner(1813~1883)의 무대에서 감각들을 해방하는 종합 예술의 가능성을 예감한다. 보들레르의 시학을 이어받은 아르튀르 랭보Jean Nicolas Arthur Rimbaud(1854~1891)는 논리적인 착란 아래 발견되는 '타자'로서의 나라는 '보는 자^{le voyant}'의 시법^{詩法}을 정리하고, 스테판 말라르메^{Stéphane Mallarmé}(1842~1898)는 인간적인 '나'의 소멸로써 비로소 가능해지는 우주로서의 책이라는 '무'의 시법을 정리한다.

외부 세계와 내부 세계를 조응시키고 거기서 극소부터 극대까지 유사하게 하는 것이 '상징'으로서의 언어이다. 보들레르, 랭보, 말라르메와 이어지는 '상징'의 시학은 앙리 베르그송^{Henri(-Louis)} ^{Bergson}(1859~1941)의 '기억'의 철학, 장 폴 사르트르^{Jean Paul Sartre} (1905~1980)의 '상상력'의 철학으로 계승되어간다. 베르그송의 철학과 마르셀 프루스트^{Marcel Proust}(1871~1922)의 소설은 쌍둥이와 같은 관계에 있으며, 사르트르는 그 스스로 소설을 썼다. 초현실주의로부터 실존주의, 구조주의, 포스트 구조주의에 이르기까지 비평의 언어와 문학의 언어, 나아가 철학의 언어는 서로 공명하고 서로 함께 소리를 울린다.

보들레르와 말라르메는 바그너의 무대를 각자의 시적 세계의 가장 큰 경쟁자로 간주하고 있었다. 바그너의 무대를 철학적으로 근거 짓고자 한 니체, 그 니체의 분류를 거부하는 텍스트, 나아가서는 니체와 마찬가지로 '고대 그리스'를 주제로서 공유하고 있던 횔덜린^{Friedrich Hölderlin}(1770~1843)의 텍스트를 독해함으로써 '존재'의 철학을 수립한 하이데거의 또 한편에서도 비평(해석학)의 언어와 문학의 언어 그리고 철학의 언어는 공명하고 서로 함께 소리를 울리고 있었다. 그들은 모두 번역자이기도 했다. 보들레르도 말라르메도 에드거 앨런 포$^{Edgar\ Allan\ Poe}$(1809~1849)의 산문과 시를 번역하는 것에서 자신의 작업을 시작하고 있다.

시간과 공간을 넘어서는 번역과 해석 그리고 창작. 그것이 근대의 비평을 낳고 근대의 철학을 낳았다. 근대 일본의 비평을 독자적인 서법으로써 완성한 고바야시 히데오^{小林秀雄}(1902~1983)가 랭보시의 번역에서 시작하고 베르그송론을 미완인 채로 남기며, 그 폐허에서 마지막이자 가장 커다란 비평의 대가람, 모토오리 노리나가^{本居宣長}론을 수립한 것은 우연이 아니었다. 그렇다면 도대체 왜 모토오리 노리나가였던가?

거룩한 언어와 거룩한 책

새롭게 비평을 다시 정의하는 것에서 시작하고자 한다. 비평이란 무엇인가? 비평이란 해석학이다. 그것이 가장 과부족 없는 해답이 될 것이다. 그렇다면 해석학이란 무엇인가? 이 물음에 한마디로 답하기는 어렵다. 최대 공약수로 생각해보자. 해석이란 거룩한 언어로 기록된 거룩한 텍스트(언어의 직물)를 독해해 가는 일이다.

어떠한 사람들의 집단이라도 거룩한 텍스트를 갖고 있다. 그 텍스트는 문자를 사용하여 새겨 넣은 경우가 많다. 그러나 거기서 사용되는 문자에는 신체의 흔적이, 즉 몸짓과 언어(목소리)의 흔적이 남아 있다. 거룩한 언어란 무엇보다도 우선 가요임과 동시에 무도이고 그 기억이었다. 어느 사이엔가 문자로서 정리되고(당연히 문자로서 정리되지 않는 경우도 있다) 거룩한 책으로서 편찬되어갔다. 그때 문자를 지니는 사람들과 문자를 지니지 않는 사람들 사이에는 격렬한 투쟁이 있었을 것이다. 그 진실을 아는 것은 결코 가능하지 않다. 다만 거룩한 책을 통해 추측할 수 있을 뿐이다. 그러한 의미에서 거룩한 책이란 지배자의 역사이자 지배자의 신화이다.

그렇다면 거룩한 책이란 무엇인가? 거기에는 도대체 무엇이 기록되어 있는 것인가? 이 우주 또는 이 '나'(인간), 결국은 삼라만상 모든 것의 '시작'(기원)이 기록되어 있다. 그와 같은 책을 독해해가면 도대체 어떻게 될 것인가? '시작'을 다시 한번 살고, '시작'을 창조적으로 반복하며, '시작'을 새로운 지평, 새로운 시공간(시간과 공간의 교점)에서 다시 낳고 재생시킬 수 있다. 비평이라는 영위 — 그것은 문학이라는 영위와 거의 같은 뜻일 것이다 — 를 정의한다면 그것으로 끝난다.

'시작'을 읽는 것, '시작'을 다시 읽는 것은 '시작'을 쓰는 것, '시작'을 다시 쓰는 것으로 이어져 간다. 비평이란 해석학이며, 해석학이란 창작이다. 창작이란 문자 그대로 세계를 창조하는 것, 좀 더 정확하게는 다름 아닌 세계를 다시 창조하는 것이다.

극동의 열도로 이주한 사람들의 일을 생각해보자. 아마도 아시아의 각지로부터 몇 차례 유입의 물결이 있었다고 생각된다. 거기서 지배 계급이 된 사람들도 '시작'의 책을 남기고 후세에 전할 것을 의도했다. 다만 그 시점에서 극동 열도의 '시작'의 책을 구성하고 있는 문자는 열도에서 자생한 것이 아니라 대륙의 제국으로부터 차용한 것이었다. 시각적인 상과 청각적인 음을 동시에 나타내는 제국의 문자(한자)로부터 열도에 고유한 문자(가나)를 창출해 갈 것이 요구되었다. '일본'은 그로부터 시작된다.

모토오리 노리나가의 등장

열도의 거룩한 책은 열도에 고유한 문자 창출 이전에 자리매김한다. 그 책을 독해해 가는 것에서 새로운 문자가, 새로운 서법이 산출되어갔다. 열도에 고유한 새로운 문자, 새로운 서법이 지배 계급뿐만 아니라 일반 서민에게까지 보급되어간 근세에 대단히 커다란 해석의 혁명이 일어난다. 다만 그 혁명은 돌발적인 것이 아니라 중세가 준비를 거듭해온 결과로 가능해진 것이었다.

그때까지 열도의 '정사'로서 자리매김하고 있던 『일본서기』에 대해 열도에 고유한 새로운 문자, 새로운 서법의 맹아가 발견되는 『고사기』에서야말로 열도의 참된 역사, 열도의 참된 신화가 기록되어 있다. 어떤 의미에서 열도의 역사보다 반도의 역사, 대륙의 역사를 중시하는 『일본서기』에 맞서 오직 열도의 역사, '황국'의 역사만이 순수한 형태로 기록된 『고사기』가 선택되었다. 해석 과정에서 산출된 허구로서의 '일본'이 이데올로기의 강고한 기반으로서 실체화된 것이다.

그것이 열도에 근대(근대 국민 국가)를 준비하고 그 근대의 임계점(세계 전쟁)에서 열도에 사는 사람들을 파멸의 위기로까지 몰아넣었다. 열도 근세에 해석의 혁명을 밀고 나아간 모토오리 노리나가로부터 열도 근대의 비평이 시작된다. 근대 일본을 대표하는 비평가가 된 고바야시 히데오가 남긴 최후이자 최대의 책이 『모토오리 노리나가』라는 제목을 달고 있었던 것은 우연이 아니라 필연이었다. 나아가서는 근대 일본의 비평이 필연적으로 '시작'의 거룩한 언어, '시작'의 거룩한 책을 탐구해가는 것도 마찬가지다.

극동의 열도에는 분량적으로도 내용적으로도, 나아가서는 형식적으로도 대조적인 두 개의 거룩한 책, 『일본서기』와 『고사기』가 남아 있었다. 『고사기』의 다시 읽기가 시작되는 것은 중세에 이르고서부터이다. 대조적이긴 하지만 이 두 가지 서로 다른 책에 그려진 권력의 '시작'이자 표현의 '시작'(신체적 표현임과 동시에 시적 표현인 것, 몸짓임과 동시에 언어인 것)은 공통적이었다. 어느 것에서도 인간적인 한계를 넘어서는 '신들림'(빙의), 거기서 내려지는 '신의 말'로부터 왕의 권위이자 왕의 표현이 시작되었다고 말하는 것이다. 왕이란 '신의 언어'임과 동시에 '신의 영혼'인 힘의 원천을 취급할 수 있는 기술자였다. 그런 점에서 왕이 행하는 것과 방랑의 숙명을 지닌 예능의 백성들이 행하는 것은 똑같다.

왕과 예능의 백성들은 '빙의'를 매개로 하여 서로 하나로 결합한다. 극동의 열도에서는 종교도 철학도 그리고 그 속에 문학이 포함되는 예능도 모두 '빙의'에서 시작되었다. 무수히 많은 섬이

줄지어 서 있는 극동의 열도 '일본'은 대륙의 북과 남으로 열려
있다. 열도에 남겨진 가장 오랜 거룩한 텍스트로부터 판단하는
한, '일본'이란 광대한 유라시아 대륙 전토를 뒤덮고 있던 샤머니즘
문화권—인류의 원형으로서의 수렵 채집 사회에 고유한 종교적
인 동시에 정치적인 체제—의 다 떨어지고 남은 꽃이며, 그것을
세련시켜간 끝에 가능해진 것이다. 물론 그와 같은 사실을 학문적
으로 증명할 수 있는 것은 아니다. 다만 시인으로서의 자질을
농후하게 지닌 일군의 해석자들이 시간적·공간적인 거리를 넘어
서서 자유분방한 상상력을 토대로 그렇게 보고 있다고 느낄 뿐이다.

그러나 나 역시 그렇게 보고 있다고 느끼는 자들의 상상력을
신뢰하는 비평가의 한 사람이다.

오리쿠치 시노부로부터 이즈쓰 도시히코로

모토오리 노리나가는 원리적으로 텍스트를 읽고, 그의 이단적
인 제자인 히라타 아쓰타네平田篤胤는 실천적으로 텍스트를 읽었다.
'실천적으로'라는 것은 보이지 않는 저승 세계로부터의 소식을
분명히 해주는 넓은 의미의 '신들림', 이제 이 마당에서 생기하는
생생한 '신들림'을 핵심으로 해서라는 것이다. 극동의 열도 역사의
'시작', 표현의 '시작'에는 '신들림'이 자리매김해 있었다.

인간과 신들, 볼 수 있는 현명顯明(살아 있는 자들의 세계)과
볼 수 없는 유명幽冥(죽은 자들의 세계), 삼라만상 모든 것은 하나로

결합해 있다. 그러한 사실을 공공연히 보여주는 것이야말로 두 개의 세계를 하나로 이어주는 '신들림'이었다. '신들림' 즉 '빙의'에 의해 주관과 객관, 유한과 무한, 안과 밖, 일상의 속된 세계와 비일상의 거룩한 세계는 하나로 결합한다. 거기서 권력의 '발생'이 자 표현의 '발생'을 다시 파악한다.

바로 이것이 모토오리 노리나가의 영위와 히라타 아쓰타네의 영위를 근대의 지평에서 종합한 오리쿠치 시노부折口信夫(1887~1953)가 성취한 일이다. 민속학적인 탐구와 국문학적인 탐구, 객관적인 연구와 주관적인 창작이 하나로 융합한 오리쿠치의 영위는 '고대학'(대표작의 제목이기도 한 '고대 연구'에서 유래한다)이라고 불린다. 그러나 오리쿠치가 추구한 '고대'란 반복될 때마다 새로운 것을 낳는 '시작'을 말한다. 요컨대 그것은 시간적인 동시에 공간적으로 한정된 것이 아니다.

언제나 되풀이되는 '시작'의 과정을 오리쿠치는 '발생'이라는 말을 사용하여 표현하고자 했다. 그렇다면 연구자로서의 오리쿠치 시노부와 표현자로서의 샤쿠 쵸쿠釋迢空(말할 필요도 없이 오리쿠치의 필명이다)가 실천하고 있던 것이야말로 가장 창조적인 '비평'이라고 말할 수 있을 것이다. 고바야시 히데오의 『모토오리 노리나가』 서두에서 전적으로 뜬금없이 오리쿠치 시노부의 모습이 나타나는 것도 우연이 아니었을 것이다.

모토오리 노리나가에게서 시작되고 히라타 아쓰타네를 거쳐 오리쿠치 시노부에 이르는 그러한 거룩한 책의 해석학 계보는 오리쿠치에게서 닫혀버린 것이 아니다. 그는 근세로부터 근대에 걸쳐 형성된 극동의 해석학을 현대로, 나아가서는 세계로 열어간다. '빙의'를 근간에 둔 오리쿠치 시노부의 '비평'을 가장 창조적으로 이어받아 열도에 고유한 해석학을 세계에 보편적인 해석학으로 갈고 닦아 나간 자가 바로 이즈쓰 도시히코井筒俊彦(1914~1993)였을 것이다. 이즈쓰는 게이오기주쿠대학에서 오리쿠치의 강의에 출석했다. 그러한 개인적인 관계성도 물론 존재한다. 그러나 그 이상으로 빙의에 매혹되어 빙의를 스스로 살아가고, 거기서 종교 및 철학의 발생이자 표현의 발생을 발견하는 성전 해석자로서의 자세가 공명하고 있는 것이다.

오리쿠치와 이즈쓰 둘 다 '빙의'에 의해 자기와 타자의 구별이 소멸하고, 삼라만상 모든 것이 하나로 혼합하는 지평에서 나타나는 것을 현실과 초현실, 내재와 초월을 하나로 결합하게 하는 '시작'의 언어로서 파악했다. 그 '시작'의 언어는 생명의 씨앗이자 의미의 씨앗과 같은 것이었다. 그로부터 정신적인 것도 물질적인 것도 함께 산출된다. 한편으로는 정신적이고 다른 한편으로는 물질적이기도 한 그러한 '의미'의 맹아. 오리쿠치에게서 삼라만상 모든 것의 원천이 되는 영혼이란 그와 같은 것이었다. 또는 오리쿠치에게서도 이즈쓰에게서도 세계의 원천, 세계의 기원이 되는 원초의 신이란 그와 같은 것이었다— 오리쿠치는 『고사기』의 서두에 나타나고 노리나가와 아쓰타네에 의해 갈고 닦여온, 영혼을 생성하고 만물에 생명을 깃들이게 하는 '만물을 낳는 신령産靈'의

신을 자신이 구상하는 새로운 신도의 근본에 둔다.

2. 의미의 구조

이즈쓰 도시히코의 기원

이즈쓰 도시히코는 근대 일본이 낳은 가장 거대한 도량을 지닌 비평가, 성전 해석자로서 자리가 매겨진다. 그 점 자체는 충분히 정당할 것이다. 오리쿠치 시노부의 영위를 창조적으로 이어받은 이즈쓰 도시히코가 전 생애에 걸쳐 만들어 낸 해석학의 체계, 비평의 체계야말로 '철학과 비평'이라는 주제에 대해 일본어를 모어로 하는 자로서 가장 기여하고 있다고 생각되기 때문이다.

다만 그것을 논증하기 위해서는 이즈쓰가 자기 해석학의 주요한 대상으로 삼은 쿠란 및 아라비아어에 관한 완전한 지식이 있어야 한다. 이즈쓰가 참조하고 있는 아라비아어의 원전도 비평적(비판적)으로 음미할 필요가 있기 때문이다. 나아가서는 이슬람의 입장에서 이즈쓰의 영위 자체를 비평적(비판적)으로 다시 검토할 필요도 있다. 현시점에서 내가 그와 같은 작업을 할 수는 없다. 아쉽게도 나로서는 역부족이다. 그러나 이즈쓰는 자기의 저작을 일본어와 영어 양쪽으로 저술했다. 이즈쓰 영문 저작의 '시작'인 — 그것은 동시에 이즈쓰 해석학의 '시작'이기도 하다 — 『언어와 주술』의 일본어판 번역 감수를 맡았던 책임에서 내가 이해한 한에서의 이즈쓰 비평, 결국은 이즈쓰 해석학의 핵심을 이하에서 제시하고자 한다. 그것이 비평가로서의 내가 짊어져야만 할 책임이기도 할 것이다.

이즈쓰 스스로 '나의 무구한 원점'이라 부른 『신비 철학』(1949년)은 아리스토텔레스를 거쳐 플라톤으로 돌아옴으로써 그리스의 빛의 철학을 완성한 플로티노스의 영위, 그 '시작'에 디오뉘소스의 '빙의'를 자리매김한 대저작이었다. 이즈쓰는 철학의 기원에 '빙의'가 있다고 생각하고 있었다. 철학은 '빙의'에서 시작된다. 디오뉘소스의 '빙의'에서 시작된 그리스의 빛의 철학이 신의 '거룩한 말'에서 시작된 아라비아의 계시 종교(이슬람)와 하나로 종합된다.

그리하여 '거룩한 책' 쿠란을 독해해 간 끝에 나타나는 새로운 해석학이 가능해진다. 신('일자')으로부터의 단계적인 만물의 '유출'을 이야기하는 플로티노스의 빛의 철학도 아니고, 초월적인 신에 의한 무로부터의 만물의 '창조'를 이야기하는 순수 일신교, 정통파 이슬람의 종교도 아닌, 양자를 하나로 종합한, 무로서의 신 그 자체로부터의 만물의 내재적인 '산출'을 이야기하는 수피즘을 기반으로 한 이란의 철학적인 종교이자 종교적인 철학, '존재 일성론^{性論}'을 자신의 최종적인 도달점으로 한 이즈쓰 도시히코의 해석학이…….

철학과 종교를 하나로 종합하는 가장 창조적인 해석학(비평). 그 근저에서 이즈쓰는 오리쿠치 시노부가 그러했듯이 언어 의미의 발생이자 인간 의식의 발생, 나아가서는 삼라만상 모든 것, 결국은 우주라는 생명의 발생이 하나로 겹쳐지는 장(필드)을 발견하고 있었다. 그러나 파격의 일본어로 정리된 『신비 철학』 후에 의미의 발생이자 의식의 발생, 나아가서는 생명의 발생이 하나로 결합하는 것과 같은 독창적인 해석학의 체계를 이즈쓰는 일본어가 아니라 영어를 사용하여 정리해 갔다. 겨우 이제야 영어로 쓰인 이즈쓰의 대표작 거의 모두가 일본어로 번역되었다. 오리쿠치 시노부의 '비평'을 이어받은 이즈쓰 도시히코 '비평'의 전모가 일본어로 읽을 수 있게 된 것이다. 거기에서야말로 철학적인 사유와 시적인 표현이 혼연일체가 된 이즈쓰 도시히코 사상의 핵심이 감추어져 있을 것이다.

이즈쓰 도시히코의 해석학

이즈쓰 도시히코 해석학의 전모는 영문 저작들에 의해 밝혀진다. 그 과정을 영문 저작의 간행 연대순으로 정리해보면, 다음과 같이 된다 — 이하에서는 제목 및 서지 정보(일본어 역 간행 연도는 번잡해지는 까닭에 생략한다)는 2017년부터 19년에 걸쳐 게이오기주쿠대학 출판회에서 간행된 이즈쓰 도시히코 영문 저작 번역 컬렉션에 기초한다(인용 및 참조도 일부를 제외하고 이 컬렉션의 번역문에 따른다).

덧붙이자면, 이즈쓰가 영어를 사용하여 탈고한 저작들 가운데

『의미의 구조』만이 예외적으로 번역되어 나와 있었는데(新泉社, 1972년), 이즈쓰의 생전에 간행이 시작된 츄오코론샤 저작집에 수록될 때(1992년) 이즈쓰 자신이 서장부터 제4장까지 다시 손보았다. 그런 까닭에 이즈쓰 해석학 확립 과정을 추적하는 이 글에서는 저작집 판이 아니라 신센샤 판을 참조하기로 한다.

　　1956년. 『언어와 주술』(안도 레이지安藤礼二 감역, 오노 준이치小野 純一 번역)

　　1959년. 『의미의 구조』(마키노 신야牧野信也 번역, 다만 일본어 역은 1964년에 재간된 것을 통합하는 형태로 이루어졌다.)

　　1964년. 『쿠란에서의 신과 인간. 쿠란 세계관의 의미론』(가마다 시게루鎌田繁 감역, 니고 토시하루仁子壽晴 번역)

　　1965년. 『이슬람 신학에서의 믿음의 구조. 이만과 이슬람의 의미론적 분석』(가마다 시게루 감역, 니고 토시하루仁子壽晴 · 하시즈메 레쓰橋爪烈 번역)

　　1966~1967년. 『수피즘과 노장사상. 비교 철학 시론』 상 · 하(니고 토시하루 번역)

　　덧붙이자면, 이즈쓰의 영문 저작은 이것이 모두가 아니다. 그러나 『언어와 주술』에서 시작되어 초판 때에는 2분책으로 이루어진 『수피즘과 노장사상』의 제1부 「이븐 아라비」에서 이즈쓰의 의미론이자 이즈쓰의 해석학 체계는 일단을 완성을 맞이한다(일역의 상권에 해당한다). 『수피즘과 노장사상』은 제2부 「노자와 장자」, 제3부 「결론— 비교 고려」로 이어져 가지만(일역의 하권을 구성한다), 제3부는 대단히 간결하며, 제2부는 제1부에서 추출된 이란의 이슬람, '존재 일성론'의 체계에 기초하여 노장사상의 체계를 재구축해간 것이기 때문이다. 요컨대 이즈쓰 '동양 사상'의 원형에는 이란의 '존재 일성론'이 자리매김해 있는 것이다(다만 그 철학적인 기원이 된 이븐 아라비 자신은 스페인의 안달루시아 출신이다).

마찬가지로 『수피즘과 노장사상』을 완결한 이 해부터 이즈쓰는 에라노스 회의에 참여하고, '철학적 의미론'의 입장에서 '동양 사상'을 논의해 간다. 에라노스 회의에 이즈쓰는 1967년부터 1982년까지 참여하고, 그 사이 도교, 불교, 유교를 대상으로 하여 '동양 사상' 전체에 이르는 기본 구조의 추출을 목표로 한 열두 차례의 영어를 사용한 발표를 했다— 그 강연 원고 모두가 집성되어 영문 저작 번역 컬렉션의 하나, 『동양 철학의 구조. 에라노스 회의 강연집』(사와이 요시쓰구澤井義次 감역, 가네코 나오金子奈央·고가치 류이치古勝隆一·니시무라 료西村 玲 번역)으로서 간행되어 있다.

요컨대 이즈쓰의 '철학적 의미론'에 기초한 '동양 사상'이란 『수피즘과 노장사상』의 제1부에서 확립된 '존재 일성론'을 원형으로 하여 널리 '동양 철학 전체'의 근저에 놓여 있는 '공시론적 구조화'를 지향한 것이었다. 그 범위는 유작으로서 일본어로 정리된 『의식의 형이상학—『대승기신론』의 철학』(1993년)에까지 미치고 있다. 이즈쓰는 『수피즘과 노장사상』을 정리한 단계에서 이미 이븐 아라비에게서 발단하는 이란의 '존재 일성론'의 철학 체계가 지니는 기본 구조를 『대승기신론大乘起信論』에서 유래하는 어휘를 사용하여 설명하고 있었기 때문이다. 이란의 이슬람과 중국의 노장사상을 대승 불교가 중개하는 것이다.

그리고 마침 『언어와 주술』이 간행되고 『의미의 구조』가 간행되는 사이, 1958년부터 다음 해에 걸쳐 『코란』의 일본어 역이 성취된 것을 생각하면(다만 1964년에 전면적으로 개역되었다), 『언어와 주술』을 서론으로 쿠란이라는 거룩한 책을 소재로 하여 '존재 일성론'으로까지 밀고 나아간 해석학이야말로 이즈쓰 비평의 근간을 이룬다는 것이 이해될 것이다. 영문 저작 번역 컬렉션에 수록된 『노자 도덕경』(고가치 류이치古勝隆一 옮김)도 이즈쓰가 이란에서 '존재 일성론' 연구를 밀고 나가는 가운데 이루어진 것이며, 『존재의 개념과 실재성』(가마다 시게루鎌田 繁 감역, 니고 토시하루仁子壽晴 번역)도 그 후반의 절반 이상을 차지하는 것이 이븐 아라비를 기원으로 하는 이란의 '존재 일성론'의 귀결인 사브자와리Sabzawārī (1778~1878)의 신비 철학이 지니는 기본 구조를 논의한 '형이상학의 근본 구조'였다.

그리고 또한 이븐 아라비의 '존재 일성론'을 형성하는 가장 중요한 '신', '자애의 숨결'과 함께 삼라만상 모든 것을 계속해서 산출하는 '신'의 원형이라고도 불러야 할 것도 『언어와 주술』 속에서 이미 그려지고 있다.

이즈쓰 도시히코의 의미론이자 존재론은 수미일관한 것이었다. 최초의 영문 저작 『언어와 주술』에는 이후 이즈쓰의 의미론이자 존재론을 성립시켜 가는 모든 요소가 맹아 상태로 빠짐없이 나와 있었다. 릴케와 말라르메와 클로델 등의 '시'도 논의되고 있었다. 이즈쓰에게서의 시의 실천이자 시의 이론화이기도 했다. 결국은 보들레르의 '비평'을 언어 철학으로서 되살리는 것이기도 했다. 그렇다면 『언어와 주술』에서는 도대체 어떠한 비전이 이야기되고 있었던 것일까?

언어와 주술

이즈쓰는 『언어와 주술』에서 일관되게 '논리(로직)'에 대한 '주술(매직)'의 우위를 설파해 간다. 인간의 언어는 인간이 인간으로 된 순간부터 인간의 정신과 신체의 쌍방을 규정하는 '주술'에서 태어난 것이었다. 초현실의 '거룩한' 세계와 현실의 '속된' 세계의 중간에서 두 세계의 성질을 함께 띤, 신체적임과 동시에 정신적이기도 한 몸짓에 의해 무언가를 지시하는 것. 그로부터 원초의 언어, '주술'로서의 언어가 태어났다. '의미'란 '주술' 그 자체인 것이다.

『언어와 주술』은 모두 11장으로 이루어진다. 전체의 총론인 제1장에서 언어에서의 '논리'와 '주술'의 상극, 나아가서는 '주술'의 우위가 설명된 후, 제2장부터 제4장까지가 '주술'로서 가능해진

'의미'에의 도입 편, 제5장부터 제8장까지가 이론 편, 제9장부터 제11장까지가 실천 편이라는 구성을 지닌다. 제5장부터 제8장까지의 이론 편에서 언어에서의 '논리'와 '주술'의 대립과 상극은 좀 더 언어학적으로 의미에서의 '외연denotation'과 '내포connotation'의 대립과 상극으로 바꿔 읽혀 간다. '외연'은 의미의 논리적인 지시이며, '내포'는 의미의 감정적(즉, 주술적)인 환기이다. '외연'은 의미를 일의적으로 지시하고, '내포'는 의미를 다의적으로 포괄한다. '외연'이 의미의 표층적인 의식이라고 한다면, '내포'는 의미의 심층적인 무의식이다.

무의식의 심층에서 꿈틀거리는 '내포'에 닿을 수 있었던 자만이 세계를 새롭게 의미 짓고, 결국은 세계를 새롭게 질서 지을 수 있다. '내포'로서의 언어는 보이지 않는 영적인 힘이며, 아직 '주술'이 생활의 모든 것을 규율하는 미개 사회, 야생 사회에서 가장 커다란 무기, 사람들에게 직접 영향을 주고 사회에 변혁을 가져오는 것이었다. 미개 사회, 야생 사회에서 주술사는 사회의 질서를 해체하고 다시 구축할 수 있는 힘을 지니는 자였다. 그는 시인이자 왕이었다.

이즈쓰는 『언어와 주술』의 도입 편으로서 자리가 매겨진 제2장부터 제4장에 걸쳐 고대부터 현대에 이르기까지 '주술'로서의 언어가 그 힘을 잃지 않고서 계속해서 살아가는 것을 보여준다. 고대 사회에서 사람들은 일상의 언어와는 다른 비일상의 언어, 주술적인 힘으로 가득 찬 거룩한 언어에 의해 세계가 창조되었다고 믿고 있었다. 그들은 세계만이 아니라 삼라만상 모든 것이 그로부터 무한한 의미를 발생하게 되는 '거룩한 호흡(거룩한 숨결)'에 의해 가능해진다고 믿고 있었다. 그와 같은 비전은 현대에는 의식적인 시인들이 짊어지며, 절대의 언어에 의해 쓰인 절대의 작품이라는 이념으로까지 높여져 있다. 그러나 언어가 '논리'와 '주술', '외연'과 '내포'의 두 측면을 지니듯이, 정적인 시의 이면에는 지적인 법이 감추어져 있었다.

『언어와 주술』에서는 실로 이즈쓰가 이 직후부터 자신의 의미론을 전개해 가는 이슬람에 관해서는 거의 논의하고 있지 않다 — 요컨대 『언어와 주술』은 이즈쓰 해석학의 '방법서설'로서 자리매김한다. 그러나 또한 여기서 말하는 시와 법을 함께 가능하게 하는 거룩한 언어란 이슬람을 성립시키는 기본적인 구조 그 자체이며, 제3장의 제목이 되기도 한 '거룩한 호흡(거룩한 숨결)'이란 이슬람 내부에서 태어난 특이한 해석학이 최종적으로 다다른 그 극한, 이슬람의 '존재 일성론'에서 말하는 바의 '자애의 숨결'과 함께 삼라만상 모든 것을 끊임없이 산출하고 있는 무이자 무한한 신의 모습을 선취하고 있다. 같은 장에서 이즈쓰는 노장부터 유학까지 중국 사상 전체를 꿰뚫는 '기氣'를 다루고, 다음과 같이 적고 있다(이 부분도 『수피즘과 노장사상』 제2부의 선취를 이룬다).

'기'란 '사람을 포함하는 전 자연 속에서, 그리고 그것을 꿰뚫고서 작용하는 반물질적이고 반정신적인 생명의 힘, 말하자면 "엘랑비탈"이라고 생각할 수 있다'라고 말이다. '엘랑 비탈élan vital'이란 프랑스의 철학자 앙리 베르그송이 『창조적 진화』에서 전면적으로 전개한, 삼라만상 모든 것을 산출해 가는 '생명의 약동', 생명이 지니는 원초적인 의지(의식)를 말한다. 정신과 물질을 두 개의 극으로 하고 그 가운데로부터 모든 의미(동시에 형태)를 산출하는 원초적인 의식, 그것이야말로 '신'인 것이다(베르그송 자신이 그렇게 표명하고 있다).

여기서 이즈쓰가 말하는 것은 베르그송뿐만 아니라 이란 고원에서 스스로의 마음 안에서 '신'에게로 이르는 길을 찾고 있었던 신비주의자들—'신비'란 언어화할 수 없는 체험을 통해 초월자와 합일하는 것을 의미한다—, '수피'들이 다다른 '신'의 모습 그 자체이다. 언어의 '의미'란 '주술'이며, 그 근원에는 원초의 의식이자 원초의 신이 존재한다. 그것이 이즈쓰 도시히코의 철학적 의미론을 성립시키고 있는 기본 구조이다. 『언어와 주술』은 『수피즘과 노장사상』과 직결되는 것이다.

3. 무한의 신, 무한의 의미

예언자 무함마드

『언어와 주술』에서는 그 후 이즈쓰 도시히코의 철학적 의미론을 구성하는 두 개의 기둥이 되어가는 '거룩한 말'을 발하는 유일하면서 절대적인 '신'과 그 '거룩한 말'을 받아들이는 특별한 인간인 '예언자'가 모두 정면에서 논의되지는 않는다. 겨우 마지막 장(제11장)에 이르러서야 예언자 무함마드를 낳은 고대의 아라비아, 다양한 정령들의 '빙의'로 가득 찬 그 모습이 묘사된다. 고대의 아라비아, 거기서 펼쳐지는 사막에는 정령을 '빙의'시켜 시와 산문의 중간과 같은 강렬한 힘을 해방하는 언어를 발하는 시인들이 많이 존재하고 있었다. 그와 같은 가운데 신의 예언자이자 신의 사도가 되는 무함마드가 태어난 것이다.

사막의 시인들과 무함마드가 말하는 말의 존재 방식은 대단히 유사했다. 그러나 무함마드는 자신이 시인들과 동일한 지평에 서는 것을 거부한다. 자신을 향해 내려진 '거룩한 언어'는 사적인 영역에 갇힌 시가 아니다. 그것은 공적인 영역으로 열린 법, 신의 법이다. 『언어와 주술』에서 이어지는 영문 저작의 제2탄, 『의미의 구조』에서는 무함마드가 단행한 의미 혁명의 상세한 것이 논의되게 된다. 예언자는 사막의 유목민들을 지배하고 있던 의미의 체계를, 사용되는 어휘는 그대로인 채, 완전히 역전시켰다. '부족'을 중심으로 조직되어 있던 윤리·도덕의 체계를 '신'을 중심으로 조직된 윤리·도덕의 체계로 변혁한 것이다. 사막의 유목민들에게는 가장 굴욕적인, 하인처럼 있는 것(이슬람)을 신에 대한 가장 경건한 태도로 삼았다.

의미론적으로 정리해보면, 무함마드는 아라비아의 유목민들을 지배하고 있던 언어 체계의 '내포', 그 지시가 향하는 곳을 '부족으

로부터 '신'에게로, 현실의 유한한 존재로부터 초현실의 무한한
존재로, 현세로부터 내세로 극적으로 변경한 것이다. 언어의 '내포'
를 변혁시키는 것이 사회의 체제를 변혁시키는 것으로 이어져
간다. 이즈쓰의 의미론에 있어 언어의 '내포'에 직접 닿고 그것이
지시하는 곳을 변화시킬 수 있는 예언자는 특권적인 존재였다.
따라서 이즈쓰는 무함마드로 대표되는 예언자라는 존재의 방식과
신이 예언자에게 내린 '거룩한 말'의 집성인 성전 쿠란을 의미론적
으로 분석해 가는 것을 필생의 과제로 선택할 수밖에 없었다.

무함마드는 모든 의미를 유일한 존재인 '신'에게로 향하게 한다.
무한의 '신'이 자리하는 보이지 않는 세계와 유한한 인간이 자리하
는 보이는 세계는 날카롭게 대립한다. 그 대립을 신에게서 발하는
'거룩한 말'만이 하나로 결합하는 것이다. 그것과 더불어 신과
인간의 관계성에서도 두 개의 서로 대립하는 태도가 표면화한다.
신은 인간에 대해 자애로 가득 찬 구원을 가져옴과 동시에 준엄한
심판을 가져온다. 인간이 신에 대해 '믿음'을 지니면 신은 구원으로
보답해 주지만, '불신'을 지니면 심판으로 보답한다. 낙원에서의
안식을 약속함과 동시에 지옥(불지옥)에서의 괴로움으로 밀어뜨
린다.

『의미의 구조』에서의 분석을 토대로 『쿠란에서의 신과 인간』에
서 이즈쓰는 무함마드의 의미의 혁명이자 사회의 혁명으로 초래된
다양한 이항 대립이 복잡하게 겹쳐진 이슬람 공동체를 지배하는
의미의 체계이자 사회의 체계가 지니는 기본 구조를 자세히 묘사해

간다. 나아가 '믿음'과 '불신'이라는 근본적인 대립으로 이루어지는 이슬람 공동체를 지배하는 의미의 체계이자 사회의 체계가 이슬람 이전뿐만 아니라 이슬람 이후에도 어떻게 변용해 왔는지를 물은 것이 『이슬람 신학에서의 믿음의 구조』였다. 이슬람 이전에는 '신'을 믿는 자들의 집단과 그 외부에 자리하는 자들의 집단과의 대립이 문제가 되었지만, 이슬람 이후에는 같은 대립이 내부로 들어온다. 참된 의미에서 신에 대해 '믿음'을 지닌다는 것은 어떠한 것일까? '믿음'은 '앎'과 양의적인 관계를 맺으며, '믿음'의 의미 짓기에 의해 정통과 이단이라는 새로운 의미의 대립이 생겨났다.

이 지점에 도달하여 이즈쓰는 쿠란에 남겨진 '어휘'에만 기초한 의미론적인 분석을 내던진다. 『언어와 주술』 단계에서 이미 언어가 지니는 지시 작용의 분석만으로는 도저히 '의미'가 지니는 넓이, 그 근원에 도달할 수 없다고 설파되고 있었다. 이즈쓰는 무함마드가 체현하는 예언자성을 좀 더 깊이 파고들어 이른바 정통파로부터는 '이단'으로까지 단죄된 사람들이 한층 더한 '의미'의 깊이를 지향하여 성전 쿠란을 읽어나갔던 것을 알게 된다. 이즈쓰의 의미론적인 탐구에 커다란 변화가 찾아온다.

'존재'로서의 신

예언자는 '신의 아들'이라는 특별한 존재가 아니라 극히 평범한 인간이다. 다만 그 점만이 그리스도교와 이슬람을 멀리 떼어놓는다. 무함마드는 그렇게 말하고 있었다. 유한한 인간에게도 무한한 신에게로 통하는 길이 열려 있다. 예언자는 자기의 신체와 정신을 사용하여 그와 같은 진실을 보여주었다. 예언자라는 존재를 모델로 하여 이번에는 자기 자신의 신체와 정신을 사용하여 신에게로 이르는 길을 혼자 힘으로 열어나가고자 하는 사람들이 나타난다. 수피, 결국은 신비주의자라고 총칭되는 한 무리의 사람들이다.

수피들은 신체를 안정시키고 정신을 집중한다. 그 과정에서 정신은 일상의 표층 의식으로부터 비일상의 심층 의식에 이르는 다층 구조를 이루고 있다는 것이 알려졌다. 내적인 정신의 집중이 깊어짐에 따라 외적인 세계도 다층 구조를 지니고 있다는 것, 그것을 깊이 할 수 있다는 것도 밝혀졌다. 정신의 깊이이자 신체의 깊이, 거기에서 인간은 한없이 신에게로 다가갈 수 있다. 수피들의 체험을 토대로 하여 이슬람 속에서 새로운 의미의 변혁이자 체제의 변혁이 일어난다. 이는 아라비아의 이슬람에 대해 아시아의 이슬람, 이란의 '존재 일성론'으로서 정리되는 새로운 해석 운동이다. 이미 거기서는 인간적인 신은 필요 없다. 오직 모든 개별적인 존재자를 낳는 근원적인 '존재'만이 추구되고 있었다.

그러나 이슬람이 이슬람인 한에서 성전 쿠란을 무시할 수 없다. 무함마드가 사막의 유목민들을 통괄하는 '의미'를 변혁함으로써 이슬람 공동체를 수립했듯이, 이번에는 이슬람 공동체 속에서 '의미'의 변혁이 일어난다. 신은 절대적으로 '하나'인 존재이다. 그 '하나'를 삼라만상 모든 것을 초월하는 것이 아니라 그에 내재하는 것, 삼라만상 모든 것을 자기 안에서 산출하는 것으로서 다시 파악하는 것이다. 수피들이 자신의 안을 끝까지 밝힘으로써 외적인 신과 만났듯이 말이다. 무한의 '신'은 삼라만상 모든 것을 산출하고, 그런 까닭에 삼라만상 모든 것에 침투하고 있다. 산출하는 '신'과 산출된 '자연'은 같다. 선과 악의 이항 대립은 일원화되고, 선악의 저편에 신 즉 자연인 '존재' 그 자체가 자기를 드러낸다. 여기서 유라시아 기층 신앙으로 생각되는 샤머니즘, 그것이 귀결하는 영혼 일원론인 애니미즘과 일신교가 하나로 융합해 가는 계기가 생겨난다.

이즈쓰는 노장사상을 가능하게 한 것, 그 기반에 놓여 있는 것으로서 샤머니즘을 생각하고 있었다. 이란의 '존재 일성론'과 노장사상에 체현된 샤머니즘은 거의 같은 세계관에 기초하여 가능해진 것이다. 그 원천에는 삼라만상 모든 것에 존재를 주고 의미를 부여하는 무이자 무한한 '신'('도道')이 존재한다. '자애의 숨결'과 함께 만물을 계속해서 산출하는 '자연'으로서의 신이 존재한다—그 신의 모습에는 오리쿠치 시노부가 제창한 '만물을 낳는 신령産靈'도 쉽게 겹쳐질 것이다. 그것이 이즈쓰 도시히코의 의미론이자 존재론의 귀결이다. 성전의 해석학, 즉 '비평'이 새로운 철학을 낳았다. 이즈쓰 도시히코의 영위를 더욱더 미래로 열어가야 만 한다. 거기에 철학의 미래이자 비평의 미래도 존재한다.

☞ 좀 더 자세히 알기 위한 참고 문헌

— 고바야시 히데오小林秀雄,『모토오리 노리나가本居宣長』상·하, 新潮文庫, 1992년. 이 책은 비평이란 성전 해석학이자 '언어'의 문제라고 갈파한 근대 일본 비평의 하나의 도달점이다. 다만 현재로서는 바로 그것을 더욱더 비평적(비판적)으로 읽어 나갈 것이 요구된다고 할 것이다.

— 오리쿠치 시노부折口信夫,『고대 연구古代研究』전 6책, 角川ソフィア文庫, 2016~17년. 오리쿠치 시노부의 '고대학'의 전모를 알기 위해서는 반드시 읽어야 할 책이다. 비평으로서 오리쿠치의 학문 전체를 다시 생각한 졸저『오리쿠치 시노부折口信夫』(講談社, 2014년)도 참조하게 되면, 오리쿠치에 이르는 성전 해석학의 역사를 개관할 수 있을 것이다.

— 이즈쓰 도시히코井筒俊彦,『의식과 본질 ─ 정신적 동양을 찾아서意識と本質 ─精神的東洋を索めて』, 岩波文庫, 1991년. 유라시아의 서단으로부터 동단까지 이즈쓰 도시히코가 실천해온 '철학적 의미론'이 한 권의 책에 농축되어 있다. 이즈쓰의 '시학'이 집대성된 저작이기도 하다. 덧붙이자면, 현시점에서 가장 포괄적으로 이즈쓰 사상이 지니는 가능성을 정리한 책으로서 사와이 요시쓰구澤井義次와 가마다 시게루鎌田 繁가 편찬한『이즈쓰 도시히코의 동양철학井筒俊彦の東洋哲学』(慶應義塾大学出版会, 2018년)도 들어두고자 한다.

제6장

현대 이슬람 철학

나카타 고^{中田 考}

1. 들어가며

이슬람과 '팔사파'

Ph. D. Doctor of Philosophy는 '철학 박사'로 옮겨진다. 역사적으로는 유럽 대학의 전통적인 네 학부의 신학·법학·의학을 제외한 '철학부'의 학위였는데, 현대에는 좁은 의미의 '철학'을 넘어서서 인문 과학만이 아니라 사회 과학, 자연 과학 여러 분야의 최고 학위를 의미한다.

필자는 1992년 카이로대학 문학부 철학(팔사파^{falsafah})과에서 소르본대학에서 현상학을 공부한 현대 이슬람 철학의 권위 하산 하나피의 지도하에 Ph. D. 학위를 취득한 '거짓 없는 진짜 철학'

박사이다.

아라비아어의 '팔사파'는 말할 필요도 없이 그리스어의 '필로소피아'의 차자인데, 아바스 왕조 시대에 그리스의 학문이 아라비아어로 번역된 이후 아라비아어의 어휘로서 정착했다. 고전 아라비아어 사전 이븐 만주르 $^{Ibn\ Manz\bar{u}r}$(1233~1311) 저 『아랍의 언어$^{Lis\bar{a}n\ al-'Arab}$』도 '팔사파'를 '영지英知'(히쿠마)라는 의미라고 적고 있다. 그러나 『세계철학사 4』 제4장 「아라비아 철학과 이슬람」에서 상세히 이야기되었듯이 아랍·이슬람 문명에서의 팔사파는 보편적인 진리 탐구의 지적 영위를 가리키는 하나의 학문 분야로 여겨지는 것이 아니라 어디까지나 외래의 학문, 아니 그보다는 신플라톤주의화된 아리스토텔레스의 사상이라는 특수한 세계관을 가리키는 오히려 '고유 명사'적인 것이었다.

그러나 현대 아라비아어의 '팔사파'는 영어의 '필로소피', 일본어의 '철학'과 거의 똑같이 사용된다. 필자가 재적한 당시의 카이로 대학 철학과의 학과장은 그리스 철학의 전문가이며, 수피 교단 연합 총수 타프타자니 교수가 이슬람 철학을 강의했고, 대학원생 가운데는 중국 철학을 전공하고 있는 자도 있었다. 필자의 박사 학위 논문의 주제 '이븐 타이미야의 정치 철학'의 '철학'(팔사파)도 이 현대 아라비아어의 용법이다. 그러나 실은 이 '이븐 타이미야의 정치 철학'이라는 제명 자체가 모순을 내포하고 있다. 왜냐하면 이븐 타이미야$^{Ibn\ Taymiyyah}$(1263~1328)는 이슬람 사상사에서 그리스 철학(팔사파)을 필두로 하는 모든 외래 사상을 부정하고 알라의 계시를 적은 책 쿠란과 예언자 무함마드의 언행록 하디스의 완전성을 창도하는 복고주의자의 대표적 논객으로서 알려졌기 때문이다.

필자는 학위 취득 후 박사 논문을 사우디아라비아에서 출간했는데, 당시의 사우디아라비아는 팔사파(철학)를 이슬람에 반한다고 하여 금지하고 있었기 때문에, 제명을 '이븐 타이미야의 정치이론'(나자리야)으로 바꾸지 않을 수 없었다. 이것은 프랑스, 영국의 식민지 지배를 경험한 이집트와 식민지가 되지 않은 사우디아라비아의 차이이기도 하지만, 좀 더 뿌리 깊은 이슬람 사상사의 1,000년을 넘는 대립의 반영이기도 하다.

'아랍'에는 아브라함의 아들 이스마엘의 남자 계통 자손이라는 혈연 개념과 아라비아어를 이야기하고 아랍의 습관을 몸에 익힌 언어·문화적 개념이 있는데, 후자는 '무스타아랍'(아랍화한 자)이라고도 말한다. 현재도 아라비아반도의 사우디인과 예멘인은 순수한 아랍이라는 것을 자랑하고 있지만, 이집트인은 조상이 아라비아반도로부터 이주한 자를 제외하고 자신을 자조적으로 '무스타아랍'이라고 부르기도 한다. 그렇지만 현재 아랍의 대부분은 무스타아랍이며, 이집트에서 철학의 학위를 받고 사우디아라비아어로 이슬람 정치학의 학술서를 출판한 저자는 아랍 무슬림 철학자라는 것이게 된다.

그리하여 이 글은 이븐 타이미야의 정치사상을 실마리로 하여 현대 이슬람 사상의 흐름들을 조감하면서 아랍·이슬람 철학자인 저자 자신이 생각하는 지구화 시대의 현대 이슬람 철학에 관해

이야기하고자 하는데, 그 이유와 타당성에 대해서는 다음 절 이하에서 순서대로 논의해 가고자 한다.

2. 문화의 번역과 전통 이슬람학

식민지화에 의한 변화

콰인의 '번역 불확정성' 테제를 끌어들일 것까지도 없이 라틴어의 경구에서도 'traductore traditore'(번역자는 배반자)라고 말하고 있듯이 번역이 기점 언어 원문의 의미를 충실히 전할 수 없다는 것은 예로부터 잘 알려져 있다. 단어 수준에서조차 정확한 번역이 불가능하다면 훨씬 복잡한 문화의 번역은 한층 더 그러하다.

서구에 의해 식민지화되기 이전의 무슬림 세계에서는 이슬람의 지적 영위 대부분은 아라비아어로 이루어지고 있었다. 중앙아시아, 인도, 중국에서의 페르시아어, 동남아시아에서의 말레이어 등, 일부 지역에서는 무슬림 민족들의 공통 언어로서 비아라비아어가 사용된 예가 존재하지 않는 것은 아니지만, 지구적인 이슬람학자의 공통 언어는 아라비아어뿐이었다.

그러나 현재 상황은 크게 변했다. 이전에는 무슬림 지식인과 이슬람학자(울라마)는 거의 같은 의미이며, 무슬림 세계의 언론 공간을 지배하고 있던 것은 이슬람학자였다. 현재는 무슬림 세계의 대중 매체와 대학, 두뇌 집단 등에서 언론을 주도하고 있는 것은 이슬람학의 기본 교양을 갖추고 있지 않은 '세속' 지식인이며, 대부분 나라에서는 이슬람학자의 발언이 요구되는 것은 예배의 방식이나 음식물에 관한 금기 등 좁은 의미의 종교 문제밖에 없다. 그 결과 현대의 전 지구적인 무슬림 지식인의 제1언어는 이미 아라비아어가 아니라 영어다.

무슬림 세계의 식민지화 이전과 이후에는 또 하나의 커다란 변화가 있다. 과거에도 이슬람 관련 문헌은 간결한 입문서부터 학술서까지 수많이 존재했다. 그러나 그것들은 모두 이슬람 학도를 대상으로 한 것이었다. 이슬람학 서적은 스승에게서 배우는 것이 기본이며, 비무슬림이 이슬람을 독학하는 것을 상정하여 쓰인 문헌은 전혀 없었다. 그러나 현재는 유럽과 미국을 비롯하여 무슬림이 거의 없는 나라에 이르기까지 이슬람 기관이 무료로 배포하는 이슬람 소개용의 팸플릿부터 일반 서점에서 시판되고 있는 무슬림이 쓴 서적, 나아가 비무슬림이 쓴 학술서까지 많은 서적이 존재한다. 이 글도 그러한 문헌 가운데 하나이다.

전통 이슬람학에서의 텍스트

텍스트의 표의 작용은 복잡한 과정에서 생겨난다. 현재 인류의 생활 형식에서는 절대 0도에 가까운 우주 공간과 1,500만 도의 태양 중심에서 텍스트의 표의 작용은 기대할 수 없으며, 중력과 산소량 등의 물리적 조건도 영향을 미친다. 그러나 지면의 제한이 있는 까닭에 텍스트 이론의 상세한 내용에는 발을 들여놓지 않지만, 여기서 중요한 것은 텍스트의 표의 작용에서 텍스트란 물리적 존재가 아니라 기호인바, 요컨대 종이에 쓰인 잉크, 컴퓨터 모니터에 점멸하는 화소, 낭독하는 목소리가 아니라 아라비아어와 영어 등의 특정한 언어의 체계 속에서 생성된 기호의 집합이며, 표의 작용은 메시지의 발신자, 작품 저자의 의도와는 독립하여 메시지의 수신자, 독자의 텍스트 독해 행위 속에서 생겨난다는 것이다. AI에 의해 텍스트가 생성되는 현대에는 텍스트 표의 작용의 초점은 저자의 의도로부터 불특정 다수의 독자에 의한 독해로 분명히 이행했다고 말할 수 있다.

그것은 전통 이슬람학의 텍스트 표의 작용과 비교함으로써 좀 더 분명해진다. 전통 이슬람학에서 고전 텍스트는 저자에게 사사한 제자가 저자에게서 듣거나 선생 앞에서 낭독하고, 그것을 이해했다고 인정받고서 가르칠 허가를 받는 형태로 전승되어왔다. 그리고 이슬람학의 공동체는 그렇게 해서 전승되어온 텍스트들을 암기함으로써, 요컨대 텍스트를 산출하는 메시지 발신자들의 어휘의 단어 수준, 표현법, 책 한 권, 경우에 따라서는 그 분야에서 쓰인 책 모두를 기억하고 있다는 수준에서 사용 언어를 공유함으로써 성립하고 있었다.

의미론의 수준만이 아니다. 이슬람학에서는 텍스트를 배우는 목적은 단지 그 문자의 의미를 이해하는 것이 아니다. 배운 지식은 실제로 행해지고, 그 실천에서 마음이 오직 신으로만 향하게 됨으로써 완성된다. 그리고 전통 이슬람학에서 텍스트를 읽는다는 행위는 모스크에 부속된 마드라사(신학교), 한카, 리바트, 테케 등으로 불리는 수피즘의 수행장에서 다른 학도들과 함께 기도하고 수행하는 가운데 텍스트에서 배운 언어를 몸에 익혀나감으로써 완결된다.

요컨대 전통 이슬람학에서 텍스트는 신의 계시의 말씀을 받은 예언자 무함마드로부터 전승된 앎의 이해, 심화로 인해 시대를 거쳐 미묘하게 바뀌 쓰이고 부연을 거듭하면서 증식해 갔다. 그리고 그러한 텍스트들을 스승 및 학우와 함께 읽고 암기하고 내면화함으로써 의미론적으로 가능한 한에서 이해를 공유하는 공동체가 형성된다. 그리고 그 공동체에서 스승을 둘러싸고서 학우들이 생활을 함께하고 실천하면서 배움으로써 어용론적 이해도 공유되고 있었다. 교토 만담 「교토의 차즈케」에 따르면, 교토에서는 '혹여 절임이라도 어떻습니까'의 의미론적 의미는 '차즈케는 어떻습니까', 어용론적 의미는 '인제 그만 돌아가라'이다. 좀 더 고차적인 어용론적 의미의 예로서는 일본인은 'I love you' 대신에 '달이 곱군요'라고 말한다는 나쓰메 소세키의 말을 제시할 수도 있을 것이다.

신의 원-메시지의 전달

전통 이슬람학은 예언자 무함마드에게 내려진 신의 계시의 의미론적 의미와 어용론적 의미를 보존하기 위해 제도적 발전을 이루었다. 전통 이슬람학의 텍스트는 같은 어휘와 생활 형식을 지향하는 뜻을 공유한 자를 독자로서 상정하고, 신의 앎을 전하기 위해 쓰인 것이다. 추구되는 것은 전승된 예언자를 매개로 하여 인간에게 전해진 신의 원-메시지를 자아를 없애고 잡음을 섞지 않고서 전하는 것이며, 전해져야 할 메시지에는 저자에게 고유한 '독창성'과 같은 것은 요구되지 않는다. 신의 원-메시지를 잡음을 섞지 않고서 전한다고 하는 것은 제1의적으로는 쿠란과 하디스의 문언을 가감, 변경하지 않고서 정확하게 전하는 것이다.

쿠란에 대해서는 정통 10전승의 텍스트가 이미 확정되어 있는 까닭에 새로운 연구의 여지가 적지만, 방대한 텍스트들이 존재하는 하디스에 대해서는 현재도 새로운 교정, 편집 작업이 계속되고 있다. 예를 들어 수니파의 종합적 이슬람 웹사이트 al-Durar al-Sanīyah는 6정전집을 필두로 하는 수니파의 주된 고전 하디스 문헌을 모두 망라하고 있는 것은 말할 필요도 없고, 현대의 대표적 하디스학자 나시르딘 알바니Nasir al-Din al-Albani(1914~1999)의 『진정 하디스 시리즈Silsilah al-Aḥādīth al-Ṣaḥīḥah』, 『신빙성 박약 및 날조 하디스 시리즈Silsilah al-Aḥādīth al-Ḍaʿīfah wa al-Mawḍūʿah』와 같은 새롭게 편집된 하디스집까지 수록하고 있으며, 수십만의 하디스가 본문의 단어뿐만 아니라 전승자 이름에 의해서도 단어 검색이 가능하고, 그 하디스의 뜻풀이와 신빙성의 판정도 알 수 있게 되었다.

그러나 잡음을 섞지 않은 신의 원-메시지의 전달은 하디스

신빙성의 자세한 조사와 그에 기초한 새로운 하디스집의 편찬에 한정되지 않는다. 이미 이야기했듯이 현대의 무슬림 세계와 이전의 무슬림 세계에서는 같은 아라비아어가 사용되고 있더라도 지적 상황, 저자─독자─텍스트 관계에서의 의미 작용이 크게 변했다. 현대에 신의 원─메시지를 전하는 영위는 설령 '같은 무슬림'에 대해 아라비아어로 수행된다고 하더라도 다름 아닌 '문화의 번역' 이다. 근대화, 서구화에 따라 지시 대상은 크게 변했지만, 새로운 말을 만들지 않고 옛말에 중층적으로 의미를 쌓아가는 아라비아어 의 특질에 기초하여 아라비아어 자체는 현대에도 크게 변하지 않았으며, 쿠란과 하디스나 고전 이슬람학의 작품도 어휘 수준에서 는 의미론적 의미나 사전적 의미에 대한 표면적 이해는 현대의 아랍 무슬림에게 있어서도 그렇게 어렵지 않다.

국제어로 쓰인 텍스트 문제

일반 서점뿐만 아니라 역이나 길섶의 매점에서도 신문이나 주간지와 나란히 쿠란, 하디스집, 고전 이슬람학의 명작이 아무렇 게나 팔리고 있는 아라비아어의 현 상황은 라틴어, 그리스어의 고전어와 영·독·불의 현대어가 완전히 단절된 유럽이나 미국은 말할 필요도 없고 고문과 현대문이 나누어져 있는 일본어와도 다르다. 비유해서 말하자면, 역의 매점이나 편의점에서 『고사 기』나 『겐지 모노가타리』나 『탄이초』의 원전이 주간지나 신문과 함께 보통으로 팔리고 있는, 요컨대 일부 지식인뿐만 아니라 일반 민중에게도 고전의 수요가 있는 그러한 세계가 현대 아랍 세계인 것이다.

근대화를 수행하고 전통과 단절한 구미나 일본과 비교하면, 훨씬 더 고전 아라비아어, 전통 이슬람학이 지금도 여전히 숨 쉬고 있는 아랍 세계에서도 고전 아라비아어, 전통 이슬람학은 주변화되어 있으며, 그 이해에는 '문화의 번역'이 필요하지만, 그에 대해서는 뒤에서 이야기하려고 한다. 이전에는 성전 텍스트를 중심으로 하는 텍스트들의 저자와 독자의 언어문화와 생활 형식의 동질성이 상정되어 있었던 데 반해, 현대에는 텍스트의 저자와 독자의 동질성이 상실되고 불특정 다수의 독자 사이에서 떠다니는 것을 전제로 텍스트가 생성되는 시대이며, 특히 국제연합 공용어 '영어·프랑스어·러시아어·스페인어·중국어·아랍어'와 같은 '국제어'로 쓰인 텍스트 가운데는 처음부터 복수의 국가, 문화·문명권에 걸쳐 있는 독자층을 대상으로 하는 것이 있다는 점을 지적하는 데 그치고자 한다.

그중에서도 아라비아어는 현재도 이슬람 학자의 공통 언어이며, 독자를 아랍인뿐만 아니라 무슬림 지식인도 대상으로 하고 있다. 한편 제국주의 시대에 무슬림 세계 대부분이 영국과 프랑스에 의해 식민지화되었던 것으로 인해 현재는 영어, 프랑스어를 모어로 하거나 초등교육부터 배워 모어처럼 구사하는 무슬림이 1억 명이 넘는다. 현재는 그들을 중심으로 하는 무슬림에 의해 구미의 사람들을 중심으로 하는 불특정 다수의 비무슬림을 대상으로 이슬람에 관한 대량의 문헌이 작성되고 있다. 이러한 문헌들은 '문화의 번역'이라고도 불러야 할 특수한 독해를 요구한다. 그러나 그에 대해서는 뒤에서 이야기하기로 하고, 다음 절에서는 우선 현대 아랍·이슬람 문화의 현대 일본 문화로의 번역 문제에 대해 논의하고자 한다.

3. 일본 문화로서의 '현대 이슬람 철학'

'이해할 수 없는' 것을 이해하기

'현대 이슬람 철학'은 "팔사파 이슬라미야 무아시라al-falsafah al-Islāmīyah al-muʿāṣirah"와는 다른 것이다. 일본어의 '현대 이슬람 철학'은 이슬람학자(울라마), 아랍 무슬림 지식인에 의해 무슬림 지식인을 대상으로 쓰인 아랍·이슬람 문화의 구성 요소 팔사파 이슬라미야 무아시라가 아닐 뿐만 아니라 또한 유럽화된 무슬림이나 오리엔탈리스트에 의해 쓰이고 독자로서는 서구 문화에 대해서는 일정한 이해를 지니지만 이슬람에 대한 지식은 전제로 하지 않는 불특정 다수를 대상으로 한 the modern Islamic philosophy도 아니며, 어디까지나 '다신교적' 일본 문화의 일부일 뿐이다.

같은 아랍 무슬림을 상대로 쓰인 텍스트이더라도 신의 앎의 전승 전통에서 살아가는 이슬람 학자(울라마)의 것과 유럽화주의자 '세속' 지식인의 것은 표의 작용의 전제 조건이 전혀 다르며, 이해가 거의 성립하지 않는다. 더구나 그것은 아랍·이슬람 문화는 말할 것도 없고 헬레니즘·헤브라이즘 문화의 기본 교양마저 공유하고 있지 않은 일본 문화의 틀 속에서는 표현될 수 없다. '현대 이슬람 철학'에 대해 우선 말해야 하는 것은 일본어로 쓰인 '현대 이슬람 철학'이란 일본 문화의 일부일 뿐이며, 팔사파 이슬라미야 무아시라와는 전혀 다른 것이라는 점이다.

팔사파 이슬라미야 무아시라는 '이해할 수 없다.' 제2절에서 이야기한 대로 현대에는 텍스트 저자의 의도를 독자가 '이해한다'라고 하는 고전적 텍스트 관의 제도적 전제가 상실되었고, '이해할 수 없다'라는 것 자체는 이미 문제가 되지 않는다. 텍스트 이해 수준에서 말할 수 있는 것은 이문화 사이의 이해에 대해서도 꼭 들어맞는다. 아니 저자와 독자의 동질성이 정립되어온 고전 텍스트 이해와 달리 처음부터 언어, 종교, 관습도 다른 것이 자명한 서로 다른 문명, 문화에 속하는 다양한 공동체 사이의 이해에서는 한층 더 그렇다.

문화의 번역과 '현대 이슬람 철학'

번역에서 기점 언어와 대상 언어 쌍방에 능숙할 것이 요구되는 것은 말할 필요도 없지만, 좀 더 중요한 것은 대상 언어이다.

전근대의 한문 서적을 일본어로 번역한 것 이래로 세계의 문학으로부터 학술서에 이르기까지 수많은 서적이 일본어로 번역되었지만, 그 절대다수는 일본어를 모어로 하는 일본인에 의해 이루어졌다. 문화의 번역도 마찬가지다. '현대 이슬람 철학'은 현대에 아라비아어를 필두로 하는 무슬림 언어들로 영위된 이슬람 철학을 현대 일본 문화의 어휘로 번역한 것이며, 이슬람 문화의 한 부분이 아니라 일본 문화의 일부인 이상, 기점 언어에 상당하는 이슬람 문화보다 대상 언어에 상당하는 일본 문화의 이해 쪽이 좀 더 중요하다. 필자가 '현대 이슬람 철학'의 집필을 의뢰받은 것은 무엇보다도 우선 지구화 시대의 일본 문화를 살아가는 일본인으로서이며, 이슬람학, 이슬람 지역 연구의 전문성은 이차적인 것이다.

팔사파 이슬라미야 무아시라는 현재의 일본 문화의 틀 속에서는 이해할 수 없으며, 겨우 가능한 것은 '이해할 수 없다'라는 것을 이해하는 것뿐이다. 그렇다면 '현대 이슬람 철학'은 어떻게 쓰여야 하는 것일까? 그것은 '현대 이슬람 철학'이 팔사파 이슬라미야 무아시라가 아니라 일본 문화의 한 부분일 뿐이라는 것을 독자에게 의식하게 하는 것이며, 그렇게 하기 위해서는 '현대 이슬람 철학'이라는 말에 의해 일본의 독자에게 산출되는 '선행 이해 Vorurteil'에 따르는 동시에 다 읽은 후에는 설사 부분적이라 하더라도 그 '선행 이해'를 지양하게 하는 것이어야만 한다.

그리고 그렇게 하기 위해서는 일반적인 일본인과 '현대 이슬람 철학'에 대한 '선행 이해'를 공유하고, 무스타아랍 무슬림으로서 아랍·무슬림 세계에서 가장 오랜 세속 고등교육기관 카이로대학 철학과에서 무함마드 아르쿤Muhammad Arkoun(1928~2010)과 더불어 현대 무슬림 세계 이슬람 철학의 권위 하산 하나피Hassan Hanafi(1935 ~)에게서 팔사파 이슬라미야 무아시라를 배운 필자가 '현대 이슬람 철학'으로 생각하는 것을 그려 보이는 것이 최선이라고 생각한다. 그런 까닭에 이 글은 제1의적으로는 필자 자신의 '현대 이슬람 철학'이 된다. 그리하여 이 글은 다음 절에서 우선 팔사파 이슬라미야 무아시라의 이슬람 문명사 속에서의 자리매김과 그 의미를 밝히고, 다음으로 필자 자신이 생각하는 일본 문화 맥락 속에서 신의 원-메시지의 표현으로서의 '현대 이슬람 철학'을 논술해 간다.

4. 이슬람사에서 하디스의 무리

두 조류의 대립

서양 철학사에서 철학의 성립은 신화적 사고에서 벗어나는 과정이기도 하며, 그 인도자는 이성(누스)이었다. 그리스 사상에서의 누스는 처음부터 신화적·형이상학적 존재자였지만, 아바스 왕조 시대에 그리스어 문헌이 아라비아어로 번역되자 아랍·이슬람 문화에 받아들여진다. 그러나 '필로소피아'가 '팔사파'로 음역되고 외래의 개념에 머물렀던 데 반해, '누스'에는 아라비아어의

'아클ʿaql'이라는 번역어가 주어졌다.

'아클'의 원래 뜻은 '모으다, 누르다, 나누다' 등을 의미하는 동사 '아칼라'의 동명사형이다(『아랍의 언어』). 그러나 신학자 알리 주르쟈니 Ali ibn Mohammed al-Jurjani(1339~1413)에 의한 『정의집 al-Taʿrifat』에서 '아클'은 '그 본체(자트)에서 물질로부터 괴리되고 행위에서 그것(물질)과 결합하는 실체(자우하르)'로 원래 뜻과는 전혀 다른 형이상학적인 정의가 주어지고 있다.

이슬람사의 저류에는 예언자 무함마드와 그 제자들의 공동체에 내려진 신의 계시의 아라비아어를 그 의미론적 의미에서나 어용론적 의미에서 가능한 한 당시 그대로 수호하고자 하는 조류와 그 아라비아어에서 변화해 가는 상황에 따라 새로운 의미를 겹쳐가는 것이 그 잠재적 가능성을 완전히 꽃피우는 것으로 생각하는 조류의 대립이 있었다. 수니파에서는 전자를 '하디스의 무리'(아흘 하디스)라고 부른다. 이 하디스의 무리와 대립한 것이 법학에서는 '자유 의견의 무리'(아흘 라이), 신조에서는 '사변 신학의 무리'(아흘 칼람)이다. 신플라톤주의화한 아리스토텔레스 형이상학으로서의 팔사파는 가잘리의 비판 이후 수니파 세계에서는 소멸했지만, 논리학을 비롯한 그 방법론은 이성의 이름 아래 수니파 신학에 짜 넣어진다.

지면의 제한으로 인해 이 글에서는 시아파에 대해서는 상세히 이야기할 수 없지만, 그 대강을 말하자면 시아파는 신학, 법학에서 이성의 역할을 중시하는 후자의 흐름을 이어받으며, 그것이 현재의

(12이맘) 시아파의 주류 '원리(우술)학파'가 된다. 시아파에서 수니파의 하디스의 무리에 대응하는 존재는 '전승(아흐바르)학파'이지만, 현재 '전승학파'는 거의 소멸해 있어 그 존재는 무시할 수 있다. 또한 팔사파의 신플라톤주의적 형이상학은 이성을 넘어서거나 고차적인 이성의 지혜로서 수니파에서는 수피즘(신비주의), 시아파에서는 신지학(이르판)으로 흘러 들어가게 된다.

하디스의 무리와 이븐 타이미야

식민지화, 서구화되기 이전의 무슬림 세계에서는 신의 계시가 내려진 아라비아어를 예언자 무함마드와 그 제자의 시대 그대로 보존하고 모든 외래 사상, 신기한 아이디어에 의심의 눈길을 보내는 하디스 무리는 언제나 소수파였다. 또한 본래 신의 계시의 말씀을 그대로 지킨다는 그들의 이념이 지니는 귀결로서 그들의 저술 스타일은 쿠란과 하디스의 인용을 중심으로 하는 것이자 자기 자신의 말을 거의 하지 않기 때문에, 서구의 사상 연구의 전제, 방법론과는 대단히 성격이 맞지 않는다. 그들의 사유 양식은 예외적으로 신학자들의 방법을 필요할 때 마음대로 이용할 수 있는 것이라고 하여 그것을 비판한 하디스 무리의 중흥의 조상 이븐 타이미야의 저작에 의해 조금 엿볼 수 있을 뿐이다.

여기서 하디스의 무리와 이븐 타이미야를 언급하는 것은 그의 사상이 무함마드 이븐 압둘와하브Muhammad ibn 'Abd al-Wahhab(1703~

1792)에 의해 대중화되어 일반적으로 '와하브파'라고 불리는 종교
운동이 되고, 중앙 아라비아의 네지드의 호족 무함마드 이븐 사우
드(1726~1765)의 비호를 얻어 당시의 오스만 제국에 반기를 휘날리
며, 아라비아반도를 정복하고 메카, 메디나의 2대 성지를 장악하기
에 이르고, 오스만 제국이 1922년에 멸망하자 와하브파를 국교로
하는 사우디아라비아 왕국이 칼리프 없는 무슬림 세계의 맹주라고
도 지목되게 되며, 시리아와 이라크에 걸치는 영토를 실효적으로
지배하고 칼리프제 재흥을 선언한 '이슬람 국가'도 이 와하브파의
흐름을 이어받는 운동이기 때문이다.

서양 제국주의 열강에 의해 무슬림 세계 대부분이 식민지로
되든가 경제적으로 속국화된 데 반해, 한 번도 서양의 식민지
지배를 경험하지 않은 와하브파와 그 근거지인 사우디아라비아는
무슬림 세계의 반서구화의 사상·사회·정치 운동의 중심지로서
구심력을 지니게 되었는데, 그 사상적 기반이 된 것이 '배외적'인
이븐 타이미야의 사상이었다.

5. 오리엔탈리즘과 이슬람의 현대

복고주의·전통주의·근대주의

오리엔탈리즘에서는 서양의 식민지 지배 이후의 이슬람 사상

을 복고주의, 전통주의, 근대주의로 나누는 것이 관례이다. 복고주의란 와하브파를 중심으로 하여 아흘 하디스의 후계자를 자임하는 조류로 현대에는 '살라피주의'라고 불리는 것이고, 전통주의란 전통 이슬람학이 현대에도 유효하다고 믿는 조류이다. 이 글에서는 서구 식민지화 이전의 아흘 하디스와 주류의 전통 이슬람학의 세계관 차이를 상세히 이야기할 수 없지만, 한마디로 정리하자면 창조주와 피조물의 절대적 차이를 강조하는 아흘 하디스에 반해, 전통 이슬람학은 신플라톤주의적 유출론을 사용하여 피조물의 우주와 사회를 신을 정점으로 하는 계층 질서로 구조화한 것이다.

이 전통주의의 계층적 세계관은 전근대의 신분제 사회에 친화적이었다. 그러나 근대 천문학에 의해 계층적 우주관이 붕괴하고 영적 존재로 여겨지고 있던 천체가 탈─신성화되었기 때문에, 전통 이슬람학의 신빙성은 크게 훼손되었다. 또한 전통의 수호자를 자임하는 이슬람 학자들은 법학에서도 이슬람법의 가장 중요한 것인 칼리프 부재의 상황에 있어 이슬람법을 파기하고 옛 종주국의 법을 이어받은 부당한 권력자에 기생하고 겉보기의 이슬람적 합법성을 부여하는 역할을 짊어진 어용학자로 영락하여 그 지적, 사회적 권위는 이미 논의할 만하지 않다.

근대주의란 영국령 인도 출신으로 영국과 독일로 유학하고 철학, 역사, 법학 등을 공부한 무함마드 이크발Muhammad Iqbāl(1877~1938)로 대표되는 것과 같은, 서양 사상의 영향을 받아 이슬람과의 절충을 시도하는 사조이다. 영국령 인도 등 서양의 식민지에서 성립한, 즉 종주국의 군사력을 배경으로 한 삼엄한 감시 아래 성립한 근대주의에는 종주국의 뜻을 거스를 수 없는 까닭에 인지와 표현 양면에서 커다란 왜곡이 존재했다.

그리고 '현대 이슬람' 개념을 만들어 낸 오리엔탈리스트가 식민지의 주민을 감시하는 종주국의 행정관이었다는 점도 잊어서는 안 된다. 현대의 오리엔탈리스트들도 제국주의 시대의 그들의 선배들과 마찬가지로 서양의 이익을 대변하는 자들이며, 오리엔탈리스트에 의한 근대주의의 평가 기준은 서구의 가치관에 얼마만큼 일치하고 얼마만큼 서양의 패권 유지에 이바지하는가 하는 것이며, 이를 위해 확립된 이슬람의 교의로부터 일탈해 있을수록 진보적, 독창적이라고 평가받게 된다.

그런 까닭에 오리엔탈리스트의 근대주의에 관한 관심은 서양의 이해관계에 연관되는 정치에 치우쳐 있으며, 남녀나 종교의 '평등', 언론의 '자유', 지하드의 폐지와 같이 이슬람의 해체로 이어지는 '정치적'인 의제만이 새삼스레 다루어지고, 진보적, 독창적인 근대주의로서 찬양되게 된다. 내가 보기에 이러한 근대주의에는 서양적 기준에 비추어서도 독창적인 점은 없으며, 이슬람 사상으로서도 이슬람이 확립한 교의로부터 일탈했다고 하는 '뺄셈'의 부정적인 '독창성'밖에 없는 단순한 절충이고, 이슬람 사상으로 다룰 가치는 없다.

서양 사상과 이슬람을 둘러싼 지적 영위

'정치'에서 눈을 돌리면, 서양 사상과 이슬람을 융합하고자 하는 좀 더 종합적인 지적 영위의 제도적인 시도는 에든버러대학에서 법학 박사 학위를 수여 받은 근대주의자 사이드 아흐마드 칸Sayyid Ahmad Khan(1817~1898)에 의해 1875년에 영국령 인도에서 창설된 무함마드 앵글로 오리엔트대학을 효시로 한다. 이 학교는 전통 이슬람학과 서구 근대 과학을 가르치는 종합 대학으로 1920년에 알리가르 무슬림대학으로 개칭하고 인도의 명문 대학의 하나로서 오늘날에 이르고 있다.

제2차 세계대전 후 무슬림 국가들은 종주국으로부터 잇따라 정치적 독립을 이루었지만, 그들은 서양이 주도권을 쥐는 영역 국민 국가 시스템으로 짜 넣어지며, 이슬람의 합법 정체인 칼리프제는 부활하지 않았다. 그러한 제약 속에서 이슬람적 세계관을 다시 부흥하고자 하는 지적 시도의 대표가 팔레스티나인 철학자 이스마일 파루키Ismail al Faruqi(1921~1986) 등에 의한 '앎의 이슬람화' 프로젝트였다.

파루키의 구상은 1981년에 미국 펜실베이니아주에 설립된 국제이슬람사상연구소(IIIT), 1983년에 설립된 말레이시아 국제이슬람대학으로 열매 맺었다. 그러나 인문·사회 과학, 자연 과학의 이슬람화를 내건 '앎의 이슬람화' 프로젝트였지만, 40년 가까이 지난 현재에 이르기까지 미국의 뉴사이언스 운동과 마찬가지로 구호에 그칠 뿐, 여전히 구체적인 성과를 보여주지 못하고 있다.

현대에 서구와 이슬람의 관계에 대해 가장 생산적인 사유를 수행해온 것은 영국인 개종 무슬림으로 다르카위 교단의 사제인 이언 댈러스(압둘카디르 수피)가 이끌고, 서구인 개종 무슬림을 중심으로 하여 무슬림 세계의 변경을 수호하는 '병사防人'를 의미하는 '무라비툰'을 자칭하는 세계 무라비툰 운동이다.

수피 교단으로서의 세계 무라비툰 운동은 쿠란, 하디스 문언의 의미론적 의미에 대한 자의字義 해석은 불충분하며, 그 영적인 진의는 메디나의 관행(아말)의 총체를 전체적으로 해석함으로써 비로소 밝혀진다는 독자적인 성전 이해의 방법론을 지니고, 불신앙의 현대적 형태를 자본주의라고 분석한다. 그들에 따르면 오스만 제국의 멸망 원인은 은행의 설립, 지폐의 발행, 이자가 있는 차관 등에 의한 자본주의의 도입에 있으며, 칼리프제를 다시 부흥하는 길은 무슬림 개개인의 정신이 자본주의에 대한 예속으로부터 해방되고 이슬람의 법정 통화 금(디나르), 은(디르함)에 기초하는 경제 윤리를 실천함으로써 이루어지게 된다.

6. 나가며

앞 절에서는 오리엔탈리스트의 틀에 근거하여 현대 이슬람 조류를 간단히 살펴보았다. 그러나 필자는 그것을 '현대 이슬람 철학'으로는 생각하지 않는다. 앞에서 말했듯이 이슬람사에서 하디스의 무리와 전통 이슬람학의 세계관에는 커다란 차이가 존재한다. 그러나 삼라만상이 모두 알라의 창조이고 세계 속에 참된 행위자는 알라 유일자라고 하는 점에서는 양자 사이에 차이는 없다.

인간의 행위가 창조주의 솜씨로 이루어짐에도 불구하고 여전히 인간의 행위로 생각되는 것인가? 그리고 인간의 행위로 생각되는 것이 창조주의 솜씨로 이루어짐에도 불구하고 왜 이슬람의 가르침을 등지는 악으로 생각되는 것인가? 인간의 사고도, 그리고 또한 인간의 존재 자체도 마찬가지다.

인간의 존재, 행위, 사고를 유로 보는 의식의 주체적 견지와 무로 보는 신의 객관적 견지의 대립과 그러한 무인 인간에게 귀속되는 악의 존재 문제를 무슬림 국가들도 포함하여 세계를 뒤덮는 서구의 세계관에 친화적인 어휘로 말하는 신의 말이 현현하는 장으로 사람은 어떻게 될 수 있을 것인가? 그것만이 '현대 이슬람 철학'의 과제이다. 서양 근대의 세례를 받기 이전의 이슬람이 섞여 들어간 그리스 형이상학의 독사(의견)를 불순물로서 도려내면서 그리스의 자연학, 수학, 정치학 등의 어휘에 의해 자기를 표현했듯이, '현대 이슬람 철학'은 상대성 이론, 양자 역학, 불완전성 정리, 국민 주권, 인권과 같은 현대 물리학, 수학, 정치학 등의 어휘를 성전에 비춰 현대라는 시대의 독사를 제거하면서 사용하고 신의 말을 표현해야만 한다. 이 글이 아직 존재하지 않는 '현대 이슬람 철학'의 목적지를 가리키는 도표가 된다면, 필자에게는 기대 이상의 행운일 것이다.

☞ 좀 더 자세히 알기 위한 참고 문헌

— 마쓰야마 요헤이松山洋平, 『이슬람 사상을 독해한다イスラーム思想を讀みとく』, ちくま新書, 2017년. 현대 이슬람 사상의 간단한 조감도를 제공한다.

— 구시모토 히로코久志本裕子, 『변용하는 이슬람의 배움 문화 ─ 말레이시아 무슬림 사회와 근대 학교 교육変容するイスラームの学びの文化 ─ マレーシア・ムスリム社会と近代学校教育』, ナカニシヤ出版, 2014년. 말레이시아를 예로 하여 전통 이슬람학과 현대 무슬림 세계에서의 이슬람학의 자리매김과 의미의 차이를 구체적으로 해설한다.

— 나카타 고中田 考, 『이슬람학イスラーム学』, 作品社, 2020년. 이슬람사에서의 살라피주의의 흐름을 간단히 설명하고, 그 현대적 가능성을 보여준다.

— 무함마드 바키르─사드르Muhammad Baqir-s-Sadr, 『이슬람 철학イスラーム哲学』, 구라다 도시오黑田壽郎 옮김, 未知谷, 1994년. 현대의 시아파 이슬람 법학자에 의한 서구 철학과 대비한 이슬람 철학의 재구축 시도.

칼럼 3

AI의 충격

   20세기 중반부터 '인공 지능AI'이라는 이름 아래 인간(또는 다른 생물)이 행하는 다양한 지적 과제를 기계에 의해 자동화하는 시도가 추구되어왔다. 그것은 '지능이란 무엇인가', '사고란 무엇인가', '마음이란 무엇인가'와 같은 문제에 접근하기 위한 새로운 관점을 제공하고, 철학에도 커다란 충격을 주어왔다.

   인공 지능의 역사를 돌이켜보면, 거기에는 몇 가지 패러다임의 성쇠가 있었다. 최초의 시기에 우세했던 것은 컴퓨터에 기호를 조작하는 명확한 규칙을 부여함으로써 지적 추론을 시뮬레이션하는 '기호적 AI'이다. 이 방법은 계산이나 논리적 추론에는 적합하지만, 현실 세계의 극히 간단한 과제 — 자연 언어로 적절히 응답하고, 장애물을 피해서 이동하며, 대상을 지각하여 분류하는 등등 — 를 수행하기가 어려웠다.

   1970-80년대의 제2차 AI 붐에서는 몇 가지 새로운 접근이 추구되었다. 전문가가 (자주 무자각적으로) 몸에 익히고 있는 배경지식을 컴퓨터가 배우게 하고, 그로부터 유익한 판단을 도출하는 '엑스퍼트 시스템', 물리적 신체를 지닌 시스템을 계층적으로 구성하고 외부 세계 및 각 유닛의 동적인 상호 작용을 통해 적절한 행동을 취하게 하는 '포섭 아키텍처', 신경 세포의 네트워크와 같은 틀로 특정 입력 패턴에 대한 올바른 출력을 학습하게 하는 '신경 회로망neural network' 등이 그것들이

178 _ 세계철학사 8

다. 이러한 발전들은 지능이 다양하며, 전통적으로 중시되어온 언어 능력이나 논리적 추론 등은 그 적은 일부에 지나지 않는다는 인식을 가져왔다.

2010년대 초부터 현재까지 계속되고 있는 제3차 AI 붐은 대량의 데이터로부터 패턴을 발견하는 '심층 학습'(위에서 말한 신경 회로망을 발전시킨 것) 기술이 계기가 되었다. 이 배경에서는 하드웨어의 성능이 향상된 것, 인터넷과 스마트폰을 통해 다종다양한 동시에 방대한 데이터를 쉽게 이용할 수 있게 된 것, 그 데이터에 기초하여 사람들의 행동이나 기호를 예측하는 것이 거대한 비즈니스가 된 것이 거론된다. 현재의 AI 기술은 다양한 분야에 응용되어 화상 인식이나 자연 언어 처리 또는 바둑 등의 게임에서 인간을 넘어서는 성능을 발휘하고 있다. 이러한 AI는 인간이나 다른 생물의 지능에 대해 통찰을 줄 뿐만 아니라 이 지구상에 이전에 없었던 유형을 지닌 지능의 존재 방식이 가능하다는 것을 시사한다는 의미에서 매우 흥미롭다. 또한 이 붐은 단지 학문적인 흥미에 머무는 것이 아니라 산업, 경제, 의료, 교육, 군사, 정치 등, 사회의 모든 방면에 매우 깊은 영향을 주고 있으며, 현재 인공 지능이 인간의 삶의 방식, 사회의 존재 방식에 주는 충격에 대해서는 많은 철학자와 윤리학자가 진지하게 생각하고 있다.

칼럼 4

라틴아메리카에서의 철학

나카노 히로타카^{中野裕考}

라틴아메리카에서의 철학은 일본 철학에 대해 반성할 때 시사하는 바가 크다. 저 땅도 19세기 후반 이후에 근대 국민 국가를 형성하고, 대학 교육 과목의 하나로서 '최첨단의' 철학을 적극적으로 수용하고 연구자를 육성해왔다. 그런 까닭에 직접적인 접촉은 거의 없었음에도 불구하고, 일본 철학의 전개와 마치 서로 짜 맞춘 듯한 대응을 보여준다. 19세기 말의 실증주의, 신칸트학파의 학습, 20세기 전반의 현상학과 실존주의의 융성, 맑스주의의 확산, 20세기 후반 이후 분석 철학의 대두와 그에 대한 대륙 철학으로부터의 반발을 거쳐 현재 새로운 국면을 맞이하는 상태이다. 일본과 라틴아메리카의 철학은 서양 열강 나라들의 세계 진출에 따른 철학 지구화의 두 가지 현상 형태인 것이다.

두 지역의 차이 역시 흥미로운 고찰 대상이 된다. 일본과의 비교라는 의미에서 특히 흥미로운 것은 아스테카, 마야, 잉카라는 선주민 문명의 유산 위에서 일어선 멕시코와 페루 등이다. 이 문명들은 문자가 없는 것은 아니었지만, 불교, 유교, 국학 등과 같이 책으로 사상을 표현하지는 않았다. 다른 한편 식민지 시대에 이입된 가톨릭주의가 토착 신앙과 뒤섞임에 따라 입은 변용이나 수도회와 대학에서 가르치고 있던 스콜라 철학의 유산은 근래에 긍정적으로 다시 파악되고 있다.

고유한 전통으로부터의 단절과 서양에서 본 주변성 까닭에, 철학자들은 '라틴아메리카에 철학은 있었는가, 있는가, 있을 수 있는가, 어떠한 철학이?'와 같은 것을 스스로 물어왔다. '우리 일본은 예부터 지금에 이르기까지 철학이 없다'라는 나카에 초민中江兆民의 발언 의의를 지금도 계속해서 묻고 있는 일본의 철학에서 보더라도 이것은 남의 일일 수 없는 문제의식이다.

라틴아메리카의 특색은 이러한 문제에 대한 다양한 입장이 학술 논문이라는 형태로 발표되고, 1세기 이상에 걸쳐 논점을 명시한 논의와 비판의 응수가 펼쳐져 왔다는 점에 놓여 있다. 라틴아메리카 철학 그 자체를 주제로 한 논의의 축적이야말로 이 땅의 철학의 특징이라고도 말할 수 있을 정도이다. 전통으로부터의 단절과 근대화에 부딪힌 자들이 고유한 현실에서 출발하여 빌린 말의 흉내가 아니라 이 땅의 필요에 부응한, 그렇지만 배타적이 아니라 보편을 지향한 철학을 구상하고 있다. 주로 제3세계 나라를 염두에 둔 '세계철학filosofia mundial'의 호소는 반세기나 전에 이루어졌으며, 일본이나 아프리카 철학과의 비교가 지닌 유효성도 이미 지적되고 있다. 오로지 서양 열강 나라들과 비교해서만 자기를 규정해온 일본 철학이 스스로의 주변성을 마주할 때, 라틴아메리카 철학은 이를테면 일그러진 거울로서 나타나게 될 것이다.

제7장

중국의 현대 철학

오우 젠^{王前}

1. 들어가며

중국의 현대 철학?

중국의 현대 철학을 말하기 전에 본래 중국에는 철학이 있는 것인가 하는 문제에 대해 조금 언급하고자 한다. Philosophia라는 보편적인 학으로서의 철학은 문명이 고도로 발달한 곳에는 당연히 있을 것이다. 하물며 중국은 야스퍼스가 말하는 축의 시대를 쌓아 올린 문명의 하나이다. 그러나 중국에서는 아직도 이 문제에 해결 이 이루어졌다고는 말할 수 없는 상황이며, 때때로 뜨거운 논의로 까지 발전하기도 한다. 자크 데리다^{Jacques Derrida}(1930~2004)가 2001 년 9월에 중국을 방문했을 때, 이 문제를 둘러싸고서 발언하여 중국의 철학자를 놀라게 한 한 장면이 있었다. 그는 상하이를 방문했을 때, 중국에는 사상은 있지만, 철학은 없었다고 분명히 말했다. 세계를 대표하는 현대 사상의 기수 데리다의 입에서 나온 말이자 더욱이 생애에 단 한 번 중국을 방문했을 때 '도발적'인 속마음을 토로한 까닭에 파문을 일으킨 것도 당연하다. 때는 마침 중국에서 중국 철학의 합법성 문제가 논의되고 있을 무렵이었다.

서양 철학의 전통을 탈구축하고자 한 데리다가 플라톤을 비롯한 서양 철학의 전통을 자세히 알고 있다는 것은 말할 필요도 없다. 철학이 서양 철학 그 자체라는 것은 그 문명을 등에 짊어지고 있는 철학자의 한 사람으로서는 극히 자연스러운 견해일 것이다. 근대의 데카르트 이후의 이성주의 전통은 말할 필요도 없지만, 고대 그리스의 철학자와 같은 방식으로 사유한 중국의 철학자는 도대체 얼마나 있었던 것일까? 이것은 중국의 학자 견지에서 보더라도 확실히 의심스러운 바가 있다.

현대 중국을 대표하는 역사학자로 일본과 구미에서 수십 년에 걸쳐 유학을 계속하고, 동서고금의 인문 학문을 공부한 불세출의 석학 천인커陳寅恪(1890~1969)는 중국의 고전 문화를 중시하는 문화 보수주의자로서 잘 알려져 있다. 그러한 그조차 중국 고대의 철학과 그리스 철학을 비교할 때 서로 멀리 떨어져 있다고 단정한 적이 있다. 그리고 고대 중국인이 능했던 것은 로마인과 마찬가지로 정치와 실천 윤리학이라고 말하기도 했다.

베이징대학을 발본적으로 개혁하고 중국의 최고 학부로서의 기초를 쌓은 총장인 차이위안페이蔡元培(1868~1940)는 현대 중국의 계몽 운동인 5·4운동에도 크게 공헌했다. 그러한 차이위안페이가 『지난 50년간의 중국의 철학』(1923년)에서 중국 현대 철학의 주요한 부분은 서양 철학의 수입과 소개라고 썼다. 차이위안페이는 과거라는 최고급 시험에 합격한 진사로 중국의 고전 학문에 대해 조예가 깊음과 동시에 두 번이나 독일 등에 유학한 적이 있어 서양 철학도 자세히 알고 있는 사상가이다. 그로부터 100년이 지난 오늘날에도 상황은 그가 말한 그대로라고 해도 지나친 말이 아닐지도 모른다.

서양의 충격을 받은 이래로 압도적인 우위에 선 서양 문화가 노도와 같이 중국에 수입되고, 그러한 가운데 당연히 철학도 함께 소개되었다. 그때까지의 중국의 전통적인 학문은 현실 앞에서 그 열세를 뼈저리게 느끼게 되고 자신의 단점을 인정하지 않을 수 없게 되었다. 당시의 유학을 중심으로 하는 전통 사상은 서양의 철학 사상 앞에서 여지없이 패배하게 되어 다시는 일어설 수 없게 되었다고 말해도 과장이 아니었다.

그러나 아편 전쟁으로부터 두 세기 가까이 된 지금, 근대화 정책도 성공하여 서양의 충격에서 상당히 벗어나 다시 일어서게 되었다. 그로 인해 철학의 개념을 다시 생각하는 기회가 무르익고 있는 것도 사실이다. 철학의 정의 자체는 서양에서도 반드시 일의적인 것이 아니며, 서양 철학의 오랜 전통 속에서 다양한 형태를 취하고 있었다. 그렇다면 좀 더 넓은 견지에서 보면, 데리다가 말하는 중국의 사상이 철학의 한 부분이 될 수 없는 것도 아니다. 20세기를 대표하는 인문 사조의 하나인 바르부르크학파나 상징 형식의 철학을 주창한 에른스트 카시러Ernst Cassirer(1874~1945)와 같은 철학자는 철학의 연구가 본래 종교나 문학 그리고 예술로부터 분리될 수 없다고 생각하고 있었다. 작금의 구미에서 고대 그리스 철학과 중국 철학을 비교의 관점에서 연구하고 커다란 영향을 미치고 있는 G. E. R. 로이드Geoffrey Ernest Richard Lloyd(1933~)의 연구도 그러한 가능성을 충분히 시사하고 있다.

또한 『이성·진리·역사—내재적 실재론의 전개』를 쓴 힐러리 퍼트넘Hilary Whitehall Putnam(1926~2016)처럼 과학을 강하게 옹호하면서도 과학만을 모델로 한 철학의 존재 방식을 비판한 현대 철학의 대표자도 있다. 그러한 동향까지 시야에 넣어 보면, 중국의 사상이나 일본의 사상은 모두 가장 넓은 의미에서의 철학에 들어갈 수 있을 것이다. 바로 그렇게 해서 종래 철학의 기성 관념을 수정하고 철학을 좀 더 풍부한 것으로 만들 수 있을 것이다.

이 장에서는 중국의 현대 철학이 어떻게 서양 철학을 필요할 때 언제라도 이용할 수 있는 것으로 하면서도 자기 나라의 철학 전통과의 융합도 시도했는지, 그 고투와 성과를 개관해보고자 한다. 그것은 유구한 문명을 쌓은 중국이 모더니티의 충격을 앞에 두고서 다른 문화를 맹렬하게 흡수하면서 스스로의 정체성을 탐구하는 영혼의 격투 역사이기도 하다.

2. 서학 동점과 중국 현대 철학의 빛나는 여명기

현대 중국 철학자의 등장

중국에서 근대 서양 철학의 본격적인 소개는 청조 말기의 옌푸嚴復(1854~1921)로 거슬러 올라갈 수 있다. 군사를 배우기 위해 영국에 유학한 적도 있는 이 뛰어난 계몽사상가는 애덤 스미스, 몽테스키외, 존 스튜어트 밀 등, 서양을 대표하는 철학자의 작품을 우아한 중국어로 잇따라 번역했다. 그것이 서양 근대 철학의 중국 상륙의 최초 붐을 불러일으켰다.

특히 그가 번역한 토머스 헉슬리『천연론天演論』(『진화와 윤리』의 중국어 역 제목)에 있는 '적자생존'이라는 이념은 문학자 루쉰魯迅(1881~1936)이나 철학자 후스胡適(1891~1962) 등의 세대에 헤아릴 수 없는 영향을 주었다. 옌푸의 번역 은혜를 받은 세대가 일본이나 구미에 유학하고 중화민국의 시대에 들어서자 성숙한 철학 체계를 만들어 낸 몇 사람인가의 철학자가 나타나게 되었다. 1930, 40년대의 일이다.

구체적으로 그 철학의 유파를 거론해보자. 일본 유학에서 귀국한 후, 베르그송의 철학과 현상학과 같은 근현대 서양 철학을 정력적으로 연구하면서 다원적 지식론 등을 전개한 장둥쑨張東蓀(1886~1973), 존 듀이John Dewey(1859~1952)에게서 프래그머티즘을 배우고 귀국 후 프래그머티즘을 열심히 소개하면서 중국 고전 철학 등의 연구를 계속한 후스, 분석 철학의 방법을 받아들이고 중국 사상의 전통도 시야에 넣으면서 논리학을 중시하는 독자적이고 고도한 철학 체계를 구축한 진웨린金岳霖(1895~1984), 그리고 미국에서 신실재론을 배우는 한편, 귀국 후 송명이학宋明理學의 전통을 이어받아 새로운 중국 철학의 발전을 성취한 펑유란馮友蘭 (1894~1990) 등이 그들이다.

그들 외에도 불전이나 유학에 근거하면서 서양의 학문을 섭렵하고 신유학의 개조로 불리는 슝스리熊十力(1885~1968, 제9장 참조)나 독일 관념론을 깊이 연찬하고 특히 『정신현상학』 등 헤겔의 뛰어난 번역을 다수 내놓고서 유학의 전통과 결부시키는 시도를 한 허린賀麟(1902~1992)과 같은 철학자도 있었다.

이러한 철학자들이 중국 최초의 현대 철학을 창조한 세대이다. 좀 더 거론하자면, 빈학파나 에드문트 후설Edmund Husserl(1859~1938), 마르틴 하이데거Martin Heidegger(1889~1976) 밑에서 배운 중국의 철학자도 있어 철학의 새로운 사조를 중국에 정력적으로 소개하고 중국의 철학계에 새로운 바람을 불어넣은 것이다. 돌이켜보면, 이러한 초기 시대가 현대 중국 철학의 가장 생산적인 시기였다고 말할 수 있을지도 모른다. 불완전한 자유를 누리면서 시대와 대치하는 가운데 현대적인 의미에서의 철학자들이 탄생한 것이다. 그 가운데 필자가 보기에 중국의 철학 전통과 서양의 철학 정신을 가장 멋들어지게 결합한 체계적인 철학자는 당시의 중국 철학계에서 제1인자로 지목되고 있던 진웨린이다.

진웨린의 지식론과 존재론

진웨린은 젊은 시절 아메리카로 유학하여 토머스 그린Thomas Hill Green(1836~1882) 연구로 정치학 박사 학위를 취득한 후, 영국으로도 유학하여 영국 경험론과 논리학을 전공했다. 귀국 후에는 칭화대학, 베이징대학, 중국 사회과학원 등의 철학 교수를 역임하고, 논리학을 중심으로 연구하여 현대 중국 철학사상 최초의 완전한 지식론을 수립한 철학자로서 알려져 있다.

논리학 저서 외에 『지식론』(중일 전쟁 중에 완성했지만, 수고의 분실 등 우여곡절을 거쳐 70만 자의 책이 최종적으로 출판된 것은 사망하기 직전인 1983년)과 『논도論道』(1940년)라는 대표적인 두 책이 있다. 중국 철학의 전통에서 인식론과 지식론이 서양처럼 발달하지 않은 것을 감안하여 알프레드 화이트헤드Alfred North Whitehead(1861~1947), 버트런드 러셀Bertrand Russell(1872~1970) 및 루트비히 비트겐슈타인Ludwig Wittgenstein(1889~1951) 등의 연구 성과를 흡수하면서 서양 철학의 논리적인 방법을 자신의 철학 기초에 놓고 필생의 대작 『지식론』을 저술한 것이다.

그 저서에서는 지식의 유래, 지식의 형성, 지식의 신빙성 및 옳고 그름을 판단하는 기준이란 무엇인지를 엄밀한 논리학의 방법을 사용하여 논의를 밀고 나감으로써 장대한 지식론의 체계를 구축했다. 이 저작으로 중국 종래의 철학 스타일을 변화시켰다고 학계에서는 높이 평가하고 있다. 논리적·분석적 방법을 사용함으로써 사상의 명석함과 엄밀함을 중시하고, 서양 철학자의 문제의식을 계승할 뿐 아니라 더욱 발전시켰다고도 이야기된다. 그가 이 책 속에서 대답하고자 한 것은 간단히 개괄하자면 지식이란 무엇인가라는 문제이다. 결코 읽기 쉬운 책은 아니지만, 지식이란 무엇인지를 생각하고자 하는 사람에게는 한 번은 뚫고 나가야 할 관문이라고 많은 학자에게 추천되고 있다. 현대 중국 지식론의 초석이라고 말할 수 있는 고전적인 작품이다.

『논도』는 진웨린 철학에서의 존재론Ontology—그 자신의 말로 하자면 으뜸학元學, 으뜸이 되는 학문—이다. '도道', '무式', '능能'과 같은 도교에서 유래하는 개념을 기본적인 범주로 하고, 서양 철학에서의 논리적인 수법을 사용하면서 독자적인 존재론을 구축한 것이다. 그의 말을 빌리자면, 중국 사상 속에서 가장 숭고한 개념은 '도'이다. 사상과 감정의 가장 근본적인 원동력도 '도'이다. 다시 말하면 이 '도'는 철학 속에서 최상의 개념 또는 최고의 경지이다. 그것은 우주 및 인간의 우주에 대한 이해이기도 하다.

이 책 속에서 '도'를 구명하기 위해 진웨린은 하나의 명제마다 써 내려가고, 각각에 설명을 덧붙이는 방식을 취하고 있다. 이것은 중국의 철학자로서는 대단히 드문 수법이다. 마치 스피노자의 『에티카』와 같은 기하학적인 수법을 사용하는 구성이다. 이 점에서 진웨린은 중국의 현대 철학에 방법론적으로 혁신적인 영향을 주었다고 하는 것이다.

서양 철학과 중국 철학 사이

잘 알려져 있듯이 전통적인 중국 철학에서는 기본적으로 체험이나 감상을 중시하고 논리학을 경시하는 경향이 있었다. 중국의 철학자 가운데서 진웨린이 대단히 두드러진 것은 방법론적인 면에서 의식적으로 서양 철학의 이성주의를 토대로 하여 고찰을 진행했기 때문이다. 그것은 동시에 중국 철학과 서양 철학의 융합을 시야에 넣은 사유 방식이기도 했다. 다만 진웨린의 지식론은 중국적인 지식론이 아니라 중국에서의 지식론이며, 보편적인 철학의 산물이다. 그에 반해 그의 존재론은 '근대화와 민족화'를 융합한 것으로, 진웨린의 친우인 펑유란이 논평했듯이(馮友蘭,『중국 현대 철학사中國現代哲學史』, 제8장), 중국 철학이라고 여겨지고 있었다. 펑유란은 후년에 진웨린의 철학자로서의 공적을 '사상은 노자를 넘어서고, 논의는 고대 중국 논리학의 대표자인 공손룡公孫龍보다 뛰어나다(道超靑牛, 論高白馬)'라고 칭찬하기까지 했다.

이 시대의 중국 철학자 다수는 서양 철학, 중국 철학 및 인도 철학을 철학의 3대 전통으로 보면서 기본적으로는 서양 철학과 중국 철학을 시야에 넣고 그 어느 쪽인가에 무게를 두고서 자신의 철학을 전개하고 있었다. 그 시야의 넓이는 중국사에서 처음 있는 규모이며, 후세의 학자보다 나으면 낫지 못하지 않았다. 후쿠자와 유키치福澤諭吉가 말하는 '한 몸으로 두 삶을 산다'와 같은 과도기였기 때문에, 오랜 문명을 등에 짊어지면서도 열심히 서양 문명을 흡수하고 있었다. 거기서는 서로 다른 문화의 충돌이 격렬했던 만큼 철학의 사유에 커다란 자극을 준 것이다. 그들은 자기 나라의 오랜 문명에 애착을 지니면서도 서양의 충격이 주는 세례를 정면으로 받은 세대로서 서양의 이성주의를 비롯한 철학 사상을 수용할 필요성을 통감하고 있었다. 위에서 이야기한 장둥쑨 등도 기본적으로 마찬가지였다.

1949년에 중화인민공화국이 성립하자 중국 본토의 철학 사상계의 양상은 일변했다. 정통으로 생각되는 이데올로기에서 벗어나 독자적인 입장에서 철학을 자아내는 것은 거의 불가능해졌기 때문이다. 진웨린과 같은 가장 그리스 정신을 수용하고자 한 철학자조차 1950년대에 옥스퍼드대학을 방문했을 때, '철학은 사회적 실천의 지침'이라는 테마로 강연하고, 변증법적 유물론과 역사적 유물론이야말로 세계를 개조할 때의 지도 방침이라고 주장했다.

그러나 그때까지의 2, 30년 사이에는 확실히 중국에서는 철학자라고 불러야 할 철학자들이 활약하고 있었다. 그들은 현대의 서양 철학을 매우 열심히 흡수하고 잘 음미하면서 어떻게 중국의 사상 전통과의 공존이나 그 쇄신을 꾀하는 데 기초하여 새로운 철학을 만들어야 하는지를 진지하게 생각하고 있었다. 그들은 세계적인 수준까지 철학을 발전시키고자 했지만, 세계에 충격을 줄 수는 없었는지도 모른다. 그렇지만 그들이 중국 현대 철학의 본격적인 창조자이자 철학다운 현대 철학을 만든 참다운 철학자라는 점은 부정할 수 없는 사실이다.

3. 현대 철학의 재등장과 1980년대의 문화 붐

현대 사상을 포용하는 중국의 사상계·독서인

1949년 이후, 중국의 공식 국가 철학이 맑스주의·마오쩌둥 사상이 됨으로써 위에서 언급한 철학자들도 어쩔 수 없이 사상을 전향하게 되었다. 자신들의 '부르주아적인 사상'을 스스로 청산하고, 맑스주의로의 '전향'을 요구받은 것이다. 당시 중국의 철학자들 가운데는 마지막까지 사상 개조를 거부하고 불우한 가운데 일생을 마친 장둥쑨과 같은 철학자도 있었지만, 다수는 궤도를 수정하여 맑스주의를 자신의 철학적 탐구와 가치 판단의 기준으로 삼았다.

이러한 철학의 자유로운 발전에 대해 대단히 엄혹한 상황 속에서 30년 이상에 걸쳐 중국의 현대 철학은 기본적으로 정체에 머물렀다. 사실 문화 대혁명이 진행되는 가운데서도 데뷔 직후의 데리다에 관한 새로운 문헌이 중국에 들어온다든지 했기 때문에, 완전히 외부와의 접촉이 단절된 것은 아니다. 그렇지만 본격적인 철학의 탐구가 대단히 어려웠던 것도 사실이다. 그 정세를 일변시킨 것이 문화 대혁명이 종식한 후에 시작된 개혁 개방이다.

1980년대 들어서자 경제 개혁을 핵심으로 하는 개혁 개방과 연동하는 형태로 현대 철학을 포함하는 외국의 사상 문화가 또다시 노도와 같이 중국 본토에 상륙했다. 철학에 관해 말하자면, 현대 철학이 가장 각광을 받은 분야였다. 맑스주의 이외에는 모두 부르주아적인 사상이라고 하여 일축되고 있던 선진국의 철학 사상을 많은 지적인 배고픔을 느끼고 있던 중국의 독자들이 요구한 것이다. 그중에서 가장 지명도가 높았던 것은 프리드리히 니체, 막스 베버, 에른스트 카시러, 장 폴 사르트르, 지크문트 프로이트, 하이데거, 칼 포퍼, 에리히 프롬이다. 그들은 중국의 상공에서 빛나는 철학 사상의 큰 별이 되었다. 100년간의 세계의 주된 사조를 거의 반세기 만에 중국이라는 거대한 도가니로 끌어들여 이제 중국은 근현대사에서 두 번째의 계몽기에 들어선 것이다.

쇄국에서 이제 막 개국으로 향하기 시작한 시기는 현대 철학의 창조보다는 오히려 계속해서 현대 철학의 소개와 연구가 주된 특징이었다. 인재의 단층이 있었긴 하지만, 1949년까지 중화민국의 시대에 대두하여 성숙한 철학자들이 아직 몇 명인가 건재했던 것이 행운이었다. 그 가운데는 하이데거에게 사사한 슝웨이熊偉(1911~1994) 전 베이징대학 교수도 있었고, 마찬가지로 베이징대학 교수로 모리츠 슐릭Moritz Schlick(1882~1936)의 제자이자 빈학파에서 유일한 중국인 학자였던 훙쳰洪謙(1909~1992)도 있었다. 그들의 지도를 받으며 성장한 젊은 연구자가 주력이 되어 다양한 철학 사상의 번역 총서를 출판하고, 탐욕스러울 정도로 일본을 포함한 선진국들의 철학 사상을 수입해 갔다.

휴머니즘의 복권으로부터 포스트모던으로

문화 대혁명 무렵은 많은 사람이 정치적인 이유로 박해받았고, 바로 휴머니즘의 위기 시대였다. 그 반동과 반성으로부터 개국이 시작된 직후에는 실존주의가 많은 독자의 관심을 모았다. 신칸트학파의 대표이자 상징 형식의 철학을 수립한 카시러의 『인간』은 반드시 휴머니즘을 중심으로 말하는 저작은 아니었지만, 인간이라는 두 문자가 들어 있는 것만으로 철학서의 베스트셀러가 되었다. 그 번역을 권유한 것이 슐릭의 제자 홍첸이었다.

카뮈와 사르트르는 희곡과 소설만이 아니라 그들의 철학서도 많은 독자에게 열렬히 환영받았다. 사르트르의 『존재와 무』는 쉬운 읽을거리가 아니었지만, 널리 세상 사람들에게 맞아들여졌다. 자신의 철학은 실존주의가 아니라며 그와 같은 딱지를 거부한 하이데거도 대단한 인기를 얻었다. 중국은 정치적인 문제에 민감한데도 불구하고, 누구도 그의 나치스에 협력한 과거를 추궁하지 않았으며, 『존재와 시간』은 10만 부나 팔렸다고 한다. 그 이유는 역시 인간의 실존에 관한 관심이 높았기 때문이다. 인간의 가치에 대한 긍정과 휴머니즘의 복권과 옹호가 중요했던 것이다.

하이데거에게 커다란 영향을 준 니체의 번역이나 연구서가 불타나게 팔린 것도 가치의 재평가 등과 관련성이 있었기 때문일 것이다. 그때까지의 중국에서는 파시즘에 영향을 준 철학자로 지목되어 기본적으로 비판되고 있었지만, 이제 역전되어 생명을 긍정하는 위대한 철학자로서 니체의 재평가가 이루어진 것이다. 본래 현대 중국을 대표하는 문호 루쉰이 니체로부터 영향을 받았다는 점도 있어 이후 니체는 현대 중국에서 가장 많이 읽히는 서양 철학자의 한 사람이 되었다.

현대 철학에 헤아릴 수 없는 영향을 준 프로이트도 이 시기에 대대적으로 환영받은 사상가 가운데 한 사람이었다. 하버마스는 프로이트를 철학과 과학을 결합한 이론가의 하나의 모범으로 보고 있지만, 당시 중국에서는 바로 사상 해방을 주도하는 철학자와 같은 역할을 하고 있었다. 그 이유는 실로 간단히 납득할 수 있는 것이었다. 문화 대혁명을 정점으로 하는 극좌의 혁명 실험이 이루어지고 있던 시기에 이데올로기에 의해 개인의 욕망을 억압하는 것이 정당화되고, 인간이 인간인 특징과 가치를 잃어버리고 있었기 때문이다. 그러한 정치에 의한 압력이 완화된 바로 그 순간, 프로이트의 책이 수많이 소개됨으로써 사람들은 새삼스럽게 인간이란 무엇인가, 인간의 욕망이란 무엇인가를 인식하기 시작한 것이다.

이 시기에는 포스트모던의 철학 사상도 그 나름대로 소개되고, 푸코나 데리다의 이름도 알려지게 되었다. 그렇지만 시대의 흐름은 개혁 개방에 있고, 중국의 근대화가 시대의 지상 명령이었던 까닭에, 소개된 현대 철학은 기본적으로는 근대성과 관련되는 것이 많았다. 동시에 20세기에 대한 반성과 관련된 현대 철학도 많은 연구자와 독자의 관심을 모았다.

예를 들면 오늘날에는 그다지 읽히지 않게 된 프랑크푸르트학파 초기의 주요 구성원인 에리히 프롬Erich Fromm(1900~1980)이 거론될 수 있다. 그의 맑스주의와 프로이트 이론을 결합한 일련의 저작은 중국의 독자에게는 대단히 신선하게 생각되었다. 왜냐하면 거기에는 맑스주의의 또 하나의 독해 방식이 놓여 있었기 때문일 것이다. 자유란 무엇인가? 환상을 넘어서서 참다운 자아를 실현한다는 것은 어떠한 것인가? 망명 생활을 강요받은 프롬의 강인한 사유에는 당시의 중국 독자의 절실한 요구에 부응하는 것이 많았던 것이다.

'청년 멘토' 리쩌허우

이 시기의 중요한 철학자로서는 1949년 이후의 중국에서 성장한 철학자 리쩌허우李澤厚(1930~2021)의 이름을 들 수 있다. 중국 현대 철학의 창시자들이 긴 세월의 정치 캠페인으로 인해 어쩔 수 없이 기본적으로 서양 철학의 번역 등을 할 수밖에 없었던 가운데, 그는 쇄국의 시대에 성장하고 대두한 철학자의 대표격이었다. 그는 맑스주의와 칸트 철학을 사상의 홈그라운드로 하여 중국 본토 전체의 사상이 마오쩌둥毛澤東과 같은 '철인 왕'으로 통일되어 있던 시대에 독자적인 철학을 모색한 희귀한 존재였다. 그는 문화 대혁명 중에 칸트 철학 연구를 시작하고, 문화 대혁명이 종료한 직후에 『비판 철학의 비판』(1979년)이라는 칸트 철학 연구서를 인쇄에 부쳐 사상 계몽의 선봉에 섰다.

리쩌허우에 따르면, 칸트 철학의 공적은 그때까지의 모든 유물론자와 유심론자를 넘어서 철학사에서 처음으로 주체성의 문제에 주목한 데 놓여 있다. 칸트 철학의 가치와 의미는 그 '사물 자체' 속에 유물론적인 요소가 있기 때문이 아니라—당시의 중국 철학계에서는 아직도 유물론과 유심론을 둘러싼 격렬한 논쟁이 계속되고 있었다—, 오히려 그 초월론적인 체계에 있다. 그 초월론적인 체계 속에서 칸트는 인간의 주체성 문제를 다룬 것이다. 이렇게 리쩌허우는 인간의 주체성 문제와 칸트 철학을 관련지어 논의했다.

리쩌허우가 보기에 헤겔과 같이 모든 것을 논리화하고 인식론적으로 탐구하게 되면, 개인의 존재는 잊히고 역사의 발전 속에서 다루기에 충분하지 않은 미미한 존재가 되어버린다. 그래서는 인간의 존재 및 그 역사를 창조하는 주체성은 매몰되거나 고의로 잊혀버린다. 헤겔의 범논리주의와 이성주의는 현대의 맑스주의에 나쁜 영향을 미치고, 인간의 존재를 망각하게 할 뿐만 아니라 윤리학의 문제도 잊게 했다고 비판하는 것이다. 그의 말을 빌리자면, '개인의 실천을 중시하는 것은 거시사Macrohistory의 각도에서 보면 역사 발전에서의 우연성을 중시하는 것이다. 헤겔에서부터 맑스주의까지 역사적 필연성에 대한 부적절한 강조가 놓여 있으며,

그것을 마치 숙명처럼 파악하는 경향이 있다. 개인과 자아에 의한 자유로운 선택 및 그에 의해 초래되는 다양한 우연성에 의한 커다란 역사적인 현실과 결과를 무시해버린 것이다.'(「칸트 철학과 주체성 구축의 철학론 대강」, 『실천 이성과 감정 문화』, 2008년 수록)

일반적으로 말하면, 그는 비결정론에 대해서도 반대하고, 개인의 주체성을 부정하는 것과 같은 완전한 결정론에 대해서도 반대하는 입장이다. 이 입장을 칸트 철학 연구라는 형태로 표명하고, 맑스주의의 틀 밖으로 나가지 않도록 배려하면서 가능한 한 자유롭게 사유를 밀고 나간 것이다. 그리고 여기서는 이사야 벌린Isaiah Berlin(1909~1997)이나 레몽 아롱Raymon Aron(1905~1983)에 의한 정통 맑스주의 비판과의 유사성도 보인다.

그와 같이 주체성을 주장하고 옹호하기 위해 리쩌허우가 주도한 연구는 미학이다. 리쩌허우에 따르면, 미의 본질은 인간 본질의 가장 완전한 표출이며, 미의 철학은 바로 인간 철학의 최고봉이다. '미는 자유의 형식으로서 규칙에 맞는 것과 목적에 맞는 것의 통일이며, 외부 자연의 인간화 또는 인간화된 자연이다.'(앞의 논문) 약 100년 전에 차이위안페이蔡元培(1869~1940)가 미학으로 종교를 대신해야 한다고 주장했지만, 리쩌허우도 비슷한 생각을 지니고 있으며, 그의 강력한 미학 추진으로 1980년대의 중국에서는 세계에서 매우 드물게 보는 미학 붐이 생겨났다. 마치 미학이 제일 철학의 지위를 획득한 것처럼 보였다. 말할 필요도 없이 그것은 당시 이제 막 '해동'된 언론 환경에 의한 것이었다.

리쩌허우는 1980년대를 통해 연이어서 『미의 역정』, 『중국고대
사상사론』, 『중국현대사상사론』, 『중국근대사상사론』 등을 발표
하고, '청년 멘토'라고 불리게 되었다. 일본에서 말하면, 전후의
마루야마 마사오丸山眞男와 비슷한 역할을 중국에서 수행한 것이다.

첸중수와 머우쭝산

리쩌허우처럼 철학자로서 크게 활약한 것은 아니지만, 유례없
는 석학인 첸중수錢鍾書(1910~1998)에 대해서도 간단히 언급해두고
자 한다. 그는 아버지가 중국 고전학자이어서 소싯적부터 뛰어난
고전 교육을 받으며, 20대에 옥스퍼드대학과 소르본대학에 유학했
다. 1949년 이전에 이미 『담예록談藝錄』, 『위성圍城』(일본어 역 『결혼
광시곡結婚狂詩曲』) 등의 작품을 발표했지만, 1949년 이후에는 서양
철학을 비롯한 인문학 연구에 오랫동안 침잠했다. 그리고 전 생애
에 걸친 연구의 집대성으로서 문화 대혁명이 종결된 직후에 네
권으로 이루어진 『관추편管錐編』(1979년)을 상재했다. 이것은 『주
역』과 『노자』 등 열 개의 중국 고전을 논평한 것으로 중국의
전통적인 글쓰기 형태로 쓴 저서이다. 거기서 그는 동서고금의
문학, 사회학, 철학, 역사학 등 모든 학문을 구사하여 '동과 서의
인간 심리는 같으며, 학문과 사상도 서로 통한다東海西海, 心理攸同,
南學北學, 道術未裂'(『담예록·서문』)를 기치로 내걸고서 장대한 동서

문명 비평을 전개했다.

서양의 고전 철학으로부터 탈구축의 사조까지 모든 것을 시야에 넣고서 전개된 그의 사유는 현대 중국 최고의 문화 철학으로서 열매 맺었다. 서양에서 말하면, 에리히 아우어바흐Erich Auerbach (1892~1957)나 에른스트 로베르트 쿠르티우스Ernst Robert Curtius(1886 ~1956)와 같은 대학자이다. 1949년 이후의 시대 속에서 중국에서의 보편적인 사상 인문학의 하나의 도달점이 여기에 제시되어 있다.

중국 본토 이외의 중화권에서의 철학자로 시야를 넓히면, 중국 본토의 철학과는 다른 발전을 이루고 있다. 하나하나 자세히 설명할 수는 없지만, 그 가운데 가장 대표적인 철학자인 머우쭝산牟宗三 (1909~1995)을 간단히 다루고자 한다(제9장도 참조). 그는 슝스리의 훈도를 받아 학문을 시작하며, 초기에는 러셀의 논리학 등도 공부한다. 후에 신유학의 대성자가 된 그는 칸트 철학의 번역자·연구자로서도 잘 알려진다.

머우쭝산은 칸트 철학과 유학 사이에 공통점이 있다고 생각하고, 혼자 힘으로 칸트의 3대 비판을 번역하고, 중국 철학과 서양 철학 사이에 다리 놓기를 시도했다. 머우쭝산의 말을 빌리면, 서양 철학 가운데서 가장 잘 그 역할을 할 수 있는 것은 칸트 철학이다. 정치적으로는 민주주의와 자유를 옹호하는 입장에 섰으며, 유학의 전통을 이어받은 데 기초하여 과학과 민주주의를 발전시켜야 한다고 주장했다. 1949년 이후 중국 본토를 떠나 타이완과 홍콩에서 활약한 철학자의 대표 격인 그는 가장 독창성이 있는 철학자로서 높이 평가되고 있으며, 주저로는 『심체와 성체』(1968년), 『현상과 사물 자체』(1975년) 등이 있다.

4. 중국 현대 철학의 새로운 흐름

시장 경제의 큰 파도 속의 재출발

1989년의 천안문 사건에 의해 중국의 1980년대 새로운 계몽기가 종언을 고하고, 1992년부터 경제의 고도 성장기에 들어섰다. '청년 멘토'라고 불린 리쩌허우도 고대 중국의 지자처럼 자신의 사상을 전하는 신천지를 찾아 아메리카로 건너가고, 중국의 현대 철학은 새로운 변모를 이루는 시기에 들어섰다.

이 시기의 중국 현대 철학은 대부분의 예상에 반해 한층 더한 수입과 연구가 활발한 시기가 되었다. 1980년대와 문제 관심이 달라지고, 좀 더 넓고 좀 더 중국의 문제의식에 따른 현대 철학의 소개와 연구에 중점이 놓인 것이다. 그러한 과정에서 그저 소개하는 것만이 아니라 중국의 독자적인 현대 철학을 어떻게 만들어야 할 것인가라는 문제도 조금씩 의식하게 되었다. 그 흐름을 몇 가지 살펴보자.

현상학은 20세기의 양대 철학 사조의 하나로서 일본에서는 약 100년 전부터 소개되고 연구되어왔지만, 중국에서는 이 시기에 들어서고서부터 중요한 작품이 많이 번역되고 중국의 전통적인 철학과 관련하여 현상학을 연구하는 흐름이 생겨났다. 후설과 하이데거뿐만 아니라 메를로퐁티나 레비나스 등 독일 이외의 현상학자도 번역되고 많은 연구자에 의해 열심히 연구됨으로써 중국의 철학계에서 활황을 드러내고 있었다.

그 가운데 가장 중요한 번역자이자 연구자인 니량캉倪梁康에 따르면, 후설의 현상학 연구 방법과 연구 영역이 열림으로써 중국의 연구자는 어떤 특정한 지역 문화를 초월하여 그러한 사유 방식과 문화들을 포용할 수 있는 차원에 도달할 수 있게 되었다고 한다. 다시 말하면, 후설이 제일 철학이라고 부른 현상학을 도입함으로써 중국의 현대 철학이 풍부해지는 것이다. 니량캉 자신도 중국 철학계가 좀 더 많은 세계의 철학을 흡수하고 더욱더 축적한 데 기초하여 새로운 창조를 준비해야 한다고 주장하고 있다. 니량캉은 현상학이 아마도 유식 법상종이 중국 사상에 준 것과 같은 영향을 미칠 수 있다고 예상하고 있다. 현상학 연구를 위해 니량캉과 현상학자에 뜻을 둔 이들은 『중국 현상학과 철학 평론』이라는 연구지도 발행하고 있다.

스승이었던 후설에 비해 나으면 낫지 못하지 않은 기세로 연구되고 있는 것이 하이데거이다. 1980년대에 이어서 그의 철학에 관한 관심은 변함없이 높다고 할 수 있다. 정치적으로 문제가 있었긴 하지만, 역시 20세기의 사상 세계에 강력한 충격을 준 현대 철학의 거장이기 때문에, 중국에서도 그의 철학은 상당히 중시된 것이다.

이 사이에 그의 저작을 번역, 연구함과 동시에 그의 철학과 동양 철학의 관계도 주목받게 되었다. 그것은 아무래도 근대화라는 관점이 아니라 이성주의와 근대화가 초래한 부정적인 유산에도 눈을 돌리기 시작했기 때문일 것이다.

하이데거가 독일에 유학하고 있던 중국인 학자와 함께 노자의 『도덕경』을 번역한 일은 중국의 학계에서는 잘 알려져 있다. 일부 하이데거 연구자들 사이에서 '동양적 성인'이라는 하이데거의 이미지가 만들어지고, 중국의 천도天道와의 비교 등도 이루어지고 있었다. 근대 이후 중국은 일본과 마찬가지로 압도적으로 강력한 서양 문명의 흡수를 강요받고, 어쩔 수 없이 그것을 따라잡고 앞질러야 할 운명에 놓여 있었기 때문인지 서양 철학 전통을 비판하는 하이데거에게 많은 중국 현대 철학 연구자가 친근감을 느끼고 있는 듯하다.

식지 않은 현대 철학에 관한 관심

프랑스의 포스트모던 유파들도 이 시기에 본격적으로 연구가 이루어지게 되며, 20세기 양대 철학 사조의 또 하나인 분석 철학도 중시하게 되었다. 앞에서 언급한 리쩌허우는 1980년대에 중국적 사유에 대해 분석 철학의 엄밀함이 그것을 바로잡는 데 필요한 것이라고 말한 적이 있다. 그것이 원인은 아니겠지만, 비트겐슈타인을 비롯한 많은 분석 철학자들도 중국에서 좀 더 알려지게 되며, 그 방법을 사용하여 정치 철학 등의 연구를 하는 젊은 학자도 나타나고 있다. 앞에 나온 진웨린이 비트겐슈타인의 철학을 언급한 때로부터 반세기 이상이 지나고 난 다음의 재출발이다.

이러한 경제의 고도 성장기에 리쩌허우와 같은 '청년 멘토'는 급속히 잊히고 본래 존재하고 있던 계몽사상을 옹호하는 그룹도 갈라짐으로써 인문 사상의 가치를 둘러싼 우려가 생겨났다. 그러나 불가사의하게도 현대 철학에 관한 관심은 전혀 식지 않았다. 지구화의 물결에 올라탐으로써 국제 교류도 활발해지고, 이 시기에는 폴 리쾨르Paul Ricœur(1913~2005), 하버마스Jürgen Habermas(1929~), 데리다Jacques Derrida(1930~2004), 리처드 로티Richard Rorty(1931~2007) 등 현대 철학을 대표하는 쟁쟁한 철학자들이 중국을 방문했다. 그들이 준 영향은 지금부터 100년 전의 버트런드 러셀이나 듀이의 방중보다 더 컸을 것이다. 대부분의 중국 독자들은 책을 통해서만 현대 철학을 접할 수 있기 때문에, 그러한 철학자들과 직접 교류하는 것은 중국 현대 철학의 발전에 헤아릴 수 없는 충격을 주었다.

특히 그중에서 데리다와 하버마스는 마치 슈퍼스타와 같은 선풍을 불러일으키며, 각지에서 행한 강연은 중국의 철학계와 일반 독자에게 커다란 감명을 주었다. 그것은 문자 그대로 중국에서 전개된 현대 철학의 자극적인 현장이자 가장 의미 있는 지적 교류이기도 했다.

데리다와 하버마스 방중의 의의

데리다가 2001년에 중국을 방문했을 때, 베이징대학에서 '용서'
에 대해 소리 높여 말하고, 또한 '무조건적인 대학'이란 무엇인가를
설명했는데, 그것은 탈구축의 현장을 중국으로 가지고 들어온
격렬한 교실과 같은 방문이었다. 그의 탈구축 이론은 중국에서도
팬이 많지만, 그에 대한 반발도 적지 않았다. 그리고 문학 평론의
세계만이 아니라 현대 철학을 전공하는 학자 사이에서도 데리다에
대한 관심이 높았다. 그러한 가운데 중국을 대표하는 지식인이나
학자와의 교류는 매우 흥미로운 것이었다.

예를 들어 위에서 이야기한 중국 철학을 둘러싼 데리다의 발언을
듣고서 데리다와 대담한 중국을 대표하는 사상가의 한 사람인
왕위안화王元化(1920~2008)는 이렇게 반론했다. 그리스에 기원을
지니는 서양 철학과 선진 시대에 시작된 중국 철학은 사유 방식과
표현 방법은 그야말로 다르지만, 탐구하는 문제에는 큰 차이가
없다. 중국에서는 논리학의 전통이 발달하지 못했다고 말하고
있지만, 고전의 『묵자』 등에서는 그것과 비슷한 것이 많이 보인다.
문제는 한나라 대에 유교가 유일무이의 국가 이데올로기 지위를
부여받았기 때문에, 그 밖의 사상 유파의 발전이 방해받은 것에
있다. 데리다가 그에 의해 설득되었는지 어떤지는 분명하지 않지
만, 이 대화를 통해 쌍방 모두 철학의 서로 다른 전통에 대해
이해를 한층 더 심화시켰을 것이다.

같은 해에 방중한 하버마스는 서양 맑스주의라는 자리를 매겨줬기 때문인지 맑스주의를 연구하는 중견 학자로부터도 주목받았다. 프랑크푸르트학파 제1세대의 소개와 연구는 이미 1980년대에 시작되었고, 하버마스 자신에 대한 관심도 상당히 큰 것이었다. 그의 의사소통 행위 이론과 숙의 민주주의의 사유도 중국에서 관심의 대상이 되고 있다. 그도 데리다와 마찬가지로 중국을 대표하는 대학과 연구기관에서 강연하고, 자신의 철학을 말했을 뿐만 아니라 인권이나 지구화 또는 민주주의 등 뜨거운 시대의 과제에 대해서도 소리 높여 이야기했다. 청중으로부터 때로는 혹독한 질문도 나왔지만, 대부분 경우에는 열심히 귀 기울였다고 한다.

돌이켜보면, 중국에 현대 철학을 대표하는 철학자가 방문한 것은 러셀과 듀이의 때가 처음이며, 그로부터 약 80년 후에 두 큰 철학자의 방중은 중국이 좀 더 열린 시대에 이루어진 만큼 좀 더 깊은 의미가 있을 것이다(데리다 방중의 의의와 마찬가지로 그 상세한 내용에 대해서는 졸저 『중국이 읽은 현대 사상』을 참조할 수 있을 것이다). 그것은 중국이 좀 더 열린 사상 공간으로 되는 데 커다란 자극을 주었음이 틀림없다.

정치 철학에 대한 뜨거운 눈길

요즘의 중국 현대 철학을 말하는 경우, 또 하나 무시할 수 없는 현상이 있다. 그것은 정치 철학에 대한 남다른 관심이다. 필자가 보기에 이것은 중국 현대 철학의 중요한 일환을 이루는 것이다. 1990년대 이후 구미에서 알려진 거의 모든 정치 철학 유파, 대표적인 철학자 및 그 대표작이 중국에 소개되고 논의되었으며, 때로는 격렬한 논전까지 이루어지고 있다. 여기에는 역시 시대의 요청이 있기 때문일 것이다. 요컨대 현대 중국은 어디로 향할 것인가 하는 문제가 많은 철학자의 관심을 끌고 있기 때문이다.

본래라면 1949년 이후의 중국에서는 그와 같은 문제는 보통의 학자가 생각해야 할 문제가 아니었다. '철인 왕'과 같은 지도자가 있다면, 앞으로 사상을 통일하면 좋았을 것이기 때문이다. 그러나 지금과 같이, 국가의 이데올로기가 아직 있기는 하지만, 그 설득력이 상당히 상실된 상황에서는 새로운 철학 사상 담론이 요구되고 있는 것도 사실이다. 모종의 형태로 권력에 영향을 주고자 하는 의도가 있는 가운데, 신좌파로부터 자유주의, 보수주의 등에 이르기까지, 바로 좌로부터 우에 이르기까지 모두 갖추어진 형태로 정치 철학이 연구되고 이야기되고 있다.

1990년대는 한동안 자유주의가 대학이나 대중 매체에서 힘을 지니고 있었지만, 그 후에는 중국 경제의 큰 발전과 대국화에 따라 국가주의 사조가 대두해왔다. 그러한 가운데 칼 슈미트^{Carl} Schmitt(1888~1985)의 정치 철학·법학이 상당히 주목받게 되고 그것과 연동하는 형태로 자유주의에 대한 비판자로서의 레오 슈트라우스^{Leo Strauss}(1899~1973)도 등장했다. 1980년대에 근대화라는 목표를 실현하기 위해 근대의 서양 문명을 열심히 흡수한 것과는 대조적으로 이번에는 서양 문화의 뿌리까지 거슬러 올라가 연구해야 한다는 의견이 나오고, 서양의 고전 철학을 포함한 고전학을 공부하는 사람이 늘어났다. 다시 말하면, 고전학을 공부하고서 현대 철학과 연동하는 형태로 현재에 필요한 철학이란 무엇인가를 생각하는 흐름이 나오고 있다. 슈트라우스는 정치 철학을 제일 철학으로 생각하는 철학자이며, 그의 영향을 받은 중국의 철학 연구자들의 노력으로 현재의 중국 철학계에서도 그와 같은 양상을 드러낸다고 할 수 있을 것이다.

전반적으로 보면 지금의 중국 철학 사상계는 아직 힘을 축적하는 단계에 있고, 다음 비약을 위한 준비를 하는 시기이다. 중국이 다시 세계에서 고립하는 것이 생각되지 않는 이상, 그 현대 철학의 발전도 크게 기대할 수 있을 것이다. 뭐니 뭐니 해도 고대 문명으로서의 긴 역사가 있고, 근대에 들어서고 나서는 일본과 구미로부터 현대의 철학 사상을 오랜 세월 흡수해온 경험도 있다. 시대의 문제에 대답하고자 하는 철학으로서 그 가능성은 클 것이다.

☞ 좀 더 자세히 알기 위한 참고 문헌

— 아사쿠라 토모미朝倉友海, 『'동아시아에 철학은 없는가' — 교토학파와 신유가'東アジアに哲学はない'のか—京都学派と新儒家』, 岩波現代全書, 2014년. 교토학파와 신유가의 철학에 빛을 비추고, 동아시아의 철학이 지니는 새로운 전개 가능성을 고찰하는 역작이다.

— 오우 젠王前, 『중국이 읽은 현대 사상中国が讀んだ現代思想』, 講談社選書メチエ, 2011년. 졸저이지만, 1980년대 이후 중국의 사상계·학계가 어떻게 일본과 구미의 현대 사상을 수용했는지를 다룬 책으로, 대강 그 모습을 개관할 수 있는 까닭에 추천하고자 한다.

— 첸중수錢鍾書, Qian Zhongshu, *Limited views: Essays on ideas and letters*, trans. by Ronald C. Egan, Harvard University Press, 1998. 『관추편管錐編』 발췌의 영어 역. 첸중수의 장대한 학문을 일별할 수 있다.

— G. E. R. 로이드Geoffrey Ernest Richard Lloyd, 『고대의 세계. 현대의 성찰 — 그리스 및 중국의 과학·문화에 대한 철학적 관점古代の世界 現代の省察 —ギリシアおよび中国の科学·文化への哲学的視座』, 가나야마 야스히라金山弥平 외 옮김, 岩波書店, 2009년. 그리스 철학과 중국 고대 철학에 정통한 고전 연구의 제1인자 로이드가 사회 인류학, 민속학, 인지 과학, 심리학, 언어학 등을 총동원하여 단순한 고대 철학의 비교 연구가 아니라 오늘날 인류가 직면한 문제와의 관련성도 다루며, 중요한 시사점을 주는 책이다.

제8장

일본 철학의 연속성

우에하라 마유코 上原麻有子

1. 들어가며

　'일본 철학'이란 무엇인가라는 논의는 되풀이해서 이루어져 왔지만, 개념 규정은 통일되지 않고 모호한 채로 남아 있다. 그 하나의 이유로서 일본 철학에는 서양과 동양의 이질적인 문화가 교차하는 까닭에 세계적 성격이 내포되어 있다는 점에 있는 것이 아닐까? 물론 '일본 철학'으로 명명할 수 있기 위한 복수의 관점이 있겠지만, 이러한 동서 문화의 접촉은 빠질 수 없는 요점이다. 근래 일본 철학을 다시 생각하는 저작이 다수 발표되고 있다. 시사하는 바가 풍부한 하나의 예를 들어보자. '세계철학'은 '이런저런 전통·문화·언어를 출발점으로 하는 철학들이 서로 만나고 대화하는 "장소"'이며, 일본 철학은 그 '다원적 대화'에 참가하고 있는 철학이라는 사고방식이 있다(브렛 데이비스Bret Davis, 「일본 철학이란 무엇인가?」, 『일본 철학사 연구』 제16호, http://www.ni-hontetsugaku-philosophiejaponaise.jp/).

그리고 근대 이전에 축적된 신도神道, 불교, 유학, 국학 등의 앎을 '철학'으로 파악할 수 있는가 아닌가, 이 문제가 특히 '일본 철학'의 규정을 어렵게 한다고 생각된다. 이와 같은 사정을 토대로 이 장에서는 근대 이후의 시대에 한정하여 그 범위에서 '일본 철학의 연속성'에 대해 생각해보고자 한다. 그 특징은, 일단 한마디로 표현하자면, 서양 근대 철학에 특유한 주관과 객관이나 마음과 사물의 이원론을 넘어서서 자기 부정을 포함하고 자기 모순적으로 전개하는 연속성일 것이다.

메이지 초기 일본에서는 니시 아마네가 philosophy의 번역어로 '철학'이라는 새로운 어휘가 정착하기 시작하며, '철학'이라는 학술 영역이 열린다. 동시에 '철학'이라는 말의 발판을 얻어 메이지의 학자들은 '철학'에 몰두하게 된다. 이와 같은 언어 상황에서 '철학'을 의식한 것이다. 이 장에서는 이것을 '일본 철학'의 전제로 삼고자 한다.

후나야마 신이치船山信一(1907~1994)는 철학의 발전 단계에 있던 메이지 철학의 핵심에 관념론이 있었다고 하며, 그 전개의 축에 니시 아마네西周, 이노우에 데쓰지로井上哲次郎, 니시다 기타로西田幾多郎를 배치하고 있다. 물론 니시는 관념론자가 아니다. 오히려 실증주의를 수용하고 그 입장에서 서양의 철학 및 학문을 체계화하고자 했다. 후나야마에 따르면, '일본 철학의 아버지'인 니시는 '일본의 관념론사'에서도 반드시 언급되어야 할 철학자이다. 따라서 이 장은 니시를 일본 관념론의 연속적 발전의 기점에 놓고자 한다. 한편 이노우에는 '현상 즉 실재론'으로서의 관념론을 구축했다. 이노우에는 일본의 관념론 철학의 확립자이며, 니시다는 '현상 즉 실재론'에 논리적 기초를 부여한 '일본형 관념론'의 대성자라고 말할 수 있다. 후나야마는 이렇게 두 사람의 철학자를 평가하고 있다(『후나야마 신이치 저작집船山信一著作集』, 제8권).

후나야마의 근대 일본에서의 관념론 연구는 '일본형 관념론'의 '논리적 성격, 논리적 발전'을 더듬는 것을 목적으로 하고 있다. 그렇게 함으로써 정리 구분된 개별 관념론의 계보와 더 나아가서는 그 사이의 논리적인 연속성도 발견할 수 있다는 것이다. 니시가 의거한 실증주의는 그로부터 관념론 및 유물론이 '분화'해 가는 '원천'이다. 그러면 이와 같은 견해를 밑바탕으로 하여 이하에서는 이 장 독자적으로 일본 철학의 전개를 니시로부터 이노우에, 니시다로 뒤쫓아 가면서 그 연속성을 부각해 가고자 한다.

2. 관념론 전개의 기점

학문들의 통일을 지향한 메이지의 철학자

일본 철학사에서 니시 아마네西周(1829~1897)의 학술적인 공헌은 대단히 중요하다. '이성', '관념', '실재' 등의 학술 용어 787개의 번역, 콩트Auguste Comte(1798~1857)의 실증주의에 대한 소개, 밀John Stuart Mill(1806~1873)의 『공리주의Utilitarianism』의 한역(『이학利学』), 사숙에서의 강의 『백학연환百学連環』에서 행한 자연 과학과 인문·사회 과학 모두를 포함하는 학문들의 통일 구상, 논리학의 효시로서의 『치지계몽致知啓蒙』의 저술 등, 그의 활동은 다양한 분야에 걸친다. 그중에서 니시가 몰두한 문제의 중심이 된 것은 '이理'의 탐구라고 보아도 좋을 것이다.

니시의 '이'의 연구는 쓰다 마미치津田眞道(1829~1903)의 '성리性理' 개념을 도입하고, 나아가 콩트의 실증주의 철학을 밑바탕으로 하여 독자적으로 '이'를 개념화하면서 통일 과학을 구상하는 방향으로 전개되었다(이노우에 아쓰시井上厚史, 「니시 아마네와 유교 사상──'이'의 해석을 둘러싸고」, 『니시 아마네와 일본의 근대西周と日本の近代』). 여기서는 콩트의 짙은 영향 아래 니시의 독자적인 사유를 전개한 『생성발온生性發蘊』(1873년경 집필), '이' 사상의 핵심을 요약한 『상백차기尙白箚記』(1882년경 집필)를 참조하여 그의 '이' 사상을 확인한다.

니시가 서양 철학을 수용할 때, 그 동기의 하나는 사회 질서의 안정과 국가 형성, 복지를 생각하는 것이었다. 또 하나는 학문 그 자체, '백과의 학술'의 통일이다. 그러면 니시는 '이'를 둘러싸고서 무엇을 탐구한 것인가? 니시에 따르면, 콩트는 학문들을 분류, 정리하고, 기본 다섯 학문인 '천문학', '격물학(물리학)', '화학',

'생체학(생물학)', '인간학(사회학)'을 세웠다. 이 다섯 학문에 관계되는 현상들은 각각 그 이법의 도度에 준하여 정해져 있는 것이라 한다. '이법'(니시가 붙인 '주'로부터 natural law의 번역이라는 것을 이해할 수 있다)이란 '인연상관因緣相關을 펼치는 것'이다.

심리, 물리, 생리의 차이?

니시에게 있어 콩트 철학에서의 '생리生理'와 '성리性理'는 상호 연관되어 있었다. 그러나 이 문제를 니시는 잘 이해할 수 없었다. 그는 서양 근대 철학의 이원론적인 것을 꿰뚫는 법칙 및 그 이원론의 의미를 이해하려고 하고, 그때 수용하는 측의 앎의 틀로서 일본에 이미 있는 유가, 송유宋儒의 '이'에 기초한 것이다. '생'과 '성'은 바로 그 『생성발온』에 표현된 말이다. 『맹자』에서 고자告子가 '생, 그것이 성이다'라고 말하고 있는데, 니시는 이것을 근거로 하는 듯하다.

'성'이란 구부린다거나 접는다거나 변화시킨다거나 할 수 있는 것이 아니라 생래의 것을 의미한다(사이구사 히로토三枝博音, 『일본 철학 사상 전서日本哲学思想全書』, 제2권 사상 사색 편). 그리고 '생'은 '성'이며, '타고난 생물학적 생리학적 특성을 가리키는 것'으로 설명할 수 있다. 니시는 콩트 철학의 분류를 염두에 두고 비교하면서 해석하고 '성'을 '심리', '생'을 '물리'로 이해했다. '생성生性'이란 '생리학'과 '성리학psychology'이라고 파악한 것이다(고이즈미 다카

시小泉仰, 『니시 아마네와 구미 사상의 만남西周と歐米思想との出会い』).
'생성발온'이란 '실질實質(마테리)의 이법에 토대하고, 생리에 근
거하며, 성리를 열고, 이로써 저 인간학의 심오한 경지를 묶고,
그 원천을 여기서 발하는' 것이다('마테리'라는 것은 matter의 음사
일 것이다). 그의 관심은 '육체의 학'인 '생리'와 '정신의 학'인
'성리'를 통합하는 '통일 과학'을 구축하고, 양자를 서로 연결하는
'이理'를 밝히는 것에 있었다.

'생리에 근거하며, 성리를 열고'라는 설명에는 '실질' 요컨대
'물질'의 '이법'이 우선 근본에 있고, 그로부터가 아니라면 '심리'
도 전개하지 않는다는 함의가 놓여 있다. 요컨대 철학사에서 당시
의 새로운 철학이었던 '실리實理 철학'(실증주의 철학)은 우선은
'물리학들'로부터 연구된 것이라고 니시는 말한다. '실리 철학'에
서는 '사실'의 관찰에서 시작하고 최종적으로 확정된 '이'에 이르
는 것이다.

콩트에 기초하는 이와 같은 '이'의 전개는 문명개화, 인간 세계의
진보를 의미한다. '이'란 진보를 가져오기 위한 근본 원리라고
니시는 설명한다. 그것은 '이외理外의 설'로부터 '초리超理의 설',
'실리實理의 설'로 열린다. '이외'의 단계는 '신리학神理學'(Theology/
신학)에 해당한다. 여기서는 '삼라만상'이라는 '이외'의 것이 만들
어진다. '초리학超理學'(Metaphysics/형이상학)은 '이외'와 '실리'의
'중간'에 있으며, 양자 사이에 다리를 놓는 '전천진보轉遷進步'로서
자리매김한다. 그리고 '이외'로부터 '관념'과 '상상'의 힘으로 이동

한다. 이 힘은 각각의 '실체'에 갖추어져 있으며, 각종의 현상을 낳는다. 최종 단계인 '실리학'은 '만상萬象'만을 대상으로 하는 것이지만, 여기에는 '이법natural laws'이 있다. 현상들 사이의 일정한 관계에 따라 '만상을 종류로 구별'하여 확정한 '이법을 발명하는' 것이다.

이외의 이

그러나 니시는 『생성발온』에서 보여준 실증주의 철학의 이해와 해석에 만족하지 않으며, 더 나아가 '물리'와 '심리'의 '서로 연결하는 이'를 탐구한다. 그리고 앞에서 본 '이외', '초리', '실리'를 종합한 것과 같은 자기 모순적 표현인 '이외理外의 이理'를 생각해냈다. 이것은 니시의 독자적인 송유의 '이'에 대한 재해석이다. '하늘, 땅, 바람, 비의 일로부터 인류에서의 행위까지 일정 불변하는 천리天理'가 존재한다는 송유宋儒의 사상에 대해 니시는 '이'란 '상리常理'에 의해서는 논의할 수 없는 것이라고 다시 파악했다. '이'를 실체적으로 '일종의 사물'로 보아서는 안 된다는 것이다(『상백차기』). '현상하든가 아니면 작용하면' 반드시 '상리'가 생기고, 그 원인이 있다. 그러나 '이'는 반드시 '사실'에 부합하는 것이 아니다. 그것은 니시에 따르면, '그 사실에 합할 만큼의 정밀한 이'가 발견되지 않았기 때문이다. 예를 들어 귤을 이등분하는 경우, 분량, 크기, 신맛 등의 모든 관점에서 판단하여 '참된 평등한 나눔'은 가능한지 물어본다. 그 방법이 발견될 수 있으면, 사람은 이등분의 '이'를 알았다고 말할 수 있다.

그러나 사람이 '이'를 아는 경우, '오로지 그 언제나 있는 바와 그 성긴 바를 알 수 있을 뿐이다.' 니시가 여기서 문제로 삼은 것은 실체로서의 '사물'의 '이'를 논의하는 것이 아니라 '나'가 '이'에 대해 사유하는 것, 요컨대 '차관此觀'(주관)이다. 니시에 의한 서양의 '치지학致知学'(논리학) 이해가 이 점을 밝혀준다. '차관'이란 '자기에게 있어 이가 어떠어떠하다고 사유하는' 것을 말한다. 니시는 '치지학'을 사물을 대상으로 하여 보기 이전에 '그 도리를 사고하는' 학문이라고 설명한다. '이를 안다'라는 것은 자기의 깊은 반성적 사유이다. 거기서 나중의 니시다西田가 구축하는 '순수 경험'의 철학을 엿보는 것도 가능할 것이다.

'이외理外'에 있는 삼라만상의 '이'에 대해 사람은 '스스로 앎이 이르지 못하는' 바를 추측하여 이해하고 있다. 그러나 니시는 감히 '이외의 이'라는 자기 모순적 표현으로 자기 자신의 입장을 주장했다. 이것은 무로부터 언제나 유를 산출해 가고자 하는 역동적인 사유라고 생각된다. '이외', '초리', '실리'는 일정 방향으로 진화하여 고정되지 않고 순환한다. 니시는 이렇게 해석한 것이 아닐까? 그 원동력이 되는 것이 '물리'가 아니라 오히려 '심리' 또는 '성리'라는 것을 니시는 확신했다고 말할 수 있다.

3. 현상 즉 실재론의 확립

이노우에 데쓰지로와 일본의 아카데미 철학의 시작

이노우에 데쓰지로井上哲次郎(1855~1944)는 도쿄제국대학 교수로서 독일 이상주의 철학의 수용, 아카데미에서의 철학 교육과 연구의 발전에 크고 많은 공헌을 한 인물이다. 또한 다음에 제시하는 업적의 일례를 보면, 동양 철학에 관한 각 방면의 연구를 도입한 다음, 선구적인 역할을 했다는 것을 알 수 있다. '동양 철학사' 편찬, 『철학자휘哲学字彙』(철학 용어 사전) 편찬, 『윤리 신설倫理新說』 간행, 고대 그리스 철학인 『서양 철학 강의西洋哲学講義』 간행, 인도 철학 강의, 『석가모니전釋迦牟尼伝』의 간행, 『일본 양명학파의 철학日本陽明学派之哲学』, 『일본 고학파의 철학日本古学派之哲学』, 『일본 주자학파의 철학日本朱子学派之哲学』 3부작의 간행, 중국 철학의 연구, 도쿄제국대학 문학부에 신도 강좌를 설치(『이노우에 데쓰지로 자서전 ─ 학계 회고록井上哲次郎自伝 ─ 学界回顧録』, 1942년).

이노우에는 실은 묻혀 있던 니시 아마네의 철학을 학계에 소개한 최초의 니시 연구인 아소 요시테루麻生義輝(1901~1938)의 『철학 저작집西周哲学著作集』(1933년)에 서문을 제공하고 있다. 여기서 니시의 『심리학』(헤이븐Joseph Haven의 *Mental Philosophy*) 번역 출간 등을 언급하고 있지만, 이노우에 자신에 의한 베인Alexander Bain(1818~1903)의 *Mental Science*의 초역 『심리신설心理新說』과의 사상적

관련은 없다고 보아도 좋을 것이다. 이노우에는 니시의 사상 경향에 대해 '진화론을 창도하는 데 이르지' 못하며, 또한 '유물주의' 입장도 취하지 않았지만, '이상주의자로 보기에는 너무나 경험주의적, 실증주의적 경향이 우세'했다고 평가한다. 이노우에는 스스로의 입장을 '이상주의' 측에 자리매김하고, '유행하는 유물주의, 기계주의, 공리주의'나 '자연 과학적'이고 물질주의적인 경향을 지니는 '진화론'을 비판했다. 오히려 '정신적 진화주의'를 평가하고, 스펜서Herbert Spencer(1820~1903) 진화 철학의 '불가지'에 강한 관심을 기울였다(「메이지 철학계의 회고明治哲学界の回顧」, 1932년).

이와 같은 이노우에의 사상 경향은 쇼펜하우어Arthur Schopenhauer(1788~1860) 등의 독일 철학, 진화론 그리고 '불교 철학'의 영향 아래 동양 철학과 서양 철학의 비교 연구를 통해 좀 더 나아간 철학 사상을 형성하기 위한 '융합 통일'의 방법론을 산출했다. 그것이 '현상 즉 실재론'이었다. 이노우에에 따르면, '본체로서의 실재'에 대한 견해는 철학사에서 '3단계를 거쳐' 진전해왔다. '일원적 표면적 실재론', '이원적 실재론', '융합적 실재론'(현상 즉 실재론)의 3단계가 그것이다. 이하에서는 각 실재론의 내실을 확인하고자 한다.

실재론의 발전

'일원적 표면적'이란 '현상 그 자체'를 '실재'로 간주하는, 실재론으로서는 가장 초보적인 입장이라고 이노우에는 설명한다. 이노우에는 심리학자 분트Wilhelm Wundt(1832~1920)에게서 배워 '사상寫象과 피사진상被寫眞象'의 구별은 '철학적 고찰' 속에서 '변별'에 의해 이루어진 것이지만, '원래 동일元來同一', '동체 불리同体不離'라고 말한다. 요컨대 '일원적 표면적 실재론'은 소박한 인식의 단계에 있다고 생각하는 것이다. 자연 과학에서의 경험적 사실도 '소박한 실재론'에 자리매김한다(「인식과 실재의 관계」, 1901년).

'이원적 실재론'은 '현상은 표면의 것, 실재는 이면의 것'으로 보는 입장이다. 이것은 '일원적'보다 더 분석적이며, 실재는 현상의 원본이고, 현상을 떠나서 따로 존립하는 것이라고 생각하는 입장이다(「나의 세계관의 티끌 하나」, 1894년). 그러나 '이원론적 실재론'은 실재를 '공간적'으로 생각하고 있으며, 그것은 '오류'라고 이노우에는 비판한다(「메이지 철학계의 회고」).

이 두 가지 실재론에 맞서 이노우에가 주장한 것이 '현상 즉 실재론'이었다. 현상과 실재의 다름을 '개념 위에서 본 분석'과 '사실 위에서 본 사실적 통일'로 나누고 '세계의 참된 모습'을 참으로 인식할 것을 목표로 한다. 이것이 이노우에의 실재론이었다. 현상과 실재의 관계는 '차별과 평등'의 관계에 대응한다. 세계의 현상은 '공간적으로나 시간적으로 차별'되는 것이지만, 이 차별을 분명히 하는 것이 '인식의 작용'이다. 현상은 다양하게 분절되고 특수성을 지니는 것이지만, 그 근본에서 일체의 현상에는 공통성이 발견된다. 거기에 '과학적 조직'으로서의 '분류'와 '통일'이 있는 것이다.

이렇게 분류, 통일되는 현상과 실재는 각각 차별과 평등의 방면에 해당한다. 또한 표리일체, 동일물의 두 방면이기도 하다. 양자의 대립은 지양에 의해 초월되며 '진실 일원론'에 도달한다. 이노우에는 이것을 '원융상즉圓融相卽'이라고 부른다. '현상 즉 실재론'에는 불교적 성격이 강하게 나타나 있지만, 그것은 이노우에 자신이 회상하고 있듯이 하라 탄잔原坦山(1819~1892)의 「불서강의仏書講義」의 영향에 의한 것이었다. 이노우에의 '실재'는 '진여眞如'와 유사하며, '현상의 한가운데 내재한다'라는 의미를 지닌다(이노우에 가쓰히토井上克人, 『니시다 기타로와 메이지의 정신西田幾多郎と明治の精神』).

위와 같은 것이 이노우에의 독자적인 실재론이 '현상 즉 실재론'으로 생각되는 까닭이다. 세계는 현상과 실재라는 두 가지 관점에서 고찰됨으로써 그 참된 모습을 밝히는 것이다.

현상 즉 실재론의 특징

여기서 '인식'이라는 문제에 대해 이노우에의 이해를 확인해 둘 필요가 있을 것이다. 현상은 인식해야 하는 것이지만, 실재는 알 수 없다고 말해진다. 현상을 아는 것은 '경험적 인식'에 의한다는 것도 현상이 '객관적 세계'에서의 경험이기 때문이다. 한편 감히 실재의 '인식'이라고 말하게 되면, 그것은 '인식을 넘어서는 인식' 인바, '예지'에 이르러야 한다. 그 앞에서 실재는 '관념'으로서 우리의 '뇌 속'에 있다. 철학은 '경험'의 세계로 한정되고 그것을 초월한 것을 제외하는 것이 아니라 '실재의 관념'을 분명히 하는 것이어야만 한다. 또한 현상에 대해 철저히 고찰하게 되면, 완전히 바뀌어 직관에 의해 실재에 도달한다. 요컨대 '참된 인식', '예지'에 이르는 것이 철학의 '직분'인 것이다(「현상 즉 실재론의 요령」, 1897년).

이러한 것으로부터 이노우에게는 인식론보다 실재론 쪽이 좀 더 근본적이라는 것이 이해될 수 있을 것이다. 철학은 실재론의 '근본 원리'로서의 '현상 즉 실재론'으로 거슬러 올라가야만 한다고 한다. 현상은 활동한다. '동적'인 현상과 '정적'인 실재가 '동정불이動靜不二'이자 '동일체의 양방향'이라는 구조를 드러낸다. 내계에서도 외계에서도 일어나는 활동 또는 행동은 '주관 객관을 포용하여' 하나로 전환시킨다. 외계의 물리적 현상으로부터 내계의 심리적 현상에 이르기까지 모두 동적이지 않은 것은 없다. 그리고 활동이나 행동 그 자신은 '인식'의 '본원'이다. 이노우에는 헤겔의 '절대 이성'에는 발전의 여지가 없다고 비판하면서 자기의 근원 소급적인 '동정불이'의 운동은 무한의 발전이라고 강조한다.

후나야마가 이름 지은 '일본형 관념론'의 '일본'이라는 특색은 서양의 전통 속에서 구축되어온 관념론, 실재론에 불교성을 융합시킨 점에 있다고 요약할 수 있다. 물론 이노우에 자신이 그 점을 자부하고 있었을 것이다. 후나야마는 이것을 '논리가 아닌 논리, 요컨대 현상 즉 실재, 관념 즉 실재라는 "즉"의 논리'라고 특징짓고

있다. 다음에 소개하는 것은 대표적인 것 외에 두 개의 현상 즉
실재론이다.

이노우에 엔료와 기요자와 만시

이노우에 엔료^{井上円了}(1858~1919)는 이노우에 데쓰지로보다 한
층 더 불교 색깔이 강한 철학을 전개했다. 일본형 관념론의 원형이
탄생한 것은 실은 엔료의 『철학일석화^{哲学一夕話}』(1886~87년)에서
이다. 불교의 중도 사상을 받아들인 '철리의 중도'가 설파된다.
어떤 하나의 사물에는 표리의 차별이 있지만, 표리의 체^體는 처음부
터 하나이다. 다만 그 보는 바의 차이에 의해 표리의 차별이 생긴다.
엔료는 물심^{物心} 두 세계를 통일하는 본체라는 생각을 추구한
것이다. 이것은 데쓰지로의 현상 즉 실재론과 유사하다.

한편 기요자와 만시^{清澤満之}(1863~1903)는 『종교철학해골^{宗教哲学}
^{骸骨}』(1892년)에서 불교의 논리와 헤겔의 변증법 등을 참고하여
'유한무한론'을 주창했다. 거기서 현상 즉 실재론의 변형을 알아볼
수 있다. 유한은 다른 유한에 대한 상대적 존재이며 여럿이 있지만,
무한은 독립한 존재, 전체로서의 하나이자 절대이다. 그러나 기요
자와에 따르면, 이 무한은 절대임에도 불구하고 유한과 상대한다.
즉, 양자는 상즉^{相卽} 관계에 있는 것이다.

4. '일본형 관념론'의 완성과 발전

철학의 수행

'일본형 관념론'을 완성한 니시다 기타로西田幾多郎(1870~1945)는 1891년에 도쿄제국대학에 입학하며, 이노우에 데쓰지로에게 배운 세대이다. 졸업 후에는 이시카와현 진죠중학교와 제4고등학교 등의 교사로서 교편을 잡는 한편, 철학자가 될 것을 목표로 하여 학문에 몰두했다. 서양의 학문을 수용하고 축적하면서 「그린 씨 윤리 철학의 대의」(졸업논문), 「영국 윤리학사」, 「심리학 강의」, 「윤리학 초안」 등을 집필했다. 이리하여 니시다의 연구에서의 문제의식이 분명해져간다.

'물심의 관계'에 대해서는 우리의 '순수 경험의 사실'에서 '물심의 두 현상으로서 구별해야 하는' 것이 아니라 '오직 동일한 경험적 사실이 있을 뿐'이다. '순수 경험'은 '원래 객관과 주관으로 나누어져' 있는 것이 아니다(「심리학 강의」). 그리고 니시다는 '순수 경험에 관한 단장'이라는 노트를 쓰면서 '실재'의 문제를 추구하기 시작한다. '실재의 근저'에는 '무한한 하나'가 있다. '유한한 실재'는 이 '무한한 하나'에 의해 성립한다. 이와 같은 일련의 준비 연구가 1911년에 간행된 『선의 연구』로 열매 맺고, 니시다의 제1철학, '순수 경험'이 이 책에서 구축되어 '일본형 관념론'이 완성된 것이다.

참선의 체험

'순수 경험'의 사상적 원천에는 분트, 제임스William James(1842~
1910), 헤겔Georg Wilhelm Friedrich Hegel(1770~1831), 쇼펜하우어 등,
풍부한 서양의 철학적 앎이 인정되지만, 다른 한편으로 동양의
전통적 앎의 영향도 있었다. 여기서는 우선 그 점을 언급해두고자
한다. 니시다는 1896년에 임제臨濟 계의 선을 시작한다. 30대의
10년간은 철학 수행의 한편으로 니시다가 집중하여 참선에 몰두한
시기이기도 했다. 두 개의 서로 양립할 수 없는 견지에 입각한
앎은 우에다 시즈테루上田閑照(1926~2019)에 따르면 니시다 속에서
한 인격을 안으로부터 위태롭게 분열시킬 정도로 정면에서 서로
마주하게 되었다. 선은 '생각하지 마라'라고 말하고, 철학은 '생각
하라'라고 말한다. 양자 사이에는 근본적인 균열이 놓여 있다.
철학에는 그 근원적인 것으로서 '원리'가 놓여 있다. 선에서의
'근원성'은 '물심일여物心一如'라고 단적으로 표현될 수 있다. 선은
철학의 근원적 원리가 '참으로 확실한가'를 묻고, 철학은 선의
근원성이 세계 구성의 구체적 도정을 전개할 수 있는지를 묻는다
(우에다 시즈테루, 『니시다 기타로. 인간의 생애라는 것西田幾多郎.
人間の生涯ということ』, 이와나미 동시대 라이브러리, 1995년).

그리고 철학자, 니시다는 양자의 연관을 구하여 '실재란 무엇인
가'의 물음을 심화해 가는 방향으로 나아갔다고 말할 수 있다.

이를 니시다 자신의 말로 확인해두고자 한다. '선이라는 것은 참으로 현실 파악을 생명으로 하는 것이 아닐까 생각합니다. 저는 이러한 것이 불가능하긴 하지만, 어떻게 해서든 철학과 결합하고 싶습니다. 이것이 저의 30대부터의 염두에 놓여 있습니다.'(니시타니 게이지^{西谷啓治}에게 보낸 서간, 1943년 2월 19일) 니시다는 체험적 앎으로서의 선과 사유적 훈련을 통해 깊어진 철학을 서로 마주하게 하고, 전자를 후자에 근거 지음으로써 새로운 철학적 앎의 틀을 구축하고자 했을 것이다. 그러면 이하에서는 『선의 연구』에서 논의된 '순수 경험'의 특징을 확인해보자.

순수 경험

순수 경험이란 '완전히 자기의 세공을 포기하고 사실에 따라서 아는' 것, '추호도 사려분별을 더하지 않은, 참으로 경험 그대로의 상태'를 말한다. '색을 보고 음을 듣는 찰나, 아직 그것이 외물의 작용인지 내가 그것을 느끼고 있는 것인지와 같은 생각'도 없다. 이것은 무엇인가라는 '판단조차 더해지지 않은 이전', '아직 주^主도 아니고 객^客도 아닌, 지식과 그 대상이 완전히 합일해 있는' 상태이다. 구체적인 예로서 음악가가 숙련된 곡을 연주하는 상태, 아기의 직각, 책상 위에 있는 카드 한 묶음을 일거에 파악하는 의식 등이 거론된다. 순수 경험이란 특수한 능력을 발휘하는 예술가의 행위 외에 모든 일상적인 인간의 행동에서도 볼 수 있다. 그것은 '대단히 보통의 현상'인 것이다.

실은 그렇다고 알아채지 못할 정도로 우리에게 '주관에 대한 객관'이라는 인지의 틀은 정착해 있으며, 그 선입관에 따라서 사물을 보고 있다. 니시다는 그것을 날카롭게 지적한 것이다. 데카르트의 '나는 생각한다, 그러므로 나는 존재한다'라는 명료한 앎을 추구하는 회의의 방법도 니시다에게는 '의심할 수 없는 직접적인 지식'으로서 불충분하다. 데카르트의 방법은 '나'를 '추리'에 의해 이미 존재하는 것으로서 전제하는 것이 아니라 '실재와 사유'가 하나인 '직각적 경험의 사실'이어야만 한다. '실재'란 다시 말하면 '순수 경험'인 것이다.

'순수 경험을 유일한 실재로 하여 모든 것을 설명'하는 기도를 바탕으로 니시다는 실재란 '아직 주관 객관의 대립'이 없는 '지·정·의를 하나로 한' '독립하고 스스로 온전한 참된 실재'라고 생각했다. '유일한 실재'란 '정신과 물체'라는 두 개의 실재가 아니다. '주관 객관'은 '하나의 사실을 고찰하는 견해의 서로 다름' 이외에 다른 것이 아니다. '나'라는 정신에 대해 꽃을 '순 물체적'으로 파악하는 것은 과학적인 견해이다. '사실'이란 눈앞에 꽃이 아름답게 피어 있는 것과 같은 객관이라고 파악하는 것은 선입견일 뿐이다. '참된 실재'는 '냉정한 지식의 대상'이 아니라 오히려 정의情意에 의해 성립한다. 그리고 정의는 '개성'을 포함한다. '동일한 소를 보는' 경우에도 '농부, 동물학자, 미술가' 각각에게 보는 자의 의식은 '참으로 동일'한 것이 아니다. 세계는 '정의情意를 바탕으로 하여 조립된 것'이라고 니시다는 주장한다. 그러나 '주관 객관의 대립'에 의해 성립하는 과학적 앎이 완전히 부정되는 것은 아니다. 그것은 주객 미분리에 포함되어 있는 것이다.

'실재의 완전한 설명에서는 지식적 요구를 만족함과 동시에 정의의 요구를 도외시해서는 안 된다.' 참된 실재는 가능한지·정·의를 모두 포함해 가진다고 이해할 수 있지만, 여기서 실재는 '완전'하게 설명되는가 하는 의문이 일어난다.

참된 실재는 '독립하고 스스로 온전한' 것이지만, 이것은 '참된 실재의 활동'이 '유일한 자의 자발자전自發自展'이라고 하는 것을 의미한다. 그 경우 참된 실재는 의식을 떠난 '순수 물 체계'라는 추상적 개념일 수 없으며, 어디까지나 '의식 현상'이어야만 한다. 그것은 의식 현상이 '유일한 실재'이기 때문이다. '유일한 실재'가 '분화 발전'하는 것이다. 동시에 '우주 만상의 근저에 유일한 통일 력'이 놓여 있다. 만물이란 그에 의해 동일한 실재로부터 '발현'하고 설명되는 것이다. 그러면 물체 현상과 정신 현상 어느 것에서도 유일한 실재의 통일력이란 무엇인가? 이것은 무한에 비교하고 통일하는 정신이라든가 의식의 활동으로서의 자기 이외에 다른 것이 아니다. 자기가 '무한의 통일자'인 까닭에 실재는 무한히 발전한다. 실재는 통일되면서도 '대립'을 포함한다. 그러나 두 개의 사물이 각각 독립된 실재로서가 아니라 어디까지나 '유일한 실재의 분화 발전'으로서 '대립'을 포함한다. 여기서 모순적 통일이 인정되는 것이다.

5. 나가며 — 니시-이노우에-니시다의 연속성

이 장에서 고찰한 내용을 정리해보자. 니시에게서의 '이외의 이'라는 무로부터 유를 산출하는 사유는 실은 니시다가 그것을 응용하여 좀 더 명확히 표현하고 있다. 순수 경험의 입장에 서는 경우, '이理란 만물의 통일력'이며, 또한 '의식 내면의 통일력'이다. '이'는 '독립 자존', '창작적'이다. 니시와 마찬가지로 니시다도 '이'의 실재성을 부정하고 부정을 포함하는 발전성을 주장한다. 한편 니시다는 이노우에와는 다른 경로에 따라 실재의 역동성에 이르렀다. 서양 철학과 선적 체험지와의 불가능한 연관을 짜는 노력이 순수 경험의 철학을 산출했다. '현상 즉 실재론'에서의 '동적'인 현상과 '정적'인 실재가 동일체의 양방향으로 되어 있는 이중 구조 및 그 무한한 발전성을 니시다는 이어받았다. 그는 실재 자체의 근저에 역동적인 부정적 통일자로서의 '자기'를 겹쳐 놓았다. 따라서 순수 경험에 기초하는 실재는 좀 더 복잡한 구조를 획득하고 나중의 논리화로의 길을 준비했다고 말할 수 있다.

이상에서 검토해왔듯이 서두에서 제시한 '자기 부정을 포함하고 자기 모순적으로 전개하는 연속성'이 니시로부터 이노우에, 니시다로 향하는 철학적 발전 안에서 인정될 수 있는지 생각해보자. 니시의 주관에 대한 주목으로부터 '이외의 이'에서 관념론의 맹아를 보는 것은 가능하다. 그러므로 '일본형 관념론'은 니시-이노우에-니시다 안에서 명확한 연속성으로 발견될 수 있는 것이다. 모순적인 전개와 발전이라는 넓은 의미에서의 논리를 내재하고 있다. 나아가 '순수 경험'으로부터의 연속성에서 니시다 철학은 '자각', '장소의 논리', '행위적 직관' 등의 형태로 본격적으로 논리화 또는 실천 논리화해 갔다. '자기 부정을 포함하고 자기 모순적으로 전개하는 연속성'이라는 일본 철학의 특징은 니시다 철학을 넘어서서 다나베 하지메田辺元(1885~1962)의 '종의 논리', 미키 기요시三木清(1897~1945)의 '구상력의 논리', 구키 슈조九鬼周造(1888~1941)의 '우연성의 철학', 와쓰지 데쓰로和辻哲郎(1889~1960)의 '인간 존재의 구조' 등에도 이르고 있다.

☞ 좀 더 자세히 알기 위한 참고 문헌

— 니시다 기타로西田幾多郎, 『근대 일본 사상선. 니시다 기타로近代日本思想選
西田幾多郎』, 고바야시 도시아키小林敏明 편·해설, ちくま学芸文庫, 2020년.
일본 철학을 알고 싶다면, 우선은 니시다 기타로의 원저를 읽을 것을
권유하고 싶다. 이 대표 일곱 작품의 선집으로 니시다 철학을, 나아가서
는 일본 철학의 진수도 이해할 수 있을 것이다.

— 야마모토 다카미쓰山本貴光, 『'백학연환'을 읽는다「百学連環」を讀む』, 三省堂,
2016년. 니시 아마네의 백과전서를 의미하는 글 「백학연환」을 무슨
까닭인지 문필가·게임 작가인 야마모토 씨가 현대어로 번역하고 상세하
게 해설하고 있다. 근대 일본에서의 학술 분류의 시작이 어떠했는지,
그 사정이 이해될 수 있다. 읽기 쉬운 데 더하여 흥미롭기까지 한 책이다.

— 후지타 마사카쓰藤田正勝, 『일본 철학사日本哲学史』, 昭和堂, 2018년. 메이지
시대의 철학 수용 여명기로부터 시작하여 서양 철학이 본격적으로
연구되게 된 다이쇼 시대의 성숙기, 교토학파의 탄생과 발전, 나아가
전후 일본 철학이 다양화하고 현대의 철학에 이르기까지의 흐름을
알기 쉽게 그려낸 조감도라고 할 수 있다. 참고 문헌과 찾아보기도
충실한 약 500쪽의 일본 철학 사전과 같은 책이다.

제9장

아시아 속의 일본

아사쿠라 토모미 朝倉友海

1. 사상적 전통이라는 문제

동아시아 공통의 물음

일본의 근대화가 시작되고 약 150년 정도가 지나갔다. 근대 일본은 그 나름대로 순조롭게 발전을 이루어왔지만, 20세기 말 무렵부터는 정체기 또는 쇠퇴기에 들어섰다는 속삭임이 나오게 되고, 금세기에 들어서고 나서는 급속한 몰락을 염려하게 되었다. 뚜렷한 대조를 이루듯이 중국이나 인도와 같은 아시아의 대국이 경제는 말할 것도 없고 과학 기술이나 문화면에서도 세계의 선두로 뛰쳐나갔다. 이러한 아시아 나라들에 공통된 것은 앞서간 서양으로부터 많은 것을 섭취했다는 점, 그리고 서양 근대의 크고 많은 영향 아래 문화를 재구성하려고 해왔다는 점이다.

그로 인해 서로 비슷한 경위가 아시아 각지에서 보이는데, 철학을 둘러싸고서도 마찬가지라고 말할 수 있다. 특히 일본과 주변의 동아시아 지역(여기서는 고찰을 중국어권으로 한정한다)에 대해 말하자면, 철학과 전통 사상의 관계를 둘러싸고서 거의 같은 물음이 되풀이되어왔다. 이것은 무엇보다도 동아시아가 일방적으로 서양 문화의 수용에만 시종한 것이 아니라 적어도 모종의 변형을 통해서만 수용해온 것에 기초한다. 동아시아 지역의 '철학'에는 배경이 되는 사상적 전통에 의한 영향이 간과하기 어렵게 각인되어 있다.

전통으로부터의 영향을 무시할 수도 있을 것이다. 하지만 본래 바로 그 서양 철학 쪽에서조차 비서양과의 상호 교섭을 통해 변화해왔기 때문에, 사정은 훨씬 더 복잡하다. 쇼펜하우어는 인도 사상의 영향을 받음으로써 서양 철학에 굴절을 가져왔지만, 이것은 결코 예외가 아니다. 마찬가지의 굴절이 겹쳐 쌓임으로써 후에 20세기 철학의 분단에까지 이르렀다는 생각까지도 할 수 있다. 그로 인해 우리에게는 아시아 사상의 철학적 가치를 생각함이 없이 철학하는 것이 (불가능하지는 않다고 하더라도) 원리적으로 어려운 것이지만, 이 점이 어떻게 사유의 창조성과 결부되는 것인가 하는 문제가 있다.

역으로 또한 일본 또는 아시아가 실제로 얼마만큼이나 서양화했는가 하는 물음도 되풀이하여 제기되어왔다. 예전에 나쓰메 소세키

夏目漱石는 일본의 개화를 외발적인 것이라고 지적하면서 개화가 '그저 표면을 미끄러져' 있을 뿐이라고 말했다. 오늘날에도 서양화와 근대화는 단순한 '디자인'의 하나에 지나지 않으며, 눈에 보인 변용 속에서는 본질적으로 아무것도 변하지 않은 것이 아닐까 하는 의혹이 계속해서 남아 있다. 특히 '근대의 초극'이나 포스트모던에 대해 제기되어온 이러한 비판은 동아시아의 '철학'에 대해 생각할 때도 피할 수 없는 논점이 되어왔다.

동아시아에서의 철학은 불교나 유교 등의 사상적 전통과 어떻게 관계되는 것일까? 단지 전통으로 회귀하는 것이 아니라면, 도대체 무엇이 행해질 수 있는 것일까? 또는 동아시아로부터의 철학에 대한 공헌 등은 환상에 지나지 않으며, 우리는 그저 제자리걸음을 하고 있을 뿐일까? 설사 오늘날 보편적인 토양에서 철학적 논의가 이루어지고 있는 듯이 보인다고 하더라도 이러한 물음이나 의혹은 계속해서 남아 있다 — 동아시아 공통의 것으로서 말이다.

평가가 흔들려 온 유교

철학과 사상적 전통의 관계에 대해 생각할 때 우선 전제가 되는 것은 근대화 속에서 흔들려온 평가이다. 처음에는 유학을 매개로 하여 수용된 서양 철학은 어느 시기부터 갑자기 변하여 불교와 결부되어갔다. 이 경위를 지금 한번 간단히 되돌이켜 보는 데서 시작하고자 한다.

에도막부 시대 말에 니시 아마네西周 등이 네덜란드로 유학하고 부터 이노우에 데쓰지로井上哲次郎 밑에서 철학 용어가 학술적·체계 적으로 정리되기까지 약 20년간, 서양 철학은 유교적인 언어에 의해 번역·흡수되어갔다. 에도 시대부터 중·상층 계급의 교양으로서 정착해 있던 송명 유학에는 활용할 수 있는 개념 체계가 있었기 때문이지만, 우선은 '언어'가 활용된 데 지나지 않았다고도 말할 수 있을 것이다. 오히려 양자가 전혀 별개의 전통이라는 점에 바로 그 니시 아마네가 주의를 촉구하기에 이르렀다는 것은 잊어서는 안 되는 점이다(이 책 제8장 참조).

내용적인 유교 평가도 얼마 지나지 않아 나타났지만, 그것은 근대화가 지니고 있던 다른 문제에서 기인하고 있었다. 서양의 그리스도교에 상당하는 것과 같은 사회 도덕의 기반으로서 유교를 다시 자리매김할 필요가 나온 것이다. 서양 사회가 잘 가고 있는 것은 반드시 근대적인 학술에 의한 것만이 아니라 그리스도교의 전통이 있기 때문이다. 도덕의 기반이 종교적 전통이라고 한다면, 아시아의 근대화가 활용해야 할 전통이란 무엇일까? 그것은 불교가 아니다 — 중세를 상징하는 불교와는 달리 유교(내지 신유교)야말로 동아시아 근세의 버팀목이었기 때문이다.

다만 이것은 철학적이라기보다 정치적인 주장이다. 이 무렵 오래 내려온 스타일을 대신하는 '동양 철학'의 근대적 연구가 이노우에 데쓰지로에 의해 착수되고는 있었지만, 그에 의해 초래된 것은 아니다(결부시키는 견해도 있지만 말이다). 배경에 놓여 있던 것은 동아시아 근세에 대한 보수주의적인 평가였다. 전형적으로는 니시무라 시게키西村茂樹(1828~1902)의 『일본 도덕론』(1887년)에서 보이는 유교 재평가가 오늘날에 이르는 모종의 유교 이해의 기초가 되었다. 후에는 거기에 정치·경제적인 관점에서의 평가가 더해지고, 유교를 경제적 발전과 결부시키는 견해도 생겨났다. 20세기 후반에는 특히 아시아 4대 작은 용 또는 네 마리 호랑이(싱가포르와 홍콩·타이완·한국)라고 불린 나라들의 발전을 배경으로 하여 이러한 견해가 그 나름대로 영향력을 지닌 시기가 있었다.

그러나 오늘날에는 일본의 일반적인 논조로서 살아 있는 사상으로서의 유교의 평가는 대단히 저조하다. 오히려 동아시아 사회의 후진성, 그 뿌리 깊은 권위주의와 억압적 사회의 상징으로 생각되는 쪽이 (또다시) 두드러지게 되었다. 20세기 말부터 세계 경제의 최전선으로 뛰쳐나온 중화인민공화국이 사회의 안정과 민족적 자부심을 위해 유교적 전통을 고무하고자 했던 것은 아이러니하게도 이 경향의 속도를 더했다. 이 점에서 대조적인 것이 불교이다.

대조적인 대접을 받는 불교

불교에 대한 긍정적 평가는 오늘날에는 세계적으로도 광범위하게 보인다. 하지만 메이지 초기에는 전근대적인 것으로서 탄압된 불교가 내용적으로 논리적 분석이나 사변적 고찰과 친화성이 높다고 하여 주목받는 데는 일정한 시간이 필요했다. 오늘날로 이어지는 그러한 평가가 나오기 위해서는 서양 철학의 본격적인 수용을 기다려야만 했던 것이다.

초기의 철학 수용에 이어서 철학에 필적하는 사상적 전통으로서 불교 특히 동아시아의 대승 불교를 평가하는 움직임이 나타났다. 이노우에 엔료井上円了는 근대적 사상 연구의 기초를 일본에 뿌리내리게 하는 역할을 짊어진 이노우에 데쓰지로와 함께 이른바 '현상 즉 실재론'이라고 불리는 바의, 불교를 매개로 한 철학적 입장을 구상한 것으로 잘 알려져 있다(이 책 제8장 참조).

실은 이러한 전제가 있어 비로소 니시다 기타로西田幾多郞(1870~1945)가 나타날 수 있었다. 젊은 날에 선에 몰두한 그에게서는 앞선 세대의 불교에 대한 철학적 관심의 영향이 여실히 보인다. '두 이노우에'가 목표로 하면서도 성취할 수 없었던 것을 향하여 니시다는 조용히 그리고 착실하게 계속해서 전진했다.

비슷한 경위가 중화민국 시기(1912~1949)의 중국 대륙에서도 보인다. 청조 말기부터 불교 연구는 서양 그리고 일본과의 접촉 속에서 서서히 근대적인 방식으로 발전해 갔지만, 그것이 일제히 꽃 피운 것은 민국 시기였다. 일본에서는 일반적으로 그다지 알려지지 않았지만, 구양점歐陽漸, 竟無(1871~1943)이나 태허太虛(1890~1947)와 같은 사상가가 활약했다.

이러한 움직임을 바탕으로 나타난 것이 '신유가'로서 일본에도 알려진 슝스리熊十力(1885~1968)였다(이 책 제7장 참조). 그는 유식 불교 연구로 유명한 지나내학원支那內學院에서 공부한 후, 중국 사상과 서양 철학의 독자적인 통합을 향해 나아갔다. 후의 '신유가' 운동의 원류를 이루고 있는 것도 그 호칭이 지니는 외견과는 조금 달리 철학과 불교의 결합이었다고 말할 수 있는 것이다.

메이지 일본에서 철학이 불교와 만난 것과 마찬가지의 것이 중국 대륙에서도 보였던 것은 동아시아적 철학의 모종의 숙명을 보여준다. 새삼스럽게 주의가 필요한 것은 동아시아 사상이라고 하더라도 유교와 불교는 성격이 근본적으로 다르다는 점이다. 유교는 주로 사회 도덕으로 향하는 사상이며, 도덕의 근거 짓기를 둘러싸고서 형이상학적 색채를 띠면서도 근본적인 성격으로서는 윤리 사상 내지 도덕 이론이다. 거기에 보아야 할 것이 있다고 하더라도, 좀 더 직접적으로 우리의 마음이나 실존으로 눈을 돌리는 불교 쪽이 내용적으로 서양 철학과 좀 더 강하게 공명할 여지가 있다. 아비달마적인 교설에는 참으로 실재하는 것은 무엇인가라는 존재론적인 논의의 축적이 있으며, '마음'을 둘러싼 분석에서는 주관·객관의 상관과 같은 근대 철학의 틀과 쉽게 결부되는 고찰이 풍부하게 보인다. 공의 사상은 논리학적인 관심을 크게 자극할 것이다. 불교가 근현대 철학과 결합하는 것은 대단히 자연스러운 것이었다.

2. 동아시아적인 철학은 가능한가?

불교로 향하는 철학자들

동아시아인이 철학을 할 때 불교를 배경으로 해야만 하는 의무는 없다고 하더라도, 사실상 불교와의 교차가 창조적인 사고를 길러 왔다는 것은 부정할 수 없다. 두 이노우에가 그것을 일찌감치 보여주는 실례라고 할 수 있는데, 그들이 인도 불교만이 아니라 동아시아 불교로 눈을 돌린 것은 특기할 만하다. 삼론종三論宗과 법상종法相宗과 같은 인도 불교를 직접 이어받는 교리는 말할 것도 없고, 천태종天台宗이나 화엄종華嚴宗 등 중국에서 태어나 일본에서도 오랜 역사를 지니는 교리에 주목함으로써 일본의 철학자들은 동아시아적인 철학의 구현으로 향한 것이다— 설사 졸속한 융합으로 끝나는 것이 많았다고 하더라도 말이다.

이 노선이 니시다에 이르기까지 변함이 없었다는 것에 놀랄 필요는 없다. 본래 세대적으로 그렇게 떨어져 있는 것이 아니기 때문이다. 선종禪宗이나 정토종淨土宗과 같은 좀 더 실천적인 전통도 유식이나 천태·화엄의 교리를 매개로 함으로써 서양 철학과 결부된다는 점을 덧붙일 필요도 없을 것이다. 동아시아 대승 불교에서 철학에 공헌하는 열쇠를 발견한다는 (메이지의 선인들이 지닌) 착상이 여전히 니시다 철학에 계속해서 살아 있다는 것은 철학이라는 영위가 공동 작업이라는 것을 잘 보여준다.

마찬가지의 경위가 중국에서도 보인다. 지나내학원은 (중국 불교가 아니라) 인도 직계의 유식 사상에 주력했지만, 그로부터 슝스리가 나왔다는 것은 이미 말한 대로이다. 더 나아가 슝스리 문하의 머우쭝산牟宗三(1909~1995)은 중국 불교의 역사적 전개에 대한 깊은 이해로부터 천태교학 안에서 서양적 형이상학의 본류와는 날카롭게 서로 다른 틀을 발견하기에 이르렀다(이 다면적인 철학자에 관해서는 이 책 제7장을 참조하기를 바란다). 불교로 향하는 생명이 긴 철학적 탐구가 일본만이 아니라 중국어권에서도 보인다는 것은 아무리 강조해도 지나치지 않을 것이다.

자주 니시다 기타로와 머우쭝산은 근현대 동아시아를 대표하는 철학자로 지목된다. 그 이유는 그들이 동아시아 근대의 공통 과제로서의 철학과 불교의 결합을 높은 수준에서 성취했기 때문이다. 어떠한 방식으로 그들이 동아시아적인 철학의 모범을 보여주었는지에 대해 말하기 전에, '철학'이라는 서양적 전통에 대한 그들의 자세에서 공통점이 보인다는 것을 우선 지적해두고자 한다.

논리와 수리에 대한 깊은 관심, 그것이 이 두 사람의 철학자에게 공통된 것이었다. 역으로 말하면, 그들은 바로 여기에서 동아시아의 사상적 전통의 약점을 보고 있었다. 그들이 '철학자'일 수 있었던 것은 바로 이와 같은 자세로 인해서였다. 뒤에서 이야기하듯이, 20세기 후반에 두드러지게 된 분석 계통/대륙 계통이라는 철학의 분단은 이러한 자세를 보기 어렵게 해왔다.

동아시아 사상에 대한 자세에서도 그들에게는 공통점이 있다.

그것은 (동서의 융합과 같은) 공허한 구호에 대해서는 인연이 없었다는 점이다. 잘 알려져 있듯이, 니시다는 자신의 철학을 둘러싸고서 선禪의 영향이라는, 한마디로 알았다는 느낌을 주게 되는 것을 엄격하게 경계하고 있었다. 한편으로 머우쭝산은 불교 그 자체에 대한 비판적 태도를 완화한 적이 없으며, 설사 불교에 가까이 다가갔다고 하더라도, 그것은 비판 대상에 대한 접근이었다. 그들은 어디까지나 '철학'에 종사했던 것이며, 전통을 내세우는 그러한 자와는 크게 달랐다.

동아시아 사상에 대해 사상사적 서술을 주었는가 아닌가와 관련해서는 양자에게 다름도 있다. 머우쭝산이 중국 불교에서 서양의 형이상학과 다른 틀을 발견할 때, 그는 사상사학자로서 서술했다. 니시다는 동아시아 사상에 대해 그러한 서술을 하지 않았으며, 이 점은 선행하는 두 이노우에와도, 뒤 이어지는 교토학파와도 달랐다(그렇다고 해서 전통을 체현한 것과 같은, 요컨대 불교자로서의 행동을 보여준 것도 아니었지만 말이다). 다만 이 점은 사실 겉보기만큼 큰 차이는 아니다. 니시다는 때때로 서양 철학에 대해 역사적 전개에 대한 깊은 이해를 보여준 서술을 하고 있으며, 설사 동아시아 사상에 대해 마찬가지의 정리된 설명을 제공하지는 않았다고 할지라도 깊은 이해를 곳곳에서 보여준다. 역으로 또한 머우쭝산은 사상사학자의 자세를 계속해서 취하긴 했지만, 그 입장을 본의 아니게 일탈함으로써만 자기의 사상을 표현할 수 있었다(신유가의 대표격으로 간주되는 그는 스스로의 체계를 파탄시킬지도 모를 정도로 천태종에 깊이 공감함으로써 독자를 크게 곤혹스럽게 만들어왔다).

철학적 공헌이라는 이념

그러면 다음으로 니시다 기타로와 머우쭝산에게서 전형적으로 보이는, 불교를 배경으로 한 동아시아적 철학이 지니는 특징을 세부에는 들어가지 않고서 가능한 한 간단히 제시하고자 한다.

교토학파의 특징을 둘러싸고 일반적으로 자주 거론되는 것은 무 내지 절대무의 개념인데, 이것은 잘못은 아니지만, 대단히 오해를 일으키기 쉬운 설명이다. 서양 철학이 파르메니데스 이래로 '있음'을 둘러싼 사유의 길을 걸어왔다고 한다면, 그리고 서양 철학은 오랫동안 실체와 신을 둘러싼 '있음'의 사유였다고 한다면, 확실히 불교는 일관되게 그 반대를 걸어간 것처럼 보인다. 그러나 근대 철학은 커다란 전회를 이룸으로써 실체주의로부터 벗어났다. 모종의 '관계주의'가 그것을 대신한 것이다 ─ 그리고 여기서 대승 불교와의 유사점을 지적할 수도 있다. 그렇다고 한다면, 서양 철학과 불교의 다름은 보이지 않게 되어버린다.

'무'가 동양 사상의 전유물이 아니라 독일 신비주의에서나 그 영향을 받은 독일 관념론 철학에서도 농후하게 보인다는 점은 교토학파의 공통 이해이다. 좀 더 가까운 시대에서는 헤르만 코헨 Hermann Cohen(1842~1918)이 '무'에서 출발하는 인식론을 구상했으며, 그 영향 아래 니시다 자신도 사유를 밀고 나갔다. '무'의 사상도 뛰어나게 서양적인 것이다. 동서의 다름을 졸속으로 파악하는 것에 대한 경계, 그것은 동아시아적 철학의 대전제가 된다.

중요한 요점은 불교적인 철학이 '무'의 개념을 사용하는 것은 '마음'의 탐구에서라는 점이다. 대상이 '있음'인 데 반해 마음은 '무'라고 말해진다. 마음을 규정하는 의지적인 것 역시 '무근거'한 것이라고 말한다. 그로 인해 마음의 탐구 속에서는 '무'가 부차적으로 초점이 되는 것이지만, 장소 내지 '무의 장소'와 같은 표현도 이러한 탐구에서 나온다. 장소의 이론으로 향하는 니시다는 대상이 아니라 대상을 붙잡고 있는 '마음' 그 자체를 파악하고자 한 것이며, 이것은 초월론적인 탐구라고 말할 수 있을 것이다.

근대 철학의 과제를 곧바로 받아들인 초월론적인 탐구가 자연히 불교적 전통과 교차하는 곳에서 독자적인 사유가 생겨난다. '무'로서의 '마음'을 초점으로 한 탐구가 단지 인식론적일 뿐만 아니라 또한 존재론적이기도 하다는 점은 니시다 철학의 특색이기도 한데, 이 점을 좀 더 불교에 입각해서 살펴보자.

마음에는 삼라만상이 비추어지지만, 그것은 마음이 무언가를 받아들이기 때문도 아니고 마음으로부터 무언가가 생겨나기 때문도 아니다. 근거해야 할 기체가 없는 채로 이를테면 마음과 함께 삼라만상이 (무 속에서) 성립하고 있다——더욱이 극악부터 극락에 이르기까지가 평등하게 빠짐없이, 근거해야 할 것 없이 존재하고 있다(일념삼천一念三千). 여기서 대단히 불가사의한 모종의 존재론적인 식견을 발견할 수 있다. 머우쫑산이 '불교적 존재론'이라고 부른 이러한 식견은 니시다에 의한 '장소의 이론'과 더불어 근대 철학을 받아들인 탐구가 불교와 결부된 두드러진 성과이다.

대상을 성립시키는 마음의 구조 내지 논리를 파악하고자 하는 초월론적인 탐구에 의해, 또한 모든 것을 근거해야 할 기체가 없는 것으로서 다시 응시함으로써 사유는 자연히 불교적 전통과 공명하기 시작한다. 이리하여 니시다와 머우쫑산은 동아시아적인 철학이 어디에 초점을 맞추는지를 가리켜 보여준 것이다.

분석 계통/대륙 계통의 분단과 동아시아

동아시아권에서의 사상의 영위—또는 철학적 공헌—에 모종의 공통성이 있다고 하더라도 그것을 보기 어렵게 하는 것이 있다. 니시다와 머우 사이에 마치 쐐기를 박는 것과 같은 역할을 하는 것, 그 하나는 분석 철학과 대륙 철학의 분단이다.

철학의 분단이 철학함에 대해 어느 정도나 관계되는 것인지를 전후 일본의 철학으로부터 몇 개의 사례를 살펴봄으로써 여기서 고찰하고자 한다.

전후 일본을 대표하는 철학자의 한 사람으로 오모리 쇼조大森莊藏 (1921~1997)가 있다. 그는 일찌감치 영어권의 철학을 배경으로 한 사유를 전개했으며, 그의 가르침을 받은 자들 가운데는 특별히 '분석 계통'의 연구자가 된 자도 많다. 그런데 그는 해외의 분석 계통의 논의를 뒤쫓아 가며 약간의 부가물을 덧붙여간, 일본의 전형적인 분석 계통 연구자의 자세를 취한 것이 아니라 '나타남 일원론'으로 대표되는 독특한 스타일의 사유를 전개했다.

오모리가 높이 평가한 것이 전후 일본을 대표하는 또 한 사람의 철학자 히로마쓰 와타루廣松渉(1933~1994)이다. 자타 모두 인정하는 이 맑스주의자는 분류로서는 '대륙 계통'과 '포스트모던'에 들어갈 것이다. 하지만 그의 이론에서는 유명한 4지적 존재 구조를 둘러싸고서는 논리 분석에 근거하여 이루어지는 부분이 있으며, 논리와 과학을 둘러싼 강한 관심과 어울려서 일본의 전형적인 대륙 철학 연구자의 틀에는 잘 맞지 않는다.

요컨대 분석 계통/대륙 계통의 구별을 오모리와 히로마쓰와 같은 전후 일본의 철학자에게 적용하는 것은 분명히 부적절하다. 그들의 직접적인 제자들도 역시 그와 같은 구별에는 구애되지 않았다. 그렇지만 남겨진 사상에 대해 논의하는 '연구자'에게는 어느 진영에 속하는지가 때때로 사활적인 문제로까지 되는데, 그것은 철학하는 영위와는 거의 관계가 없다.

교토학파와 관련해서는 어떠한가? 이 계통으로 이어지는 전후의 사유자 대부분은 하이데거의 영향을 받은 '대륙 계통'이다. 일본 철학을 대상으로 하여 연구를 진행하는 연구자들(일본이든 해외든)도 마찬가지다. 그러나 이 점에 얼마만큼의 필연성이 있을까? 니시다 기타로는 논리와 수리에 계속해서 관심을 보였으며, 그가 말하는 '술어의 논리'도 일본어의 특성에 의한다기보다 오히려 술어 논리를 염두에 둔 것이었다. 만약 그가 전후에도 살아 있었다고 한다면, 어쩌면 '분석 계통'으로 화려하게 변신했을 가능성마저 생각될 수도 있다(전후에 일본 철학의 거점이 마치 교토대학으로부터 도쿄대학으로 옮겨간 것처럼 보이는 이유도 이 점에서 찾아질지도 모른다).

근래 분석적 수법으로 아시아권의 전통 사상을 다시 해석하고자 하는 움직임이 일본에서도 활발해졌다. '분석 아시아 철학(데구치 야스오出口康夫)이라고도 불리는 이러한 움직임은 주로 불교를 대상으로 하여 논리학을 사용한 분석적인 철학 연구를 전개하고 있다. 잘 알려진 세계적인 연구로서는 그레이엄 프리스트Graham Priest (1948~)의 것이 이 범주에 들어간다.

이러한 움직임은 세계 속에서 동아시아 철학의 전도를 생각할 때 특히 주목할 만하다. 다만 분석적 접근은 아시아권에서 반드시 '새로운' 것이 아니라는 점에 주의할 필요가 있을 것이다. 영어권 철학계의 영향이 강한 홍콩이나 타이완에서는 이전부터 활발하게 시도되어왔기 때문이다. 본래 논리학자로서 이름을 얻은 머우쭝산역시 『수학의 원리Principia Mathematica』를 숙독하는 데서 출발한 사상가이며, 분석적 전통과의 관계없이는 신유가 사상마저 말할 수 없다.

동아시아적 철학의 모범을 보여준 니시다 기타로와 머우쭝산은 논리학에 깊은 관심을 기울였다는 점에서 공통되며, 특히 후자는 동시대적인 연구 경향의 분단을 각성한 눈으로 바라보고 있었다.

오모리와 히로마쓰와 관련해서도 같은 말을 할 수 있다. 분석 계통·대륙 계통의 분단이 커다란 의미를 지니는 것은 철학자라기보다 그들을 대상으로 한 해석자들 측이다. 동아시아적 철학의 공통성을 보기 어렵게 하는 것의 하나는 이러한 분단이었지만, 그것에 사로잡혀 있어서는 본래 '철학함' 등이 가능하지 않을지도 모른다.

3. 미화가 아니라 공동의 탐구로

근대주의적 비판과 그 변주

이상과 같은 논의에 찬물을 끼얹는 지적이 근대주의자에 의해 이루어져 왔다. 서양 근대의 영향이 피상적인 것에 머물러 있는 것이 아닐까 하는 의혹이다. 우리는 아직 충분히 근대화되어 있지 않으며, 근대화야말로 여전히 과제가 되어 있다— 특히 마루야마 마사오丸山眞男(1914~1996)에 의한 지적이 잘 알려져 있으며, 후에는 가라타니 고진(1941~)이 일본에서의 포스트모던 유행에 대해 마찬가지의 이야기를 했다. 이 비판에는 널리 동아시아 지역에 들어맞는 점이 있다.

마루야마 마사오의 지적은 다음과 같은 것이었다. 전전의 일본에서는 활발하게 '근대의 초극'을 부르짖었지만, 거기에는 두 가지 전제가 있었다. 하나는 자신들은 이미 충분히 근대화되었다는 자부심이며, 또 하나는 미화된 전통 사상에 대한 근거 없는 자신감이다. 하지만 두 가지 전제는 모두 잘못이다(『일본 정치사상사 연구』 영어판에 대한 저자의 서문). 우선 일본은 모두가 그렇게 생각할 정도로는 아직 근대화되어 있지 않다. 자기 이미지가 잘못되어 있는바, 오히려 우리에게는 전근대성이 집요하게 남아 있다. 전통 사상의 이미지도 잘못되어 있다. 그것은 생각되고 있는 정도로 통일적인 것이 아니라 오히려 정반대로 향한 사상마저 발견되기 때문이다.

마루야마에 따르면, 일본의 에도 시기의 사상에는 서양 이상으로 서양 냄새가 풍기는 '근대적인' 사상이 있었다. 구체적으로는 오규 소라이荻生徂徠가 그러하며, 거슬러 올라가면 소라이가 재평가한 순자에까지 다다른다. 동아시아 사상에는 자연과의 공생을 노래했다는 것 등으로 일괄하여 미화하는 것 따위는 도저히 가능하지 않은 다양성이 있다. 이 논점은 동아시아 사상 전반에 응용가능한 고찰이다.

서둘러 두 가지를 덧붙이고자 한다. 하나는 위에서 언급한 두 가지 전제(및 그에 대한 비판)는 사실은 서로 연결되어 있다고 하는 점이다. 충분히 근대화되지 않았다는 것은 의식되는 일이 없는 나쁜 전통이 집요하게 남아 있다는 것이다. 전통을 미화할 수 없다는 것은 전통을 객관적으로 파악하고자 할 때 근대적 관점에서는 부정해야 할 자기의 상이 거기에 비쳐 보인다는 것이다.

따라서 두 가지 전제를 마루야마처럼 분리하여 이야기할 필요가
반드시 있는 것은 아니다.

또 하나는 21세기의 우리에게 근대화가 불충분하다든가 전통을
미화한다든가 하는 비판은 공허하게 들린다는 점이다. 아니, 그보
다도 먼저 우리는 본래 전통에서 이미 멀리 떨어져버렸다. 학술적
유산으로서의 사상적 전통은 자연스럽게 몸에 배어 있는 것과
같은 것이 아니며, 과거의 텍스트를 이해하는 노력을 기울이는
것은 사회 속에서는 소수파인 데 지나지 않는다. 역으로 말하면,
일본을 포함한 동아시아의 과거 사상도 세계의 사람들 앞에 공통의
'문화유산'으로서 진열된 데 지나지 않으며, 집요하게 우리를 규정
하는 존재감 따위는 없다. 이 점에서 세계의 모든 사상은 이미
상대화되어버렸다.

다음과 같은 짧은 이야기를 소개하고자 한다. 동아시아에는
자연과 공생하는 사상이 있다고 하며, 서양 사상과의 다름이 자주
강조된다. 일신교에서 보이는 사람에 의한 자연의 극복과 같은
사고방식이나 사람과 동물의 단절과 비교하면, 그렇게 말할 수도
있다. 사람과 자연이 연결되어 있다고 하는 천인상관론天人相關論의
경우에도, 이른바 무정성불無情成佛의 경우에도, 또한 '나비의 꿈'의
경우에도 아무래도 자연과의 공생이 보인다는 느낌이 든다. 하지만
적어도 20세기 말 이후의 중국은 세계에서 으뜸가는 환경오염
대국이다. 역사적으로 중국 이상으로 자연과의 공생에서 모종의
정체성을 발견해온 일본도 심각한 환경오염을 경험해왔으며, 원전

사고에 의한 대규모의 방사능 오염으로부터 오늘도 아직 치유되고 있지 않다. 역으로 서양 쪽이 훨씬 더 자연에 다정한 사회를 만들고 있다는 것은 아무래도 얄궂지 않을까 ― 이것은 마루야마적인 비판의 변주이다.

탕진된 유산

근대화 운운하는 것이나 전통 사상의 미화 이전의 것으로서 오늘날 사람들이 얼마만큼이나 사상적 유산에 관심을 기울이는지에 눈을 돌려보자. 패전 후의 일본에서 철학·사상 가운데 일반 독자의 주의를 끌어온 것은 하나같이 서양의 현대 사상이며, 그것 이외에는 없었다. 이러한 경향은 오랫동안 변함이 없으며, 포스트모던의 사상가이든 분석 계통의 논자이든 서양의 것으로 '새롭다'라고 하면 독자가 달려드는 상태가 계속되어왔다. 미화되는 전통 따위는 이미 오랜 옛날에 탕진되어버린 듯하다.

창조적인 사고를 위해 사상 문화의 유산에 눈을 돌린 자는 확실히 있었다. 와쓰지 데쓰로和辻哲郎(1889~1960)와 같은 사상가는 폭넓게 비서양권의 사상으로 향해 갔다(교토학파의 사람들이 불교 사상의 이해를 얻은 것도 사실은 그의 영향으로 인한 바가 컸다고 말하기도 한다). 전후의 철학계에서도 사카베 메구미坂部惠(1936~2009)처럼 일본의 사상 문화에 눈길을 돌리는 사람이 있었다. 하지만 그것은 너무나도 문인적인 거동이라고 여겨져 왔다.

일본에서는 전문적인 철학과 거리를 두고서 문예 비평에 중점을 둔 사상가들이 모범적인 '교양'을 사람들에게 제시해왔다. 고바야시 히데오小林秀雄(1902~1983)나 가라타니 고진은 서양 철학뿐만 아니라 일본 사상 및 그 전제가 되는 중국 사상에도 깊은 관심을 보여왔다. 하지만 그들이 획득한 많은 열심 있는 독자들이 동아시아의 사상 문화에 관심을 지녔는가 하면 전혀 그렇지 않았다. 그들이 모범적으로 보여준 교양의 넓이는 어쩌면 단순한 태도로서 치부되었던 것인지, 그다지 진지하게 받아들여지지 않았으며, 유산은 그저 탕진되어온 것으로도 보인다.

다른 동아시아권에서도 서양을 향하고 있다는 점에서는 일본과 변함이 없다. 다만 조금 사정이 다른 것은 특히 중국어권에서는 중국의 역사적인 사상들이 '철학'의 한 부문으로서 자리매김하고 있고, 경우에 따라서는 서양 철학 이상의 인기를 모으는 경향이 보인다는 점일 것이다. 학생을 포함하여 일반적으로 서양 철학 이상으로 중국 사상에 관한 관심이 강하게 보이며(여기서 염두에 두고 있는 것은 특히 타이완에서의 근래의 사정이다), 철학 연구자도 (적어도 일본보다는) 훨씬 더 중국 사상에 관심을 기울여왔다.

중국어권에서 중국 고전에 관한 관심이 강한 것은 당연하다고 하면 당연하다. 유학 등은 '국학'의 중요한 일부분이며, 외래 사상이 한문에서 유럽어문으로 변했을 뿐인 일본과는 크게 다른 맥락이 있다. 중국 사상은 지금도 가치를 지니는 것, 살아 있는 사상으로서 되살려야 할 것이라는 의식이 강하며, 이 점에서는 문화적 유산이 중요하게 여겨지고 있다고 말할 수 있을 것이다.

하지만 이러한 다름은 결정적인 것이 아니며, 전통과의 거리감은 (정도의 차이야 있지만) 역시 동아시아 공통의 현상이다. 이전에 동아시아 각 지역은 관심을 오로지 서양에 기울일 뿐 서로에게는 무관심했다. 근래에는 동아시아의 학술 교류가 진전됨으로써 서로에 대한 무관심은 시정되고, 문화적 공통성의 의식이 강해지고 있다. 공통성의 의식에 뒷받침됨으로써 동아시아적인 철학을 향한 협력 관계와 같은 것이 생겨나고 있다.

전략 다시 세우기

돌이켜보면 이전에 일본에서는 아시아권에서 서양화를 일찍 이루었다고 하는 자기 규정이 행해지는 일이 많았다. 그 연장선상에서는 아무런 장래성도 발견될 수 없다고 하는 것이 최근 무기력함의 한 원인이기도 했다.

이러한 자기 규정은 본래 역사적으로 보아 올바르지 않다. 동서 교섭은 지금까지 일반적으로 그렇게 받아들여져 온 것보다 훨씬 더 오랫동안 계속된 것이었으며, 비서양권은 메이지 일본을 기다리지 않고서 상당히 일찍부터 서양 문화를 접해왔다. 중동과 인도에 대해서는 말할 것도 없고, 중국도 역시 일본에 그리 뒤처지지 않았다. 근대에 들어오고 나서도 중국에 의한 서양 문화의 수용은 (분석 철학이 그러하듯이) 자주 일본보다 더 일찍 본격적이기도 했다. 오늘날 유럽과 미국에의 유학에서는 일본 이외의 아시아권으로부터의 경우가 다수를 차지하기 때문에, 서양의 유행 사상을 받아들이는 속도라는 면에서는 한층 더 뒤처질 뿐이다.

이전에 일본이 역사적으로 수행한 역할로서 서양 철학을 전통 사상과 잘 융합시키는 방법을 만들어 낸다는 것이 확실히 있었다. 평가해야 하는 것은 일찌감치 서양을 받아들였다는 점이 아니라 오히려 열심히 그리고 우직하게 창의적인 공부를 쌓아나감으로써 새로운 것을 산출했다는 점에 있다. 서양 철학의 번역어는 물론이고, 이노우에 데쓰지로로부터 니시다 기타로에 이르기까지 동아시아 사상을 배경으로 한 철학적 공헌이라는 이념을 내건 부단한 노력을 계속해온 것이다.

중국어권에서도 마찬가지 노력이 계속되어온 것에는 다름이 없다. 하지만 지금까지 일본의 철학자는 이 점에 너무나도 많은 관심을 기울여 왔다. 역으로 또한 동아시아의 철학자들도 일본의 일에 그렇게 관심을 기울여 오지 않았으며, 경시하는 풍조마저 있었다. 오랫동안 아시아권의 여러 사유자는 서로 손을 잡을 수 없었다. 비슷한 과제를 지니는 자들이 서로에 대해 알지 못한다는 것이 아시아의 불행이었던 것이다.

21세기에 들어서고 나서 상황은 변해왔다. 세계 속의 상호 교류가 진전되는 가운데 동아시아에서의 상호 교류도 깊어져 왔으며, 이전에 보인 지역적 격차나 단절과 같은 것은 이미 보이지 않게 되었다. 본래 동아시아에서는 사상적 공통성이 강했지만, 상호

교류가 심화함에 따라 점점 더 공통의 토양 위에서 논의가 가능해져
왔다. 이러한 경향이 나쁜 균질화로 끝나는 것이 아니라 많은
사유자에 의한 공동의 탐구로 발전하는 것에 대한 기대가 전례
없이 높아지고 있다.

☞ 좀 더 자세히 알기 위한 참고 문헌

— 후지타 마사카쓰藤田正勝, 브렛 데이비스Bret Davis 편, 『세계 속의 일본
철학世界のなかの日本の哲学』, 昭和堂, 2005년. 일본 철학을 세계 속에 자리매
김하는 시도로서 오늘날의 연구 자세를 맹아적으로 보여준다.
— 노에 게이이치野家啓― 감수, 람 윙쿵林永强·청칭위엔張政遠 편, 『일본 철학
의 다양성 ― 21세기의 새로운 대화를 지향하여日本哲学の多樣性 ― 21世紀の
新たな對話をめざして』, 世界思想社, 2012년. 일본의 철학이 지니는 가능성을
특히 동아시아에서의 동향을 시야에 넣어 고찰한 획기적인 논문집.
— 고사카 시로高坂史朗, 『동아시아의 사상 대화東アジアの思想對話』, ぺりかん社,
2014년. 동아시아와의 관계에 주력하여 일본 철학의 자리매김을 재는
것으로, 이 장에서 언급할 수 없었던 일본 통치하에서의 한반도와 타이완
의 사상사도 포함한다.
— 후지타 마사카쓰藤田正勝, 람 윙쿵林永强 편, 『근대 일본 철학과 동아시아近
代日本哲学と東アジア』, 国立台湾大学出版中心, 2019년. 마루야마 마사오丸山眞
男와 이즈쓰 도시히코井筒俊彦, 야마우치 도쿠류山內得立와 같은 다양한
일본의 사상가를 동아시아 사상과의 관계에서 고찰한다.

제10장

현대 아프리카 철학

고노 데쓰야^{河野哲也}

1. 들어가며 ─ 서양 중심주의의 그늘에서

이 장에서는 현대 아프리카의 철학을 소개한다. 아프리카라는 광대하고 가장 오랜 인류사를 지니는 장소의 철학을 하나의 장에서 소개하는 것은 본래 불가능하다. 아프리카 철학에 관한 일본어로 쓰인 서적이나 논문은 너무나도 적다. 대부분의 일본어 독자는 아프리카에 어떠한 철학이 있는 것인가에 대해 전혀 알지 못할 것이다. 그리하여 본론에서는 현대의 아프리카 철학의 개략도를 그리려고 한다. 흥미로운 몇 가지 주제를 다루어 자세하게 논의하는 것은 이후의 작업이다.

아마도 철학에 어느 정도 정통한 사람은 알제리 독립운동에서 지도적인 역할을 한 프란츠 파농^{Frantz Fanon}(1925~1961)의 이름을 알고 있을 것이다. 그의 중요한 저작은 번역되어 있다. 또는 런던에서 태어나 가나에서 자란 철학자인 콰메 앤터니 애피아Kwame Anthony Appiah(1954~)는 현대의 정치 철학이나 윤리학 부문에서 저명하다. 그러나 이 두 사람 이외의 이름은 일본에서는 거의 알려지지 않았다.

이유는 몇 가지 있다. 하나는 말할 필요도 없이 아프리카가 지리적으로나 역사적으로 일본과 인연이 멀었던 탓이다. 또 하나는 일본의 문화 도입에서의 서양 중심주의의 폐해이다. 필자가 정확히 30년 정도 전에 유학한 벨기에의 루뱅가톨릭대학에는 자이르(당시, 현 콩고민주공화국)와 나이지리아로부터 많은 유학생이 철학과의 대학원에 모여 있었다. 그들 가운데 많은 이가 정치 철학이나 윤리학을 전공으로 하든가 현상학이나 해석학의 입장에서 자문화를 해석하는 연구를 수행하고 있었다. 강의나 세미나에서는 아프리카의 유학생이 근대 서양 철학자의 텍스트 속에서 서구 중심주의나 식민지주의로 연결되는 담론을 발견하고 혹독하게 비판하고 있었다— 덧붙이자면, 남미에서 온 유학생도 마찬가지로 유럽의 자민족 중심주의를 비판하고 있었다.

필자가 유학에서 귀국할 무렵에는 이미 서양 근대의 고전을 읽을 때 아프리카인들의 그러한 비판을 떠올리지 않을 수 없게 되었다. 귀국하여 강한 위화감을 느낀 것은 일본에서는 변함없이 서양 철학이 가져온 어두운 부분이 마치 존재하지 않는 것처럼 연구하고 있다는 점이었다. 현대의 아프리카 철학은 서양 근대 철학의 근원적 비판에서 시작된다. 서구 중심주의나 식민지주의의 폐해에 대한 언급 없이는 이미 서양 근대 이후의 철학을 말할 수 없다는 것을 여기서 분명히 지적해두고자 한다.

아프리카의 세계에서의 존재는 서서히 높아지고 있다. 경제적인 발전이 그 주된 이유이지만, 철학 분야에서도 2010년쯤에 블랙웰과 라우틀리지, 옥스퍼드대학출판이라는 저명한 출판사에서 충실한 선집이 출판되었다. 그 외에도 수많은 아프리카 철학 서적이 출판되어 있다. 거기에는 현대의 세계철학에 공헌할 수 있는 새로운 시각에서 이루어진 발상이 가득 차 있다. 우선 반식민지주의라는 현대 아프리카 철학의 가장 커다란 배경을 설명하는 것에서 시작해보자.

2. '암묵의 대륙' 담론으로부터 범아프리카주의로

식민지화에 대한 사상적 저항

서구의 계몽 시대란 식민지주의와 제국주의의 시대이다. 그것은 노예 매매가 이루어진 시대였다(宮本·松田, 2018). 19세기 초에는 노예 무역이 영국, 미국, 네덜란드, 프랑스로 차례차례 폐지되어 갔지만, 아프리카인 멸시의 철학적·과학적 담론은 그 후에도 계속해서 영향력을 지녔다. 칼 폰 린네의 인종 분류, 애덤 스미스,

아프리카 (2020년)

데이비드 흄, 임마누엘 칸트 등, 18세기 후반에 활약한 과학자·철학자의 담론에는 아프리카에 대한 차별적인 눈길을 빚어내는 생각이 포함되어 있다. 19세기가 되어서도 인종 불평등론의 아르튀르 드 고비노Joseph-Arthur de Gobineau는 말할 것도 없고, 미국 독립 선언을 기초한 토머스 제퍼슨, 사회 진화론의 허버트 스펜서, 그리고 헤겔의 역사 철학 등, 서양 철학의 주류가 인종 차별을 정당화하는 사상적인 기반을 계속해서 제공한 것이다. 아프리카

의 관점에서 그들은 다름 아닌 인종 차별의 이데올로그들일
뿐이다.

악명 높은 1884년의 베를린 회의에서 일곱 개의 유럽 열강에
의해 라이베리아와 에티오피아 이외의 아프리카가 분할된다(아프
리카 분할). 이 체제는 제1차 세계대전 종료까지 이어진다. 그러나
같은 시기에 아프리카, 아메리카합중국과 카리브해 나라들에서
흑인에 의한 정체성 운동인 범아프리카주의 pan africanism 가 융성하
여 세계에 흩어진 아프리카계 주민의 해방과 연대를 호소하기
시작했다. 1900년에 런던에서 최초의 범아프리카 회의가 개최되었
고, 제1차 세계대전 후에는 거푸 개최되고, 제2차 세계대전 후인
1945년에 열린 맨체스터에서의 제5회 회의에는 아프리카 나라들
의 대표가 다수 참가했다. 이후 제2차 세계대전 승리에 대한 공헌을
배경으로 하여 아프리카 각국에서는 옛 종주국으로부터의 독립을
요구하게 된다.

1960년에 국제연합이 「식민지와 인민에게 독립을 부여하는
선언」을 채택한다. 1960년대에는 카메룬, 토고, 말리, 마다가스카
르, 소말릴란드, 콩고, 소말리아, 다호메이(현 베냉), 니제르, 오트
볼타(현 부르키나파소), 코트디브와르, 차드, 중앙아프리카, 가봉,
나이지리아, 모리타니아 등의 나라들이 독립을 완수했다. 그 후
1980년대까지 대부분의 아프리카 나라가 독립을 이루게 된다.

3. 아프리카에 철학은 있는가?

고대부터 현대까지 이어지는 아프리카 철학

아프리카의 철학은 다양하지만, 크게 셋으로 나눌 수 있다. 첫째는 북아프리카의 이슬람 철학, 둘째는 아프리카 출신이지만, 주로 구미 철학의 맥락에서 말할 수 있는 철학이다. 셋째로 사하라 사막 이남의 철학이다. 본론에서는 세 번째를 소개하는데, 현대에는 두 번째 흐름과 세 번째 흐름을 통합하려고 하는 철학자도 많이 있다는 것을 잊어서는 안 된다.

아프리카의 철학을 논의할 때 언제나 문제가 되어온 것은 '아프리카에 철학이 있는가'라는 물음이다. 역사를 보면, 이 물음은 어리석게 보인다. 고대 이집트가 지중해 문화권의 중심 가운데 하나였다는 것은 잘 알려져 있을 것이다. 그리스·로마 시기의 그리스도교 교부 철학자, 오리게네스(알렉산드리아), 테르툴리아누스(카르타고), 플로티노스(리코폴리스에서 태어나 알렉산드리아에서 공부), 아우구스티누스(카르타고에서 태어난 힙포의 사제)는 현재의 이집트와 튀니지 또는 로마 등의 도시에서 활약했다.

시대를 근세로까지 밀고 나가면, 17세기의 에티오피아에서는 유신론적 합리주의를 주창하고 반그리스도교적인 제라 야콥(1599~1692), 그의 제자로 윤리와 지혜, 심리와 교육에 대해 논의한 왈다 헤이와트Walda Heywat(17세기)가 나타난다. 18세기에는 가나 출신으로 할레대학과 예나대학에서 공부하고 교사의 역할을 다한 안톤 빌헬름 아모Anton Wilhelm Amo(1703~1759)가 유명하다. 그는 데카르트의 마음 개념을 비판하고 감각 지각을 마음에 귀속시키지 않는 경험주의 철학을 주창했다.

19세기부터 20세기 전반에 이르면, 앞의 범아프리카주의를 주창한 정치사상가들이 등장한다. 라이베리아의 사상가로 외교관, 정치가이자 범아프리카주의의 아버지로 여겨지는 에드워드 블라이덴Edward W. Blyden(1832~1912). 아프리카계 미국인인 영국 국교회(성공회)파 성직자이자 범아프리카주의를 발전시킨 알렉산더 크룸멜Alexander Crummell(1819~1898). 서아프리카의 크리오 민족주의 작가('크리오Krio'란 시에라리온에 사는 크레올인을 말한다)이자 영국군 외과 의사이기도 했던 아프리카누스 호튼Africanus Horton(1835~1883)은 인종주의에 대한 반론과 자기 통치를 주장했다. 현 가나의 황금 해안의 법률가이자 정치사상가였던 존 사르바John Mensah Sarbah(1864~1910)는 원주민의 권리 보호 단체를 만들고, 가나 독립을 호소했다. 마찬가지로 가나의 저널리스트이자 법률가, 정치가, 교육자인 조세프 헤이포드Joseph Casely Hayford(1866~1930)도 식민지 통치와 노예제를 비판하고 범아프리카주의를 주창했다.

이렇게 이집트는 고대 철학의 중심지 가운데 하나였으며, 근세에도 저명한 철학자가 배출된 것은 분명한 사실이다. 그렇다면 '아프리카에 철학은 있는가'라는 물음은 어떠한 물음인 것일까? 현대의 남아프리카 철학자인 모고베 라모세Mogobe Ramose는 다음과 같이 비판한다. 즉, '아프리카에 철학은 있는가'라는 물음은 아프리카인이 아닌 자가 내세우는 것이며, 이 물음 자체가 이미 식민지주의적이다. 고대 그리스 철학이 이집트에서 영향을 받았고, 근세에도 뛰어난 아프리카 출신 철학자가 있다는 것은 철학을 아는 자라면 누구나 인정한다. 그럼에도 불구하고 이 물음이 계속해서 제기되는 것은 서양 철학이 아프리카인을 인간이라는 틀에서 다루지 않는 전통을 계속해서 유지하고 있기 때문이다.

즉, 서양 사회는 야만-문명, 전논리-논리, 지각-개념, 구술-문자, 종교-과학과 같은 이분법을 세우고, 전자를 아프리카에 할당했다. 가치의 높고 낮음을 수반하는 이분법을 바탕으로 한 서양적 사고는 윤리적인 동시에 철학적으로 비판되어야 한다. 확실히 아프리카 철학은 반드시 책 속에 기록되어 있는 것으로 한정되지 않는다. 그러나 반성적·비판적 사고는 문자를 필수적인 조건으로 하지 않으며, 입으로 말하는 문답이나 설법에 의해서도 가능한 것이다. 플라톤에 의한 필기가 없더라도 소크라테스는 철학적이었듯이 말이다.

4. 에스노필로소피와 그 비판

탕펠의 영향

벨기에에서 태어난 플라시드 탕펠Placide Frans Tempels(1906~1977)

은 벨기에령 콩고에서 30년간 활동한 프란치스코회 선교사였다. 그는 아프리카인도 철학을 전문으로 하는 자도 아니었지만, 『반투철학』(1945년)이라는 저작으로 현대 아프리카 철학에 커다란 영향을 미쳤다. 탕펠은 아프리카 문화의 근저에 놓여 있는 사유 방법을 밝히고자 한다. 아프리카 문화의 기저에는 일자로서의 신, 생명력, 신의 창조적 힘에 의한 살아 있는 온갖 것에 대한 생명력의 부여와 같은 근본적인 존재=생명관이 놓여 있다. 그 창조적 생명에 의해 모든 힘은 내적으로 결부된다. 힘은 본질적으로 관계적으로 작용한다. 개개인이 고립된 혼을 지닌다는 개인주의는 이 힘과 생명의 원리를 이해할 수 없다. 지혜와 지식이란 다름 아닌 이 존재=생명에 대한 지식이다.

탕펠의 아프리카 문화 해석은 '에스노필로소피Ethnophilosophy'라고 불리게 된다. 에스노필로소피는 혹독한 비판을 받았지만, 그 이후 아프리카의 문화와 언어의 기저에 놓여 있는 철학적 개념과 존재론, 인식론을 발굴해 가는 연구가 새롭게 만들어져 간다.

아프리카의 인식론은 독특하다. 예를 들면 '진리'에 가까운 함의를 지니는 아프리카의 '마아트Maat'라는 개념은 이집트, 에티오피아, 콩고, 중앙아프리카, 기아나, 카메룬, 가봉, 나이지리아, 수단의 각지 언어에서 발견된다. 이 개념은 공평성, 진면목, 진실성, 진리, 올바름과 같은 함의를 지닌다. 이집트의 건축, 사회 제도, 정부, 사랑·행복·평화와 같은 도덕은 지적이고 과학적인 동시에 정신적인 마아트의 의미를 반영하고 있다고 한다. 요르바어(나이지리아 등)에서의 '안다'라는 개념에는 서양의 진리성의 기준에 더하여 '눈에 의한 목격'이 필요조건으로 여겨진다. 보크 바송크 등이 논의하는 인식에서의 '점占'의 지위 등도 사실은 차분히 소개하고 싶다. 인식은 통상적으로 인과적 규칙성에 관계하지만, 그것으로는 파악되지 않는 우연한 것이나 사건이 개별적인 사태로서 발생한다. 점은 후자에 관계되는 운명에 관한 지혜라고 하는 것이다.

또는 오크라Okra라는 케냐의 마음 내지 혼의 개념은 서양의 실체적이고 개인적인 soul과는 동일시될 수 없다. 오크라는 실체가 아니라 일종의 능력을 의미한다. 게다가 그 능력도 공동체에서의 책무에 관계된다. 그에 대응하여 오크라에 기초하는 도덕성 개념도 보편성뿐만 아니라 지역성·인륜성도 강하게 함의하고 있다.

또한 존 음비티John S. Mbiti(1931~2019)에 따르면, 아프리카의 시간 개념은 언제나 사건의 발생과 관계한다. 시간성이란 발생한 사건, 발생하는 사건, 발생하고 있는 사건 이외의 것이 아니다. 아직 발생하고 있는 것이 아니라고 생각되는 2년 이상 앞의 사건은 시간 속에 자리를 차지하지 않는다. 이외에도 예를 들면 음비티가 『아프리카의 종교와 철학』(1969년)이라는 고전적인 저작에서 소개하고 있는 수많은 아프리카적인 개념들은 당연히 필자의 사유를 촉발하고 있다.

아프리카의 언어에 내장된 범주의 관점에서는 서양어를 반영한 철학적 개념들, 예를 들면 마음-몸(사물), 자연-초자연, 종교-세속, 신비–비신비, 실체–속성 등의 전형적인 이원론을 상대화하고 비판할 수 있다. 아프리카에서는 비교 철학적인 관점에서 서양적인 철학이 탈구축된다.

전통을 어떻게 계승할 것인가?

현대 아프리카 철학은 전통적인 종교와 가르침, 신화 등에서 보이는 아프리카적인 사유 방법과 식민지주의 시대에 들어온 서양적 사유 사이의 긴장 관계를 내포하고 있다. 아프리카적인 전통의 복권, 그에 대한 비판. 서양과 아프리카를 대립시키는 생각, 그에 대한 비판, 또한 보편성의 발견. 이러한 극들 사이에서 아프리카 철학은 자신의 정체성을 발견하고자 한다. 예를 들면 엠마뉘엘 이지Emmanuel Chukwudi Eze(1963~2007)의 '합리성'에 대한 비교론적인 고찰은 그 노작이다.

에스노필로소피는 아프리카의 독자적인 발상을 서양 문화·서양 철학과 대비하여 밝혀가는 철학이다. 그러나 가나와 미국의 대학에서 철학을 가르친 크와시 위르두Kwasi Wiredu(1931~)와 베냉 국립대학에서 오랫동안 가르친 폴린 훈톤지Paulin J. Hountondji(1942~) 등은 에스노필로소피를 평가하지 않는다. 거기에서는 철학다워야 할 자기 비판성이 약하고 과학(철학)적 관점도 약하다. 너무나도 자문화에 집착하고 있고, 현재의 아프리카 정치에 대한 언급이 충분하지 않다. 다양한 아프리카 문화를 성급히 일반화하는 경향이 있음과 동시에 그 아프리카적 특징을 지나치게 강조하는 경향이 있다고 하는 것이다.

아프리카 연구는 식민지 지배의 종료 후에 융성했지만, 다른 한편으로 아프리카 철학이 어려웠던 것은 다음의 두 가지 이유 때문이다. 우선 아프리카 철학, 특히 에스노필로소피는 문화 인류학에 의한 종교 연구를 토대로 하고 있다. 거기에는 아프리카인이 자신의 종교를 어떻게 영위하고 있는가 하는 관점에서 말해지는 경향이 있다. 문화 인류학과 마찬가지로 당사자로부터의 서사에 머무르고 말며, 철학이 필요로 하는 자기에 대한 비판적 음미를 결여한다. 둘째로 아프리카의 사상에 관한 정보는 다양하며, 모으기 어렵고, 정리되어 보존되어 있지 않다. 그것들은 비공식적인 개인 차원의 기술에 머무는 경향이 있으며, 민족이나 사회에 공통된 경향이 추출되어 있지 않다. 나아가 에스노필로소피는 정치적 이유에서 아프리카의 문화적인 옹호와 독립을 지향하는 민족주의적·국가주의적 이데올로기로 되는 경향이 있다. 그런 까닭에 위르두 등은 에스노필로소피를 철학으로는 인정하지 않는다. 아프리카 민족들의 전통적 문화에 주목하면, 이상과 같은 문제점이 생기는 것은 어떤 의미에서 당연할 것이다. 압정적인 문화에 저항하여 지역적인 문화의 가치를 찬양할 때는 아프리카뿐만 아니라 세계의 어디에서도 보이는 경향이라고 말할 수 있는 것이 아닐까?

5. 현대 아프리카 철학의 주제와 경향

현대의 네 가지 조류

이상과 같은 비판이 있긴 하지만, 에스노필로소피는 새로운 아프리카 철학의 가능성을 열었다. 현대의 아프리카 철학에는 에스노필로소피에 더하여 몇 가지 조류가 존재한다. 영어와 프랑스어로 된 서적을 읽으면, 다음과 같은 넷으로 아주 대략적으로 분류할 수 있다고 생각된다.

첫째는 지금 설명한 에스노필로소피이다. 둘째는 범아프리카주의 운동 이후의 정치 철학, 정치사상, 사회 철학, 민족 자립을 촉구하는 철학이다. 셋째는 현인sagacity의 철학이다. 이것은 전통적인 아프리카 종교들에 공통되게 보이는 '현명함'을 철학 내지 윤리로서 추구하는 입장이다. 넷째는 대학에서 강의가 이루어지는 강단 철학이다. 강단 철학은 지금 이야기했듯이 에스노필로소피를 인정하지 않는 경향에 있다. 필자가 벨기에에서 만난 아프리카의 유학생들은 주로 아프리카 문화의 철학이나 정치 철학·사회 철학을 연구하고 있었다. 그러나 전자는 문화 인류학을 바탕으로 하고 있을 뿐만 아니라 당시에도 현상학이나 해석학의 방법을 받아들이고 있었다. 정치 철학은 롤스의 철학이나 공동체주의 또는 하버마스의 정치 철학이 당시의 중심적인 주제였다. 이러한 철학들은 당연히 강단 철학으로도 될 수 있는 것이었다.

아프리카의 철학자들은 각각의 입장을 상호적으로 비판하고 있다. 에스노필로소피에 대해서는 앞에서 이야기했듯이 비판하지만, 현인의 철학에 관해서도 그것은 다름 아닌 일종의 종교적·도덕적인 훈육일 뿐이며, 에스노필로소피와 다르지 않다고 비판한다. 또한 네 번째의 강단 철학과 관련해서도 서양 철학의 추종에 지나지 않는다는 비판도 있다. 하지만 강단 철학자에 따르면, 서양 철학은 이집트 시대의 아프리카 철학과는 잇닿아 있으며, 철학은 하나의 문화에 속하는 것일 수 없다고 한다.

밴더빌트대학의 루시어스 아우틀로Lucius Outlaw는 현대 아프리카 철학을 아프리카인과 아프리카 기원을 지닌 사람들에 의한 철학으로 정의하고 다음과 같은 특징이 있다고 지적한다. ① 사회 문화적 세팅에 우선성을 둔다. ② 역사적·문화적인 것에 우선성을 둔다. ③ 타인종적·타민족적인 비교에 중점을 둔다. ④ 서양 일원주의에 대한 저항. ⑤ 아프리카적인 것의 유지와 재해석이라는 문화적 역동성의 중시. ⑥ 사유 시스템의 비교 문화적인 분석. 이와 같은 경향을 지니는 아프리카 철학이지만, 주제로서는 다음과 같은 것을 들 수 있다.

- 문화의 철학: 에스노필로소피적인 주제를 포함한다.
- 형이상학(존재론): 신, 선조, 주술, 인격, 원인, 관념론
- 인식론: 진리, 합리성과 논리, 지식의 사회학
- 윤리학: 도덕성, 친족과 사회, 권리와 의무, 공동체주의

- 정치 철학: 자유와 자립, 경제와 도덕, 인종과 젠더, 정체성, 법과 종교
- 미학: 아프리카 예술의 자리매김과 평가

이 가운데는 다른 사회와 공통되는 주제도 포함되어 있지만, 아프리카 사회가 아니고서는 제기되지 않는 것도 있다. 개인적인 감상을 말하자면, 존재론 안에 선조나 주술과 같은 범주가 포함되고, 그것들이 세계의 기본적인 구성 요소로서 인식되고 있는 것은 그야말로 세차게 호기심을 불러일으킬 수 있다. 인과성 개념도 이 힘으로서의 생명 속에서 이해되는 존재론은 깊은 종교적 함의로 가득 차 있다. 윤리학 안에 친족, 공동체와 같은 주제가 포함된 것은 언뜻 보면 일본의 와쓰지 데쓰로和辻哲郎 윤리학과의 관련성이 발견될 수 있는 것으로 생각된다. 하지만 친족이나 사회 구조가 일본의 촌락과는 현저히 다르다는 점도 주의해야만 한다. 안이한 동일시는 오해의 근원이다.

프랑스어권의 아프리카 철학

이하의 절에서는 현대의 아프리카 철학을 프랑스어권, 영어권, 남아프리카로 나누어 소개하고자 한다.

프랑스는 아프리카의 서반부에 커다란 식민지 영토를 지니고 있었다. 벨기에는 벨기에령 콩고, 르완다, 부룬디를 식민지로 하고

있었다. 프랑스어를 공통 언어로 하는 그러한 지역들에서 식민지주의에 대항하는 담론이 맑스, 초현실주의, 베르그송을 사상적 기반으로 하여 일어난다.

네그리튀드 Negritude 는 1930년대에 아프리카와 서인도 제도의 프랑스 식민지에서 생겨난 흑인의 자각을 촉구하고 그 고유의 문화와 정신성을 고양하고자 하는 문학적·정치적인 운동이다. 서인도 제도 마르티니크의 에메 세제르 Aimé Césaire(1913~2008) 는 네그리튀드라는 이름을 지은 사람이다. 그는 초현실주의자인 브르통에게 발견되어 『귀향 노트』를 비롯한 시집과 희곡을 수많이 발표했다. 종전 후 정치가로서 활동한다. 식민지를 제도적으로 본국에 동화시키는 현화법 縣化法 을 기초하면서도 문화적인 프랑스화를 거부하는 입장을 취하며, 이 경험을 바탕으로 『식민지주의론』을 적었다.

레오폴 세다르 상고르 Léopold Sédar Senghor(1906~2001) 는 세네갈의 정치가이자 시인이다. 1930~40년대에 에메 세제르와 함께 네그리튀드 운동을 발전시키고, 사회주의적 정책과 친서방적인 외교를 양립시켰다. 조제 크라베이리냐 José Craveirinha(1922~2003) 는 모잠비크의 저널리스트이자 시인·문학자이다. 역시 네그리튀드 운동의 활동가로서 모잠비크 해방 전선에 참여하고, 포르투갈로부터의 모잠비크 해방에 진력했다. 인종주의와 포르투갈 식민지주의를 비판하는 시편을 여럿 출판했다.

탕펠 신부와 네그리튀드의 활동가들보다 후세대의 철학자들은 에스노필로소피와 문학과 시편의 형태로 표현되는 네그리튀드의 '철학'에 대해 비판적이다. 파농은 『검은 피부·하얀 가면』(1952년)에서 에스노필로소피와 네그리튀드의 문학이 식민지주의적인 틀을 내면화·심리화하고 있다는 것을 비판했다. 파농에 따르면, 아프리카 문화는 사람들의 투쟁이라는 형태를 취하는 것이지 노래나 시나 민화 등에 있는 것이 아니다. 카메룬의 철학자인 마르시앙 토와Marcien Towa(1931~2014)는 『상고르 — 네그리튀드인가 종속인가』(1971년)에서 에메 세제르와 비교하여 상고르의 현실 비판 없음이나 인종과 문화의 혼동을 비판하고 있다. 마찬가지로 에스노필로소피에 대해서도 그 객관성의 박약함이나 비판성의 결여를 지적한다. 이러한 비판들은 에스노필로소피와 네그리튀드의 문학이 정치적인 저항이나 투쟁을 촉진하지 않는다고 지적한다.

그런데 세네갈의 역사가·민족학자이자 정치가였던 셰이크 안타 디옵Cheikh Anta Diop(1923~1986)에 대해서도 언급해둘 필요가 있을 것이다. 그는 가스통 바슐라르Gaston Bachelard(1884~1962)와 프레데릭 졸리오-퀴리Frédéric Joliot-Curie(1900~1958)에게서 배운 과학자이기도 한데, 당시의 유럽 역사학에서 아프리카에는 역사가 없다는 담론에 대한 비판을 시도하게 된다. 도곤족 연구로 알려진 파리대학의 민족학자 마르셀 그리올Marcel Griaule(1898~1956)에게서 배우고, 고대 이집트는 흑인의 문명이며, 사하라 이남 아프리카 문화의 발상지이기도 하다는 아프리카 중심주의afrocentrism를 주창한 『흑인의 국가와 문화』를 발표하여 그 평가를 구한다. 그의 역사학은 아프리카 문화의 연속성과 공통성, 인류사에서의 아프리카의 중요성을 지적하고, 헤겔과 같은 서양 중심주의적인 역사를 냉엄하게 물리친다. 저작은 커다란 반향을 불러일으켰지만, 그 실증성에 대해서도 많은 논쟁과 반론을 야기했다.

위와 같은 철학자 이외에도 콩고의 철학자로 구조주의적이고 역사 횡단적인 관점에서의 아프리카 철학의 재구축을 지향하는 발랑탱-이브 무딤베Valentin-Yves Mudimbe(1941~), 르완다의 철학자·신학자이자 시인, 정치 활동가로서 투치족 문화를 지도하는 알렉시스 카가메Alexis Kagame(1912~1981)의 이름을 들어두어야 할 것이다. 앞에서 언급한 베냉의 철학자, 정치가인 훈톤지는 파리의 에콜 노르말에서 알튀세르와 데리다의 제자로서 배우며, 후설을 주제로 하여 학위를 취득했다. 에스노필로소피에 대해서는 민족학과 철학을 혼동하고 있다고 엄혹하게 비판하는 한편, 전통적인 아프리카 사상과 철학적 분석의 종합을 시도하고 있다.

영어권의 아프리카 철학

영국의 식민지였던 나라에는 이집트, 수단, 남수단, 케냐, 우간다, 소말릴란드, 가나, 시에라리온, 나이지리아, 짐바브에, 잠비아, 보츠와나 등이 포함된다. 영어로 이루어진 아프리카 철학의 출판은 프랑스어권보다 늦었지만, 1960년대 후반에 본격화한다. 영어권에서의 철학이 미친 영향으로 분석 철학과 과학 철학의 관점을 받아들인 철학자도 있는 한편, 윤리학이나 현상학적인 철학을 전문으로 하는 연구자도 있어 다채롭다.

가나에서 태어난 윌리엄 E. 에이브러햄William Emmanuel Abraham (1934~)은 옥스퍼드에서 철학을 공부하고, 1962년에 『아프리카의 마음』이라는 범아프리카주의를 호소하는 책을 출판한다. 가나 독립운동을 지휘하고 가나 초대 대통령이 된 콰메 엔크루마(은크루마)와 밀접히 협력했다. 아모에 대한 연구를 필생의 작업으로 하고 있다. 앞에서 언급한 음비티는 신학을 전공으로 하지만, 『아프리카의 종교와 철학』(1969년)에서는 민족학적 접근을 취하고 있다. 로빈 호튼Robin Horton(1932~2019)은 영국에서 태어났지만, 40여 년간 아프리카에 살며 조사와 교육을 수행한 인류학자이자 철학자이다. 특히 종교의 비교 인류학 연구로 저명하다. 그는 아프리카의 종교에 대해 주지주의적으로 분석하고, 그것이 이론적 체계이자 서양의 과학과 비교할 수 있다고 주장했다.

앞에 나온 위르두는 특별히 언급해야 할 가나 출신의 철학자이다. 그는 라일과 스트로슨에게서 배우고, 아프리카 현지 언어에서 보이는 개념들을 철학적으로 분석한다. 그에 이어 곧바로 서양 개념을 아프리카 언어들과 대비함으로써 상대화하고, 그 전제들을 비판적으로 검토한다. 그는 에스노필로소피와 현인의 철학은 아프리카인의 세계관과 신념을 표현하고 있기는 하지만, 그것만으로는 철학이 되지 않는다고 생각한다. 호튼의 종교 인류학에 관해서도 과학과 종교를 비교하는 것은 무리이며, 아프리카의 종교

사상은 '민중 철학Folk Philosophy'이라고도 불러야 하며, 비교하려고 한다면 서양의 문화와 그럴 수 있다고 주장한다.

그러나 필자의 견해를 말하자면, 만약 철학의 본질이 대화에 의한 상호 검토에 있다고 한다면, 문학이나 시편 또는 민족지적인 기술이라 하더라도 그것이 논의를 불러일으키고, 그에 대해 작자가 응답하는 왕복 운동이 수반하고 있다고 한다면, 전체로서 철학적 영위가 되어 있다고 생각할 수 있는 것이 아닐까? 철학이란 서적을 읽는다는 일방향적인 해석으로 시종일관해서는 안 된다. 철학이 서적으로 완결되어야 한다고, 한 인간의 독자적인 담론이어야 한다고 생각하는 것은 오히려 서양 근대적인 편향이다. 철학이란 타자도 끌어들이는 대화의 운동일 것이다.

콰메 제체Kwame Gyekye(1939~2019)는 가나대학과 템플대학에서 가르친 철학자이자 윤리학자이다. 그는 아프리카적 사유에서 개인의 인격은 공동체에 의해 부여되며, 개인의 정체성은 공동체로부터 파생되는 데 지나지 않는다는 종래의 공동체 중심주의에 강한 이의를 부르짖는다. 제체에 따르면 아프리카의 종교에서는 모든 인간이 신의 아들이라고 생각된다. 그런 까닭에 개인·인격은 본질적인 가치를 지니며 완전한 존재이다. 개인의 존엄은 공동체에 앞서며, 오히려 공동체는 개인의 생존을 보장하기 위한 것이다.

셰군 바데게신Segun Gbadegesin(1945~)은 나이지리아 출신으로 미국에서 교단에 서는 철학자이다. 중심적인 관심은 윤리학, 상호 문화적 윤리, 사회 철학에 더하여 아프리카 철학이다. 요루바족의 전통 철학에 관한 연구로 알려졌다.

헨리 오데라 오루카Henry Odera Oruka(1944~1995)는 케냐의 철학자로 사회 경제적 착취, 인종적 신화화, '겉보기appearance'를 비판적으로 분석하는 연구를 수행했다. 또한 전통적인 아프리카의 예지를 유지할 목적으로 현인의 철학Sage Philosophy을 전개했다.

현상학과 해석학 분야에서는 나이지리아 출신으로 루뱅가톨릭대학에서 공부한 테오필루스 오케레Theophilus Okere(1935~)는 아프리카 철학이 전통을 아프리카적인 맥락 속에서 계속 해석해감으로써 생겨난다고 논의했다. 콩고 출신으로 가다머의 제자인 오콘다 오콜로Okonda Okolo(1947~)의 이름도 거론해두어야 할 것이다. 에리트레아의 투나이 실리키바한은 역시 해석학을 전문으로 하면서도 해석학 자체가 너무나도 서양적인 방법론이라는 것을 문제 삼는다. 그는 이러한 관점에서 훈톤지나 위르두가 너무나 쉽게 서양적 방법론을 아프리카 철학에 도입했다고 지적한다. 또한 나이지리아의 아우라디포 파시나는 인간 본성과 자유에 대해, 올루페미 타이워Olufemi Taiwo는 법적 자연주의에 대해 맑스주의 관점에서 연구하고 있다.

남아프리카와 아파르트헤이트

마지막으로 남아프리카의 철학에 관해 기술하고자 한다. 아파르트헤이트 이전의 남아프리카 영국계의 대학에서는 흑인이 받아들여지고, 네덜란드계 대학에서는 분리되고 있었다. 전자에서는 토머스 힐 그린Thomas Hill Green(1836~1882)과 버나드 보산케트Bernard Bosanquet(848~1923)의 관념론, 랄프 바튼 페리Ralph Barton Perry(1876~1957)의 신실재론을 가르치고, 후자에서는 칼뱅주의와 피히테 등을 가르치고 있었는데, 어느 쪽의 철학이든 모두 인종 분리의 정당화 근거를 제공하기 위해 이용되었다. 그리고 1948년부터 1994년의 아파르트헤이트 아래에서는 마찬가지로 다양한 철학이 남아프리카국민당의 정책을 정당화하는 데 이용되었다. 현상학은 생활 세계를 분리하기 위한 주장으로서 해석되고, 분석 철학을 연구하는 자는 정치에 거리를 두고 있었다.

반아파르트헤이트 운동의 선도적 정치가·사상가로서 알려지는 사람은 비폭력주의를 주창한 앨버트 루툴리Albert John Mvumbi Lutuli(1898~1967), 흑인 의식 운동을 견인한 스티브 비코Bantu Stephen Biko(1946~1977), 1994년에 최초의 전 인종에 의한 보통 선거에서 대통령이 된 넬슨 만델라Nelson Mandela(1918~2013), 그리고 성공회 목사이자 반아파르트헤이트 활동가인 데스몬드 투투Desmond Tutu(1931~2021)가 거론된다. 투투는 흑인의 해방은 백인 해방의 다른 측면이라고 주장했다.

1996년에 만델라 정권하에서 부대통령을 맡은 타보 음베키Thabo Mbeki(1942~)의 '나는 아프리카인이다'라는 아프리카주의 선언이 나온다. 아파르트헤이트 이후에는 아프리카를 위한, 아프리카 맥락에서의 철학이 추구된다. 상호성, 공통선, 평화적 관계와 같은 아프리카의 전통적인 윤리적 행동을 표현하는 '우분투ubuntu'라는 개념에 기초한 우분투 윤리의 전개가 그 가운데 하나라고 말할 수 있을 것이다. 다른 아프리카 철학과 공통의 주제인 비서양 중심주의적 정체성의 확립, 흑인에 의한 철학이 추구되고 있으며, 대학에서도 철학 강좌가 개설되고, 아프리카적 사유의 데이터베이스화와 아프리카적 사유의 학회지가 출판되고 있다.

6. 정리

아프리카 철학의 거대한 가능성

현대 아프리카 철학의 특징은 반식민지주의나 독립 해방 운동과 밀접하게 결부되어온 점에 있다. 아프리카에서 철학은 정치적 담론과 분리될 수 없으며, 정치가인 철학자 또한 문학자나 시인이기도 한 철학자를 낳아왔다. 또한 독립 해방 운동과 서로 뒤얽히면서 민족주의적이기도 하며, 범아프리카주의라는 흑인의 결집을 호소하는 사상이 형성되기도 했다.

전통적인 아프리카의 철학은 종교와 결부되어왔다. 현대의 아프리카 철학은 서양화와 그에 대한 저항 또는 자문화의 보편성과 특수성이라는 일본의 근대 철학과 공통의 과제를 지니고는 있다. 그러나 그것은 서양화에 대한 격렬한 비판과 거부, 자유와 자립에 대한 희구를 보여주고 있다는 점에서 일본과는 어떤 의미에서 대조적이다. 시대에 따른 쟁점의 변천과 발전을 거치면서 아프리카 철학은 서양적 틀을 상대화하는 새로운 개념 틀을 창조하고 있다. 자극으로 가득 찬 지적 운동으로서 앞으로 주목해야 한다. 서양 철학에 지나치게 달라붙는 시대는 이미 끝났다.

☞ 좀 더 자세히 알기 위한 참고 문헌

— 미야모토 마사오키宮本正興·마쓰다 모토지松田素二 편, 『신서 아프리카사新書アフリカ史』, 講談社現代新書, 개정 신판, 2018년. 신서이지만 대단히 충실하며, 특히 정치 철학을 이해하는 데서 근현대사의 지식은 빠질 수 없다.

— 프란츠 파농Frantz Fanon, 『대지의 저주받은 사람들地に呪われたる者』, 스즈키 미치히코鈴木道彦·우라노 기누코浦野衣子 옮김, みすず書房, 신장판, 2015년. 역시 파농은 읽기 바란다. 당시의 정치적 맥락을 실감하기 어려운 부분도 있지만, 이만큼 격렬하게 부정을 규탄하고 이 정도로 과격한 언어를 토해낸 사상가가 일본에 있었을까? 개인적으로는 『검은 피부·하얀 가면』보다 흥미로우며, 제1장의 폭력론은 진지하게 생각해야 하는 주제이다.

— 에메 세제르Aimé Césaire, 『귀향 노트. 식민지주의론歸鄕ノート 植民地主義論』, 스나노 유키토시砂野幸稔 옮김, 平凡社ライブラリー, 2013년. 네그리튀드 문학의 대표적 저작. '나는 제국주의에 의해 파괴된 사회들을 무조건 옹호한다'라는 말로 알려진 식민지주의에 대한 격렬한 거부. 아프리카적인 것을 보편화하는 경향. 게다가 혼합적인 있는 그대로의 '크레올리테créolité'에 대해서는 일관되게 불관용적이었다. 후에 많은 비판을 받기는 하지만, 이러한 격렬함이 없으면 네그리튀드 운동은 있을 수 없었을 것이다. 『니그로로서 살아간다 — 에메 세제르와의 대화ニグロとして生きる — エメ·セゼールとの對話』도 참고할 수 있을 것이다.

— 존 S. 음비티John S. Mbiti, 『아프리카의 종교와 철학アフリカの宗教と哲学』, 오모리 모토요시大森元吉 옮김, 法政大学出版局, 1970년. 출판으로부터 많은

시간이 흘렀고, 너무 철학과 종교를 지나치게 접근시킨다는 비판을 받고 있지만, 일본어로 읽을 수 있는 소수의 현대 아프리카 철학의 고전이다. 이 책을 읽으면 언제나 에이모스 투투올라Amos Tutuola(1920~1997)를 읽었을 때와 같은 전혀 이질적인 세계관이 가져오는 현기증과 같은 것을 느낀다. 개인적으로 이러한 현기증은 이미 서양 철학으로부터는 감득할 수 없다.

— 아프리카 철학은 아직 일본어로 소개가 이루어져 있지 않기 때문에, 현대 아프리카의 철학을 알기 위해서는 영어로 출판된 아래의 대단히 뛰어난 선집을 읽는 것도 권고하고자 한다.

· Brown, Lee M.(2004) *African Philosophy: New and Traditional Perspectives*. NY: Oxford University Press.

· Coetzee, P. H. and Roux, A. P. J. (ed.)(2003) *The African Philosophy Reader*. 2nd Edition. NY/London: Routledge.

· Eze, Emmanuel Chukwudi. (ed.)(1998) *African Philosophy: An Anthology*. Malden, MA: Blackwell.

· Wiredu, K. (ed.)(2004) *A Companion to African Philosophy*. Malden, MA: Blackwell.

세계철학사의 전망

이토 구니타케 *伊藤邦武*

1. 『세계철학사』 전 8권을 돌아보며

전 지구적인 철학은 있을 수 있는가?

누구나 말하듯이 현대는 지구화 시대이다. 지구화 시대란 사람과 사물이 세계의 구석구석까지 특별한 제한 없이 자유롭게 교류하거나 유통하거나 할 수 있는 시대를 말한다.

이와 같은 시대가 도래한 것은 기본적으로는 교통수단과 유통기구, 통신 기술의 고도한 발전과 그것들의 세계적 규모에서의 전파, 침투에 따라 이전에는 생각할 수 없었던 자유로운 행동이나 교류가 가능해졌기 때문이다. 그러나 그것만이 아니라 이러한 과학 기술들의 확산을 솔선하여 촉진한다든지 그 침투를 강력하게 유도한다든지 하는 고도로 금융화한 현대 자본주의의 전개라는, 표면적으로는 그렇게 두드러져 보이지 않는 경제적인 요인도 작용하고 있기 때문이라고 생각된다.

그야 어쨌든 우리의 오늘날 하루하루 생활은 지구화 시대의 이러한 구조에 어쩔 수 없이 휘말려 든 형태로 영위되고 있으며, 그 점은 일상생활뿐만 아니라 문화적, 예술적 활동이나 학술적 교류에서도 충분히 실감할 수 있다. 그렇지만 지구화가 초래하는 영향이 언제나 적극적으로 평가할 수 있는 것이라고는 말할 수 없다. 오히려 그것이 불러일으키는 좀 더 심각하고 우려하지 않을 수 없는 측면으로서 재해나 역병의 지구적 규모에서의 대유행 등, 인간의 생명 유지 가능성과도 직결된 중대한 위험을 불러올 수 있다는 것은 우리가 지금 대단히 엄혹한 형태로 통감하고 있는 대로이다. 우리는 확실히 지구화 시대를 살아가고 있고 그 은혜도 입고 있지만, 그것만으로 끝나는 것은 아니다. 모든 것이 세계적 규모에서 서로 영향을 주고받는 오늘날의 삶의 방식의 긍정적이고 부정적인 양 측면의 의미를 우리는 점점 더 진지하게 반성하지 않을 수 없게 되었다.

그런데 이러한 지구화 시대인 현대에 학술의 한 부문임과 동시에 모든 학술 문화 활동의 근원적인 정신적 원천이기도 한 철학은 그 자체로서 전 지구적인 것일 수 있을까? 그리고 만약 현대의 철학적 사유가 참다운 의미에서 전 지구적인 것이라고 한다면, 그 '세계철학'이란 어떠한 모습으로 우리 앞에 나타나는 것일까?

이것은 이 '세계철학사' 시리즈의 제1권부터 쭉 계속해서 물어온 근본적인 문제이다.

비서양 세계의 사상적 전개

우리의 '세계철학사' 시리즈는 이 물음에 대답하기 위해 지금까지의 권들에서 세계철학사의 각 시대에서의 다양한 양상에 눈을 돌리고, 단순한 다수의 문화와 지역의 철학적 전통에 대해 그것들을 병렬적으로 열거하는 것이 아니라 동서 세계와 남북 세계 속에서 인정하지 않을 수 없는 무수한 단절을 확인함과 동시에 그 단절을 넘어서서 발견되는 교류와 혼합의 실상에도 빛을 비추어 각각의 시대에 각각의 철학이 독자적인 형태로 '세계철학'이고자 한 모습을 가능한 한 분명하게 그려내 보이려고 노력해왔다.

이를 위해 우리는 종래의 철학사가 말해온 고대 그리스에서의 철학의 탄생과 서양 중세에서의 그 계승 그리고 르네상스와 근대 과학의 발흥을 통한 서양 근대 철학의 탄생이라는, 일반적으로 유포된 정설을 철저하게 다시 음미함과 동시에 이러한 시대들에 병행하여 생겨나거나 이러한 철학들과의 교류를 통해 변질한 비서양 세계의 사상적 전개에 대해 가능한 한 상세한 분석을 제시하려고 해왔다.

이렇게 시도하는 가운데 우리는 서양 철학에 관해서는 고대에서의 헬레니즘 철학과 인도 불교 사상의 직접적인 대결이나 고대 그리스와 유대와 동방 교부 사상의 복잡한 대항에 대해 특히 주목했다. 또한 르네상스로부터 근대 과학의 시대로라는 이야기를 물리치고, 일반적으로 근대 사상의 형성으로 여겨지는 16세기부터 17세기의 지중해 세계의 철학을 이슬람과의 교류에 의해 세련된 중세 스콜라 철학의 연장선상에 놓여 있는, 스페인의 '바로크 철학'으로부터 라이프니츠의 체계로의 진화 과정으로서 재해석하는 견지를 전면에 내세워 보였다.

그리고 보통 서양 근대의 과학적 세계관에 기초하는 이성적 사고의 일방적 확대로 이해되는 18세기 이후의 철학적 조류에 대해서도 오히려 이성과 서로 대항하는 인간 감정론의 심화가 인간 본성을 둘러싼 비서양 세계와의 사상적 대화를 위한 보이지 않는 수맥을 준비했다고 하는 사고방식을 제시했다. 이러한 관점은 중국에서의 성性과 이理의 철학으로서의 주자학을 축으로 한 사상사 도식에 대해서도 다시 생각해볼 것을 강요하는 것이자 철학적 사유의 보편성을 새롭게 발굴하는 작업의 중요성을 가르쳐주는 것이었다.

중국 철학에 대해 좀 더 말하자면, 본래 예수회 신부들을 통한 중국 사상과의 교류가 서양의 근대 계몽사상의 형성 그 자체에서 일정한 역할을 했다는 것도 확인했으며, 중국의 이슬람 철학이라는 하이브리드한 것에 대해서도 주목했다.

우리는 마찬가지로 지금까지 전문가 이외에는 거의 가까이할 수 없었던 인도 사상의 흐름에 대해서도 역사적 변천의 실제에 대해 좀 더 충실하고 현실적인 이해가 가능하다는 것을 지금까지 권들의 몇 개의 장에서 배웠다. 또한 대승 불교라는, 교단을 지니지 않는 이론 체계로서의 종교가 탄생한 것의 의미와 중국에서의 불교와 유교의 격투 또는 불교와 그리스도교의 충돌 등, 보편성을 추구하는 철학에 특유한 사상의 운동 현실에 다가갈 수 있었다.

현대 철학의 새로운 지평

세계철학사라는 역사적 탐구에 관여하는 우리의 여행은 이리하여 이와 같은 복잡한 과정을 밟아 마지막 권인 이 권에서 끝을 맞이하게 되었지만, 20세기부터 21세기로 나아가는 현대 철학을 다룬 이 권에서는 이른바 현대 철학에서의 영미 철학과 유럽 대륙 철학의 주요한 추세에서 출발하여 포스트모던과 문예 비평, 이슬람과 중국에서의 사상적 현대를 경유하고, 마지막에는 아시아 속의 일본 등을 다루면서 아프리카 현대 철학의 개괄적 전망과 라틴아메리카의 철학이라는 자극적인 주제로 매듭지어지고 있다.

여기서 발견되는 것은 대중과 기술적 진보에 대한 양면적인 태도를 특징으로 하는 유럽의 현대 철학과 '사실과 가치'라는 이원적 사고에 대한 자세와 관련하여 복잡한 곡절을 거쳐온 영미 분석 철학의 역사이며, 또는 현대 중국에서의 세계의 사상 수용 스타일이나 '현대 이슬람 철학'이라는 말이 내포하는 본질적 어려움과 희망 등이지만, 논의는 그에 그치지 않고 더 나아간다. 예를 들어 일본과는 다른 의미에서 서양 철학을 모범으로 우러러본 라틴아메리카 철학에도 '세계철학'이라는 생각이 일찍부터 있었다는 것, 또는 식민지주의로부터의 해방과 연대를 호소하는 '범아프리카주의'의 사상이나 아프리카의 문화나 언어의 기저에 놓여 있는 존재론, 생명관, 진리론, 도덕론 등을 발굴하고자 하는 '에스노필로소피'가 전통적인 서양과 동양을 넘어선 새로운 사유의 지평을 보여준다는 것 등에 대해서도 논의가 이루어졌다. 이러한 지식들은 지금부터의 세계철학이 나아갈 방향을 생각하는 데서 귀중한 암시를 제공한다.

2. 세계와 혼

'전 지구적인 철학적 앎'이란 무엇인가?

이렇게 이 철학사 시리즈는 지금까지의 권들에서 동서 사상 세계의 고대로부터 중세, 근세, 근대로 시대를 쫓아 진행해 왔지만, 마지막에는 지구적 규모에서의 현대의 사상 정황을 역으로 공간적인 관점에서 하나의 파노라마와 같이 전망할 수 있게 한다고도 말할 수 있다. 그런 까닭에 우리의 세계철학사는 최종적으로 시간적인 축과 공간적인 축 양면으로 이루어지는 세계철학의 넓이를

종과 횡으로 제시해 왔다고 할 수 있는데, 이러한 역사적인 동시에 지리적인 지식의 집적은 세계철학이라는 참으로 전 지구적인 철학의 형성을 위해 과연 적극적인 역할을 할 수 있는 것일까? 우리의 철학사 여행은 세계철학이라는 새로운 학문적 기도에 대해 어떠한 교훈을 줄 수 있는 것일까? 이 마지막 장에서는 총론으로서 이 문제를 조금만 더 생각해보고자 한다.

여기서 현대에서의 지구화라는 것을 철학적인 사유라는 측면에서 한번 더 생각해보자. 철학의 지구화라는 것은 말할 필요도 없이 교통수단이나 경제 활동의 세계적인 규모에서의 공유라는 것과는 전혀 다른 것이다. 철학의 지구화란 무엇인가? 이것은 당연히 철학이란 무엇인가라는 것과 결부되어 있으며, 이 물음은 이 시리즈 전체에서 되풀이하여 제기되었다. 그러나 여기서는 우선 우리가 특히 시리즈 제1권에서 철학의 탄생 모양을 확인할 때 다양한 문명에서의 '세계와 혼'에 대한 물음의 모습을 확인하는 것을 통해 세계에서의 철학의 탄생을 이해하고자 했다는 것을 상기하고자 한다.

철학이란 오랜 고대의 시대로부터 현대까지 무엇보다도 우선 세계 내지 우주라는 존재자의 포괄적 전체와 그 속에서 살아가며 생각하는 인간의 혼을 근본에서 다시 묻는 작업으로서 존재해 왔다. 그렇다고 한다면, 현대라는 전 지구적인 시대에 세계적 규모에서의 철학이 가능한지 묻는 것은 바로 세계적 규모에서의 '세계와 혼'에 대한 물음은 어떻게 해서 가능한가 하는 문제가 될 것이다.

현대라는 시대에 세계적 규모에서 공유되고 있는 세계에 대한 공통의 이해와 인간의 정신에 대한 유력한 견해란 어떠한 것일까? 이와 같은 물음은 어떤 의미에서는 현대에서의 과학적 지식으로서 세계와 우주는 어떻게 이해되고 있는가, 또는 인간 정신의 신경 메커니즘과 그 정보의 전달은 어떻게 기능하고 있는가 하는 형태로도 설명될 수 있을 것이다. 그러나 이것들은 천문학과 생리학, 심리학과 언어학이라는 '세계에 공통된 학문적 지식' 수준에서의 설명이지 결코 세계와 혼을 둘러싼 '전 지구적인 철학적 앎'은 아니다.

이에 대해 전 지구적인 철학적 앎이란 무엇보다도 우선 '세계'가 자신들이 공유하는 삶의 포괄적인 지반이라는 것을 인정함과 동시에 그 속에 사는 '혼'이 서로 전 지구적인 수준에서 생존의 조건을 공유하면서 서로 정보를 교환하고 서로 지식을 다툼으로써 지금보다 좀 더 좋은 세계로 향하는 방향을 서로 모색하는 그러한 태도를 기르기 위한 반성적 사유의 일을 가리키고 있을 것이다.

더 나아가 철학이 묻고 있는 세계와 혼이란 각각 서로 다른 두 개의 영역이 아니라 혼에 대한 세계임과 동시에 세계에 대한 혼이기도 한 그러한 세계와 혼의 본성에 대해서인바, 다시 말하면 '세계와 혼'이라는 두 영역의 결합 그 자체의 존재 방식이 물어져야만 한다. 지구화 시대의 철학은 이러한 결합의 모습을 지금까지의 철학에서가 아닌 보편적인 상 아래에서 해명할 필요가 있는 것이다.

인간 게놈이라는 인류 공통의 유산

이처럼 우리가 추구해야 할 세계철학은 그 과제에서 대단히 야심 찬 것임과 동시에 그 해결의 실마리를 발견하기가 대단히 어려운 시도이다. 그렇지만 그 실마리를 발견하기 위한 단서가 전혀 보이지 않는가 하면 반드시 그렇다고 말할 수도 없다.

왜냐하면 우리는 무엇보다도 우선 오늘날 점점 더 날카롭게 추궁당하게 된 환경 문제와 생명 윤리에 관해 물음으로써 인간 삶의 포괄적 기반인 세계와 그 속에서 살아가는 혼의 활동에 대해 지금까지 이상으로 선명한 이미지를 구축하고 있기 때문이다.

우리가 날마다 어쩔 수 없이 지니지 않을 수 없는 대규모의 환경 파괴와 기상 변동에 대한 위기의식과 미지의 역병 등에 의한 세계적 수준에서의 건강 불안에 관계되는 문제 관심은 서양 근대적인 세계관에 암암리에 담겨 있던, 무한정한 연장 세계와 인간 정신이라는 구도를 철저한 회의로 던져 넣었다. 우리는 무엇보다도 우선 대단히 믿음직스럽지 못한 생존의 근거밖에 갖고 있지 않은 유한하고 취약한 생명체라는 것을 잘 아는 것이다. 그리고 이 의식은 우리의 눈을 자연스럽게 '우주선 지구호'라는 인류에게 공통된 생존권의 지속 가능성으로 향하게 하고 있다.

우리에게 지구라는 자연환경이 인류에 대한 안전하고 은혜로운 생존권이라는 것은 이미 충분히 자명한 것이 아니다. 과장해서 말하자면, 우리는 지금 지구가 인간에게 존속 불가능한 장소가 될 가능성까지 생각하여 우주로 진출해야 하는 인류의 윤리 사상을 묻는 것마저 시도하고자 하는 것이다.

더 나아가 우리는 오늘날 인간이라는 생명의 신체적 기반에 대해서도 새로운 견지를 획득하고 있다. 오늘날의 생명 과학에서는 대략 3만 종류의 게놈이라는, 신체의 다양한 부위를 형성하고 그것의 무수한 기능을 획득해 가는 생물적·의학적 기반에 관해 의학 연구와 그것의 응용 의료 기술의 혁신이라는 형태로 대단히 구체적인 이미지가 제공되게 되었으며, 이것이 우리 혼의 존재 방식에 관한 대단히 첨단적인 의식을 만들어 내고 있다. 사람이라는 생물의 누구나 반드시 지니는 '인간 게놈'의 모든 정보를 해명한다는, 인간 게놈 전체에 관한 해명 계획은 20세기 후반에 발족하여 21세기 초에 이미 기본적인 작업을 완성하고 있다. 유네스코 제29회 총회에서 채택된 「인간 게놈과 인권에 관한 세계 선언」(1997년)의 제1조와 제2조에는 다음과 같은 말이 있는데, 이것은 이러한 계획의 진전에 따라 새롭게 내세워진 이념이다.

제1조. 인간 게놈은 인류 사회의 모든 구성원의 근원적인 단일성 및 이 구성원들의 고유한 존엄 및 다양성에 대한 인식의 기초가 된다. 상징적인 의미에서 인간 게놈은 인류의 유산이다.
제2조. (a) 어떤 사람도 그 유전적 특징의 여하를 묻지 않고 자기의 존엄과 인권을 존중받을 권리를 지닌다.

(b) 그 존엄으로 인해 개인을 그 유전적 특징으로 환원해서는 안 되며, 또한 그의 독자성 및 다양성을 존중해야만 한다. (문부과학성 홈페이지 참조)

이 선언이 특히 눈길을 끄는 점은 그것이 지금까지의 많은 의학적 규제나 조약과 마찬가지로 '인간 존엄의 존중'이라는 전통적인 말에 의해 생명 과학의 대원칙을 명기하는 한편, 여기서 처음으로 '상징적인 의미에서의 인류의 유산으로서의 게놈 전체'라는 새로운 발상이 표명되었다는 것에 놓여 있다. 이것은 분명히 사람의 모든 유전자 정보를 해명하려고 출발한, 인간 게놈 계획의 추진과 연동된 제안이지만, '인간 게놈 전체에 대한 해석의 완성'이라는 사태는 인간의 문명사적인 관점에서 말하면, 사람이라는 생명의 생존과 생리적 기능의 근본적 기반이 다양한 인종적, 문화적, 역사적인 차이를 넘어서는 형태로 공통의 조건으로서 명시적으로 제시되게 되었다고 생각하는 것도 가능하다.

이것은 다시 말하면 인류가 그 생존과 관련하여 지속 가능할 수 있기 위한 근본 조건으로서의 지구 환경과 기상 변동에 관한 관심과 유비적인 대단히 중요한 견지가 우리의 신체에 입각해서도 열리고 있다고 하는 것이다.

따라서 우리 인간은 그 외적 환경에 대해서도, 생명의 형태와 기능에 대해서도, 그 근본적인 조건에 대해서도 대단히 구체적인 지식을 지니고 있다. 그렇다고 한다면, 우리는 '세계와 혼'이라는 철학의 과제에 어디까지 다가갔다고 말할 수 있는 것일까? 반복하게 되지만, 중요한 것은 우리가 지금까지 경험해온 다양한 인종적, 문화적 차이와 언어적, 종교적 다원성을 넘어서는 공통의 조건이라는 것을 손에 쥐고 있다는 점이다. 그러나 이것은 세계와 혼의 존속 조건이지만, 세계와 혼의 내실은 아니다. 철학은 바로 이러한 명확히 제시된 조건들을 주시하면서 그 내실을 서서히 밝히는 작업에 착수할 필요가 있는 것이다.

3. 다원적 세계관으로

일원론인가 다원론인가?

그런데 19세기 독일의 철학자 쇼펜하우어는 세계와 혼의 모든 것을 꿰뚫어 활동하고 있는 본질은 '살고자 하는 의지'라는 궁극적인 형이상학적 원리라고 생각했다. 그가 이해하기에 다양한 생물의 유기적 기관의 형태는 이 살고자 하는 의지가 '객관화'된 것이며, 소화 기관도 호흡 기관도 생식 기관도 모두 이 의지의 구체적인 나타남으로 존재한다고 생각되었다.

이 학설에 따르면, 우리의 신체를 형성하고 기능하게 하는 3만 개의 게놈은 살고자 하는 의지의 수만 종류의 구현이라고 말할 수 있을 것이다. 쇼펜하우어는 자신의 학설이 칸트의 형이상학을 철저히 함으로써 태어난 것이라는 점을 인정하는 한편, 이 사상이 이미 고대 인도의 우파니샤드와 불교의 이론에서 진리로서 확립되어 있었다고 주장했다. 그의 사상을 채택하면, 살고자 하는 의지의 형이상학은 바로 세계철학으로서 이미 고대 이래로 인류에게 계시되어 있었다.

오늘날에도 우리는 그의 일원론적 형이상학을 채택할 수 있다. 우리는 그의 이해에 따라서 세계가 살고자 하는 의지에 의해 전면적으로 통괄되고 있다는 것을 고대 인도 사상을 통해서나 서양 근대의 관념론을 활용하여 또는 현대의 게놈 과학을 발판으로 하여 주장할 수 있을 것이다.

그러나 우리는 그와 역의 견해를 채택하여 세계가 수많이 다양한 원리를 토대로 전개되고 있으며, 거기서 모두에게 두루 통하는 궁극적인 원리는 없다고 생각할 수도 있다. 이것은 라이프니츠, 제임스, 니시다의 다원론적 형이상학을 뒤좇아가는 길이다.

이러한 사상들과 우리에게 아직은 친숙하지 않은 라틴아메리카 사상이나 아프리카 사상과의 접점을 찾는 길은 열려 있지 않은 것일까? 우리에게는 쇼펜하우어와는 반대로 다원적 형이상학을 채택하면서 지금까지의 사상에서 축적된 것들을 확대하여 좀 더 다채로운 존재론과 인식론의 지평을 개척하는 것도 가능하지 않을까?

주의해야 하는 것은 우리가 살아가는 세계와 그 내적인 혼에 대해 일원론을 채택하지 않고서 다원론을 채택하는 것이 철학이 추구하는 존재 일반에 대한 보편적인 이해를 포기하는 것은 아니라는 점이다. 제임스가 보여주었듯이 다원론이 결코 인정할 수 없는 것은 어디까지나 모든 존재자를 관통하는 포괄적인 원리의 존재이지 모든 존재자의 연결 그 자체가 아니다. 모든 것은 각각의 구체적인 존재 상황에서 그 자신 이외의 것과 실제로 연결되고 서로 관계하고 있다. 이 세계의 어디에도 타자와의 그 어떤 관계도 지니지 않는 절대적인 고립자는 발견되지 않는다. 그런 한에서 모든 존재는 세계라는 공통의 장에 속해 있으며, 그 장에서 함께 호흡하고 있다는 보편성을 지닌다. 그러나 공통성을 지니고 보편성을 지닌다는 것은 세계 전체가 두루 통하는 본성을 지니며 그 본성에 기초하여 궁극적인 일자로 환원된다는 것이 아니다.

더 나아가 또한 다음의 것에 대해서도 주의해야 한다. 세계에 두루 통하며 타당한 궁극의 원리를 인정하고 일원론을 채택할 것인가 그렇지 않으면 그러한 궁극적인 원리를 거부하고 다양한 인접적인 관계를 인정하면서 전체로서의 절대적인 통일을 거부할 것인가 하는 형이상학에서의 선택은 순수하게 형식적이고 논리적인 문제로 귀착하는 것이 아니다. 형이상학에서의 선택이 완전히 형식적인 논의로만 귀착하는 것이라면, 그 선택은 복수의 형식적 체계에 대한 미적인 판단이나 취미적인 경향의 문제로 간주할 수도 있을 것이다. 다양성을 취할 것인가 그렇지 않으면 균일성을 취할 것인가 하는 것은 경우에 따라서는 낭만주의와 고전주의적 미학의 대립으로 간주할 수도 있을지 모른다. 고전주의적 미학이 세계는 궁극적인 원리의 지배 아래 있고 모든 사태는 그 원리의 발현과 관련하여 균형을 유지하고 있다는 견해를 취한다고 한다면, 낭만주의 미학은 그러한 궁극적인 원리와 균형의 원칙이 세계의 곳곳에서 깨져 있고, 불균형과 단편으로 이루어진 혼돈이야말로 세계의 실상을 비추고 있다고 생각하는 것이다.

새로운 사상적 만다라를 지향하며

그러나 일원론인가 다원론인가 하는 물음은 단순한 전체와 부분에 관련된 균형인가 혼란인가 하는 형식의 문제에 머무르는 것이 아니라 세계 속에서 인정되는 다양한 종류의 대립이나 단절을 참다운 의미에서 현실적인 것으로 인정할 것인가 그렇지 않으면 가상으로 간주할 것인가 하는 문제인바, 그것은 세계의 형식 문제라기보다 오히려 세계와 관계하는 인간 측의 자세에 관한 문제다. 형이상학이 세계와 관련된 형식에 머무르지 않는다는 것은 그것이 존재론의 문제에 머무르지 않는다는 것의 이를테면 속을 뒤집어 보이는 것이다. 형이상학은 형식을 묻는 것 이상으로 인간이 세계에 대처하는 자세를 문제로 한다. 그런 의미에서 세계의 내적인 단절이나 대립을 현실적인 것으로 인정하는 다원론의 입장은 윤리학과 정치 철학 분야와도 그 깊은 근저에서 통한다고 할 수 있다.

다원론적 세계관은 세계의 내적인 모든 종류의 단절이나 대립을 실재적인 것으로 간주하면서, 그럼에도 각각의 국면에는 인접적인 것과 동시에 연접적이고 연합적인 것의 존재 여지가 있다는 것을 승인하는 철학이다. 인간의 혼도 그것을 싸서 담고 있는 커다란 세계도 수많은 다원적인 요소로 이루어져 있으며, 각각은 서로 반발하고 대립하는 많은 상대방을 지니고 있음과 동시에 서로 이어지고 연속하려고 하는 더듬이를 다수의 요소로 연장하고 있다.

아마도 지금부터의 세계철학이 지향하는 것은 이러한 '이접적'인 것과 공존하는 '연접적' 내지 '연합적'인 존재라는 근본적인 도식에 무한한 구체적인 색채를 바르는 새로운 사상적 만다라의 대세계를 산출하고자 하는 것이 아닐까? 그때 우리가 이 '세계철학사' 시리즈의 지금까지의 권들에서 다룬 다종다양한 사상의 형태와 그것들 사이의 이어짐은 이 커다란 태피스트리의 각각의 부분이 지닌 독특함을 두드러지게 함과 동시에 그로부터 좀 더 넓은 연결의 가능성을 보여주어야 할 소재로서 지금부터 크게 이바지하게 될 것이다.

모든 종류가 매거된 인간 게놈의 체계는 '상징적인 의미에서' 인류의 유산이다. 이에 반해 모든 가능성이 매거된 철학 사상의 태피스트리는 오히려 구체적인 의미에서 인류의 유산이 될 것이다. 그것은 우리의 손에 아직 주어져 있지 않지만, 우리가 언젠가는 반드시 손에 넣을 수 있는 유산일 것이다.

후기

　『세계철학사』 전 8권도 마침내 완결하게 되었다. 편자의 한 사람으로서 지금까지 계속해서 뒷받침해주신 독자 여러분께 깊이 감사드리고자 한다.

　세계의 여러 지역의 철학을 모아놓은 것이나 세계라는 전체로부터 조감하는 것이 아니라 세계와 철학 그리고 역사의 복합어로서 세계철학과 세계철학사를 생각한다. 이러한 시도는 아마도 달리 유례를 찾아볼 수 없는 것일 터이다. 세계, 철학, 역사의 복합 방식에 미리 정해진 방법이 있는 것은 아니다. 세계란 무엇인가? 철학을 어떻게 다시 구상할 것인가? 역사를 말한다는 것은 어떠한 것인가? 이러한 물음에 부딪히면서 실천적으로 '세계철학할' 것이 요구된 것이다. 그리고 각각의 집필자가 이러한 물음들을 자신의 방식으로 받아들이고, 편자로부터의 주문에 대해서도 성실하게 응답해주었다. 다시 한번 감사드린다.

겨우 일 년 정도로 하여 달려왔기 때문에, 지금 돌이켜보면 전체의 구성이나 개개 논문의 연계와 관련해서도 조금 개선할 여지가 있었던 것이 아닐까 생각되기도 한다. 편자의 역부족을 부끄러워하면서 다른 날을 기약하고자 한다(올해 12월에 남은 문제를 생각하는 별권을 간행하기로 하였다).

문학과 역사학, 종교학과 문화 인류학 그리고 젠더 연구 등이 서양 중심주의에서 벗어나려고 고투하는 가운데, 철학은 뒤처져서 그저 우러러 부러워했을 뿐이다. 그것은 스스로야말로 보편적이라고(당연히 보편적일 것이라고) 확신했기 때문일 것이다. 그러나 참으로 보편적인 것을 향하고자 하는 것이라면, 더욱더 그 보편성에 대해 철학적으로 끝까지 생각해야만 한다. 이를 위해서도 세계 철학사라는 것은 중요한 시금석이 되는 것이 아닐까?

이 점은 아마도 근대적인 대학 제도의 반성으로도 이어질 것이다. 왜 아직껏 대학 제도 속에서 철학은 유럽과 미국의 철학과 등치되는 것일까? 철학을 참으로 보편을 향해 열기 위해서는 학문의 편성 그 자체를 다시 생각해야만 하는 것이 아닐까? 흥미롭게도 이 『세계철학사』에 참여해준 집필자는 다양한 학문 배경을 지니며, 학제적인 연구를 수행하고 있는 분도 적지 않다. 이러한 집필자분들과 『세계철학사』를 편찬했다는 것도 우리의 메시지이다.

신형 코로나바이러스의 팬데믹이 들이대는 문제는 몇 가지 있지만, 그 가운데 중요한 것은 인간의 삶의 방식을 새롭게 사유하는 것이라고 우리는 생각한다. 과연 철학은 어떠한 개념을 다시 가다듬거나 창조함으로써 이 물음에 응답할 것인가?『세계철학사』전 8권이 완결된 지금이야말로 새롭게 함께 생각해보았으면 한다. 이를 위해 귀중한 실마리를 집필자 한 분 한 분이 남겨주었다.

마지막으로 이 『세계철학사』의 간행을 가능하게 해준 교열자, 디자이너, 찾아보기 제작자, 인쇄소, 출판사의 모든 분에게 진심으로 감사를 드린다. 신형 코로나바이러스에 의해 강제된 극도의 긴장 속에서 이 시리즈를 계속해서 출판할 수 있었던 것은 모든 분의 덕택이다. 그 모든 분에게 감사드린다. 그리고 누구보다도 편집자인 마쓰다 다케시松田 健 씨에게는 이름을 적어 감사드리지 않을 수 없다. 마쓰다 씨의 열정과 냉정한 관리가 없었다면 전 8권이 갖추어질 수는 없었다고 생각한다. 다시 한번 깊은 고마움을 표한다.

다른 세 분 편집위원 선생들, 이토 구니타케 선생, 야마우치 시로 선생, 노토미 노부루 선생에게는 신세를 지고만 있었다. 어떻게든 어려움을 극복할 수 있었던 것도 이 세 분 선생들과의 온화하고 화목한 주고받음이 있었기 때문이었다. 기획부터 지금까지를 되돌아보면, 그저 '기적적인'이라는 말을 사용하고 싶을 뿐이다.

철학은 '희철학希哲学'이기도 했다. 거기에는 '希(바라다, 기대하다'라는 생각이 들어 있다. 와야 할 세계철학을 기대하면서 붓을 놓고자 한다.

2020년 7월

제8권 편자 나카지마 다카히로

■ 편자

이토 구니타케^{伊藤邦武} __ 종장

이토 구니타케^{伊藤邦武} __ 종장

1949년생. 류코쿠대학 문학부 교수, 교토대학 명예교수. 교토대학 대학원 문학연구과 박사과정 학점 취득 졸업. 스탠퍼드대학 대학원 철학과 석사과정 수료. 전공은 분석 철학·미국 철학. 저서『프래그머티즘 입문』(ちくま新書),『우주는 왜 철학의 문제가 되는가』(ちくまプリマ―新書),『퍼스의 프래그머티즘』(勁草書房),『제임스의 다원적 우주론』(岩波書店),『철학의 역사 이야기』(中公新書) 등 다수.

야마우치 시로^{山内志朗}

1957년생. 게이오기주쿠대학 문학부 교수. 도쿄대학 대학원 인문과학연구과 박사과정 학점 취득 졸업. 전공은 서양 중세 철학·윤리학. 저서『보편 논쟁』(平凡社ライブラリ―),『천사의 기호학』(岩波書店),『'오독'의 철학』(青土社),『작은 윤리학 입문』,『느끼는 스콜라 철학』(이상, 慶應義塾大学出版会),『유도노산의 철학』(ぷねうま舍) 등.

나카지마 다카히로^{中島隆博} __ 머리말·후기

1964년생. 도쿄대학 동양문화연구소 교수. 도쿄대학 대학원 인문과학연구과 박사과정 중도 퇴학. 전공은 중국 철학·비교사상사. 저서『악의 철학―중국 철학의 상상력』(筑摩選書),『장자―닭이 되어 때를 알려라』(岩波書店),『사상으로서의 언어』(岩波現代全書),『잔향의 중국 철학―언어와 정치』,『공생의 프락시스―국가와 종교』(이상, 東京大学出版会) 등.

노토미 노부루^{納富信留}

1965년생. 도쿄대학 대학원 인문사회계 연구과 교수. 도쿄대학 대학원 인문과학연구과 석사과정 수료. 케임브리지대학 대학원 고전학부 박사학위 취득. 전공은 서양 고대 철학. 저서『소피스트란 누구인가?』,『철학의 탄생―소크라테스는 누구인가?』(이상, ちくま学芸文庫),『플라톤과의 철학―대화편을 읽다』(岩波新書) 등.

■ 집필자

이치노세 마사키一ノ瀬正樹__제1장

1957년생. 도쿄대학 명예교수, 무사시노대학 글로벌학부 교수. 옥스퍼드 대학 명예
펠로우. 도쿄대학 대학원 철학 전공 박사과정 수료. 박사(문학). 전공은 철학(인과론·인격
론). 저서『인격지식론의 생성』,『죽음의 소유』(이상, 東京大学出版会),『영미 철학 입문』(ち
くま新書),『영미 철학사 강의』(ちくま学芸文庫),『방사능 문제에 맞서는 철학』(筑摩選書),
『원인과 결과의 미궁』(勁草書房),『확률과 애매성의 철학』(岩波書店) 등.

히가키 다쓰야檜垣立哉__제2장

1964년생. 오사카대학 대학원 인간과학연구과 교수. 도쿄대학 대학원 인문과학연구과
박사과정 중도 퇴학. 박사(문학). 전공은 프랑스 철학·일본 철학. 저서『들뢰즈(증보
신판)』(ちくま学芸文庫),『들뢰즈 입문』,『삶과 권력의 철학』(이상, ちくま新書),『일본
철학 원론 서설』(人文書院),『순간과 영원』(岩波書店) 등.

치바 마사야千葉雅也__제3장

1978년생. 리쓰메이칸대학 대학원 첨단종합학술연구과 교수. 도쿄대학 대학원 종합문
화연구과 박사과정 수료. 박사(학술). 전공은 철학·표상문화론. 저서『지나치게 움직여서
는 안 된다―질 들뢰즈와 생성 변화의 철학』(河出文庫),『공부의 철학―와야 할 바보를
위해(증보판)』(文春文庫),『의미가 없는 무의미』(河出書房新社) 등.

시미즈 아키코清水晶子__제4장

1970년생. 도쿄대학 대학원 종합문화연구과 교수. 도쿄대학 대학원 인문과학연구과
박사과정 수료. 웨일스대학 카디프교 비평·문화이론센터에서 성 정치학의 석사학위
및 Ph. D. 취득. 전공은 페미니즘·퀴어 이론. 저서 *Lying Bodies: Survival and Subversion
in the Field of Vision*(Peter Lang),『사랑의 기법―퀴어 리딩이란 무엇인가』,『읽기의
퀴어』(모두 공저, 中央大学出版部) 등.

안도 레이지安藤礼二__제5장

1967년생. 문예평론가, 다마미술대학 미술학부 교수. 와세다대학 제일문학부 졸업.
전공은 문예 비평·근대 일본 사상사. 저서『빛의 만다라―일본 문학론』(講談社文芸文庫),

『신들의 투쟁 — 오리쿠치 시노부론』, 『오리구치 시노부』, 『다이세츠』(이상, 講談社), 『열도 축제론』(作品社), 『예술 인류학 강의』(공저, ちくま新書) 등.

나카타 고^{中田 考}__제6장

1960년생. 이븐할둔대학 객원교수. 도쿄대학 대학원 인문과학연구과 석사과정 수료. 카이로대학 대학원 철학과 박사과정 수료. 철학박사. 전공은 이슬람법학·이슬람지역 연구. 저서 『이슬람. 삶과 죽음의 성전』(集英社新書), 『이슬람의 로직』(講談社選書メチエ), 『이슬람의 논리』(筑摩選書), 『칼리프제 재흥』(書肆心水), 『이슬람학』(作品社) 등.

오우 젠^{王前}__제7장

1967년생. 도쿄대학 교양학부 특임 준교수. 도쿄대학 대학원 종합문화연구과 박사과정 수료. 전공은 정치 철학·사상사. 저서 『중국이 읽은 현대 사상』(講談社選書メチエ), 『근대 일본 정치사상사』(공저, ナカニシヤ出版) 등.

우에하라 마유코^{上原麻有子}__제8장

1965년생. 교토대학 대학원 문학연구과 교수. 프랑스 국립사회과학고등연구원 역사문명과 박사학위(철학·번역학) 취득. 전공은 근대 일본 철학. 저서 *Philosopher la traduction/Philosophizing Translation*(편저, Nanzan Institute for Religion and Culture/ Chisokudō Publications), 『막부 말기 메이지 이행기의 사상과 문화』(공편저, 勉誠出版) 등.

아사쿠라 토모미^{朝倉友海}__제9장

1975년생. 도쿄대학 대학원 종합문화연구과 준교수. 도쿄대학 대학원 인문사회계연구과 박사과정 수료. 박사(문학). 전공은 철학·비교 사상. 저서 『'동아시아에 철학은 없는가' — 교토학파와 신유가』(岩波現代全書), 『개념과 개별성 — 스피노자 철학 연구』(東信堂) 등.

고노 데쓰야^{河野哲也}__제10장

1963년생. 릿쿄대학 문학부 교육학과 교수. 게이오기주쿠대학 대학원 문학연구과 박사후 과정 수료. 박사(철학). 전공은 철학·윤리학·교육 철학. 저서 『스스로 생각하고 스스로 이야기한다 — 아이를 기르는 철학 수업』(河出書房新社), 『도덕을 다시 묻는다 — 자유주의와 교육의 행방』(ちくま新書), 『의식은 실재하지 않는다 — 마음·지각·자유』(講談社選書メチエ), 『경계의 현상학 — 시원의 바다에서 유체의 존재론으로』(筑摩選書) 등.

오키나가 다카시^{沖永宜司}__ 칼럼 1

1969년생. 데이쿄대학 문학부 교수. 교토대학 대학원 인간·환경학연구과 박사과정 수료. 박사(인간·환경학). 전공은 철학(종교 철학·프래그머티즘·현대 형이상학·마음의 철학). 저서 『시원과 근거의 형이상학』(北樹出版), 『마음의 형이상학 ― 제임스 철학과 그 가능성』, 『무와 종교경험 ― 선의 비교종교학적 고찰』(이상, 創文社) 등.

다이코쿠 고지^{大黑弘慈}__ 칼럼 2

1964년생. 교토대학 대학원 인간·환경학연구과 교수. 도쿄대학 대학원 경제학연구과 박사과정 수료. 박사(경제학). 전공은 경제 이론·경제 사상사. 저서 『화폐와 신용 ― 순수 자본주의 비판』(東京大学出版会), 『모방과 권력의 경제학 ― 화폐의 가치를 바꿔라〈사상사 편〉』, 『맑스와 가짜 돈 만들기 ― 화폐의 가치를 바꿔라〈이론 편〉』(이상, 岩波書店) 등.

구키타 미나오^{久木田水生}__ 칼럼 3

1973년생. 나고야대학 대학원 정보과학연구과 준교수. 교토대학 대학원 문학연구과 박사후과정 수료. 전공은 기술 철학·정보 철학. 저서 『로봇으로부터의 윤리학 입문』(공저, 名古屋大学出版会), 『인공지능과 인간·사회』(공편저, 勁草書房) 등.

나카노 히로타카^{中野裕考}__ 칼럼 4

1975년생. 오차노미즈여자대학 기간연구원 준교수. 도쿄대학 대학원 인문과학연구과 석사과정 수료. 멕시코국립자치대학 철문학부 박사학위 취득. 전공은 서양 근대 철학. 저서 『현대 칸트 연구 14. 철학의 체계성』(공편저, 晃洋書房), 『칸트의 자기촉발론』(東京大学出版会, 근간), 논문 "Toward a Redefinition of Japanese Philosophy", *Tetsugaku 3* 등.

■ 옮긴이

이신철^{李信哲}

가톨릭관동대학교 VERUM교양대학 교수. 연세대학교 철학과를 졸업, 건국대학교 대학원에서 철학 박사학위 취득. 전공은 서양 근대 철학. 저서로 『진리를 찾아서』, 『논리학』, 『철학의 시대』(이상 공저) 등이 있으며, 역서로는 피히테의 『학문론 또는 이른바 철학의 개념에 관하여』, 회슬레의『객관적 관념론과 근거짓기』, 『현대의 위기와 철학의 책임』, 『독일철학사』, 셸링의『신화철학』(공역), 로이 케니스 해크의 『그리스 철학과 신』, 프레더릭 바이저의『헤겔』, 『헤겔 이후』, 『이성의 운명』, 헤겔의 『헤겔의 서문들』, 하세가와 히로시의『헤겔 정신현상학 입문』, 곤자 다케시의『헤겔과 그의 시대』, 『헤겔의 이성, 국가, 역사』, 한스 라데마커의『헤겔『논리의 학』 입문』, 테오도르 헤르츨의『유대 국가』, 가라타니 고진의『트랜스크리틱』, 울리히 브란트 외『제국적 생활양식을 넘어서』, 프랑코 '비코' 베라르디의『미래 가능성』, 사토 요시유키 외『탈원전의 철학』 등을 비롯해, 방대한 분량의 '현대철학사전 시리즈'(전 5권)인『칸트사전』, 『헤겔사전』, 『맑스사전』(공역), 『니체사전』, 『현상학 사전』이 있다.

* 고딕은 철학 관련 사항

	유럽·아메리카	아프리카·아시아 (동아시아 이외)	중국·조선	일본
1900	1900 니체 사망 1901 **라캉 태어남 [~1981]** 1902 **포퍼 태어남 [~1994]** 1903 **아도르노 태어남 [~1969]** 1905 **사르트르 태어남 [~1980]** 1906 **아렌트 태어남 [~1975]. 괴델 태어남 [~1978]. 레비나스 태어남[~1995]** 1908 **메를로퐁티 태어남[~1961]. 보부아르 태어남[~1986]. 레비스트로스 태어남 [~2009]. 콰인 태어남 [~2000]** 1909 **베유 태어남 [~1943]**	1905 벵골 분할령, 스와라지 스와데시 운동의 시작 1906 **하산 반나 태어남 [~1949]. 사이드 쿠툽 태어남[~1966]. 상고르 태어남[~2001]**	1900 의화단 사건 1901 베이징 의정서. **김교신 태어남[~1945]. 함석헌 태어남 [~1989]** 1902 **허린 태어남 [~1992]** 1905 과거의 폐지 1909 **홍첸 태어남 [~1992]. 머우쭝산 태어남[~1995]. 탕쥔이 태어남[~1978]**	1900 **도사카 준 태어남 [~1945]. 니시타니 게이지 태어남[~1990]** 1902 **다나카 미치타로 태어남[~1985]. 고바야시 히데오 태어남 [~983]. 영일동맹** 1903 기요자와 만시 사망 1904 러일전쟁 [~1905]
1910	1911 **오스틴 태어남 [~1960]** 1913 **리쾨르 태어남 [~2005]** 1914 퍼스 사망. 제1차 세계대전 시작 [~1918]	1910 가나의 정치사상가 존 사르바 사망 1912 라이베리아의 사상가 에드워드 블라이덴 사망. 르완다의 철학자 **알렉시스 카가메 태어남[~1981]**	1910 **첸중수 태어남 [~1998]**. 한국, 일본에 의해 병합된다 [~1945] 1911 **슝웨이 태어남 [~1994]**. 신해혁명으로 청조 붕괴	1910 **다케우치 요시미 태어남[~1977]**. 대역사건 1911 『청탑』 발간. 니시다 기타로 『선의 연구』 간행된다 1913. 오카쿠라 덴신 사

				망
	1915 롤랑 바르트 태어남[~1980] 1916 마흐 사망 1917 러시아 혁명 1918 슈펭글러 『서구의 몰락』 간행 1919 베르사유 조약 조인	1913 에메 세제르 태어남[~2008] 1914 나시르딘 알바니 태어남[~1999] 1918 넬슨 만델라 태어남[~2013]	1912 중화민국 성립 1915 천두슈, 『청년잡지』(후에 『신청년』)을 상해에서 창간, 신문화운동을 시작한다 1917 윤동주 태어남[~1945]. 왕셴첸 사망 1919 후스 『중국 철학사 대강』 상권이 간행된다. 5·4운동이 일어난다	1914 이즈쓰 도시히코 태어남[~1993]. 마루야마 마사오 태어남[~1996] 1918 시베리아 출병. 쌀 소동 1919 이노우에 엔료 사망
1920	1920 뷔유망 태어남[~2001]. 국제연맹 발족 1921 롤즈 태어남[~2002] 1922 토머스 쿤 태어남[~1996]. 소비에트사회주의공화국연방 성립[~1991] 1924 리오타르 태어남[~1998] 1925 파농 태어남[~1961]. 들뢰즈 태어남[~1995] 1926 푸코 태어남[~1984]. 퍼트넘 태어남[~2016] 1928 촘스키 태어남 1929 버나드 윌리엄스 태어남[~2003]. 하버마스 태어남. 세계 대공황 시작된다	1921 이스마일 파루키 태어남[~1986] 1922 모잠비크의 저널리스트 조세 크라베이리냐 태어남[~2003] 1923 세네갈의 역사가 셰이크 안타 디옵 태어남[~1986] 1928 이슬람 철학자 무함마드 아르쿤 태어남[~2010]	1921 엔푸 사망 1925 쑨원 사망 1927 캉유웨이 사망. 왕궈웨이 사망 1929 량치차오 사망	1921 오모리 쇼조 태어남[~1997] 1922 쓰루미 슌스케 태어남[~2015] 1923 간토대지진 1925 치안유지법 공포 1926 우에다 시즈테루 태어남[~2019] 1928 제1회 보통선거 시행
1930	1930 이리가레 태어남 1931 로티 태어남[~2007] 1933 수전 손택 태어남	1930 데리다 태어남[~2004]. 가나의 저널리스트 J. 헤이포드 사망	1930 리쩌허우 태어남 1931 만주사변 1932 만주국 건국 선언	1930 우치무라 간조 사망 1931 이치카와 히로시 태어남[~2002]

연도				
	[~2004] 1934 오드리 로드 태어남[~1992] 1935 위티그 태어남[~2003] 1937 라뤼엘 태어남 1938 후설 사망 1939 프로이트 사망. 제2차 세계대전 시작된다[~1945]	1931 기메룬의 철학지 마르시앙 토와 태어남[~2014]. 케냐의 철학자 J. 음비티 태어남[~2019]. 가나의 철학자 콰메 위르두 태어남. 반아파르트헤이트 활동가 데스몬드 투투 태어남 1934 가나의 철학자 W. E. 에이브러햄 태어남 1935 E. 사이드 태어남[~2003]. 이슬람 철학자 하산 하나피 태어남. 나이지리아의 철학자 테오필루스 오케레 태어남 1938 인도의 무슬림 철학자 무함마드 이크발 사망 1939 가나의 철학자 콰메 제체 태어남[~2019]	1934 펑유란 『증국철학사』 간행된다 1936 장빙린 사망. 루쉰 사망 1937 중일전쟁 시작된다[~1945]	1932 5·15 사건 1933 히로마쓰 와타루 태어남[~1994] 1936 사카메 메구미 태어남[~2009]. 2·26 사건 1937 기타 잇키 사망. 인민전선 사건[~1938]
1940	1940 벤야민 사망 1941 베르그송 사망. 크리스테바 태어남 1942 스피박 태어남. 아감벤 태어남 1947 화이트헤드 사망. 파리 강화조약	1941 콩고의 철학자 발랑탱-이브 무딤베 태어남 1942 베냉의 철학자 폴린 J. 훈톤지 태어남 1944 케냐의 철학자 헨리 오데라 오루카 태어남[~1995] 1945 플라시드 탕펠 『반투 철학』 간행. 나이지리아 출신의 철학자 셰군 바데게신 태어남 1946 반아파르트헤이트 활동가 스티브 비코 태어남[~1977]	1940 차이위안페이 사망 1941 김지하 태어남 1943 구양점 사망 1947 태허 사망 1948 대한민국 성립. 조선민주주의인민공화국 성립 1949 중화인민공화국 성립 국민 정부 타이완으로 옮긴다	1941 구키 슈조 사망. 가라타니 고진 태어남. 태평양 전쟁 시작된다[~1945] 1944 이노우에 데쓰지로 사망. 미키 기요시 사망. 히로시마·나가사키에 원폭 투하. 포츠담 선언 수락 1946 일본국 헌법 발포

		1947 콩고의 철학자 오콘다 오콜로 태어남. 인도 독립 1948 간디 사망. 제1차 중동 전쟁[~1949]		
1950	1951 비트겐슈타인 사망 1952 듀이 사망 1955 오르테가 사망 1956 주디스 버틀러 태어남 1958 무어 사망 1959 말라부 태어남. 쿠바 혁명	1954 가나의 철학자 콰메 앤터니 애피아 태어남. 알제리 전쟁 시작된다[~1962] 1955 베트남 전쟁 시작된다[~1975]	1950 한국전쟁 시작된다[~1953(현재 휴전 중)] 1958 탕쥔이와 머우쭝산 등 「당대 신유가 선언」을 발표	1951 샌프란시스코 강화 회의 1953 오리구치 시노부 사망 1956 미나마타병이 발견된다
1960	1962 바타유 사망. 바슐라르 사망 1967 메이야수 태어남. 유럽공동체(EC) 발족 1968 프랑스 5월 혁명. 프라하의 봄. 킹 목사 암살 1969 아폴로 11호 달 착륙	1960 '아프리카의 해' 아프리카에서 17개 국이 독립 1967 반아파르트헤이트 운동의 사상가 앨버트 루툴리 사망. 동남아시아국가연합(ASEAN) 발족	1962 후스 사망 1966 '문화 대혁명'이 본격적으로 시작된다 1968 슝스리 사망	1960 와쓰지 데쓰로 사망. 안보투쟁 1962 다나베 하지메 사망. 야나기타 구니오 사망
1970	1970 러셀 사망 1971 닉슨 쇼크 1972 로마 그룹 『성장의 한계』 발표 1976 하이데거 사망	1979 이란 혁명	1973 장둥쑨 사망 1976 마오쩌둥 사망. '문화 대혁명'이 사실상 종식.	1971 히라쓰카 라이테우 사망 1972 오키나와 반환. 중일 국교 정상화
1980	1985 슈미트 사망 1986 체르노빌 원전 사고 1989 베를린 장벽 붕괴	1980 이란-이라크 전쟁[~1988]	1984 진웨린 사망 1987 타이완(중화민국)에서 계엄령이 해제된다 1989 64천안문사건	1980 이데 다카시 사망 1986 남녀고용기회 균등법 시행
1990	1990 동서 독일 통합 1991 소비에트 연방 붕괴	1991 걸프 전쟁 1994 넬슨 만델라 남아프리카공화국 대	1990 펑유란 사망 1996 타이완에서 최초의 총통 민선을 실	1990 버블 붕괴 시작된다 1995 한신·아와지 대

	1993 유럽연합(EU) 발족 1995 소칼 사건 1999 코소보 분쟁으로 NATO군이 유고 공습	통령에 선출된다. 아파르트헤이트 철폐 1996 타보 음베키의 아프리카주의 선언	시 1997 홍콩 반환	지진, 지하철 사린 사건
2000	2001 미국 동시다발 테러 사건(9.11) 2008 리먼 쇼크, 세계 금융 위기가 확산된다	2003 이라크 전쟁 [~2011]	2003 SARS 코로나바이러스의 유행	
2010	2015 그리스, 금융 위기 2017 미국, 트럼프 정권 발족	2015 시리아 난민 급증	2010 중국이 국민총생산에서 일본을 앞지르고 세계 제2위가 된다 2014 홍콩에서 우산 운동이 일어난다	2011 동일본 대지진
2020			2020 중국·우한에서 발생한 신형 코로나바이러스 감염증 (COVID-19)이 전 세계에서 유행한다	

책임편집 이토 구니타케+야마우치 시로+나카지마 다카히로+노토미 노부루

옮긴이 이신철

세계철학사 1 — 고대 I

세계철학사 2─고대Ⅱ

의지 Ⅰ 4. 원죄·근원 악과 인류의 굴레

후 기 노토미 노부루

— 칼럼 1. 알렉산드리아 문헌학 데무라 미야코 Ⅰ 칼럼 2. 율리아누스의 '살아 있는
철학' 나카니시 교코 Ⅰ 칼럼 3. 조지프 니덤이 발견한 것 쓰카하라 도고

— 편자·집필자·옮긴이 소개 Ⅰ 연표 Ⅰ 찾아보기

세계철학사 5 — 중세 III

세계철학사 7 — 근대 II

세계철학사 8 — 현대

세계철학사 별권 — 미래를 열다

한국어판 ⓒ 도서출판 b, 2023

세계철학사 8

초판 1쇄 발행일 2023년 05월 15일

엮은이 이토 구니타케+야마우치 시로+나카지마 다카히로+노토미 노부루
옮긴이 이신철
기 획 문형준, 복도훈, 신상환, 심철민, 이성민, 이신철, 이충훈, 최진석
편 집 신동완
관 리 김장미
펴낸이 조기조
발행처 도서출판 b
인쇄소 주)상지사P&B
등 록 2003년 2월 24일 제2006-000054호
주 소 08772 서울특별시 관악구 난곡로 288 남진빌딩 302호
전 화 02-6293-7070(대)
팩 스 02-6293-8080
이메일 bbooks@naver.com
누리집 b-book.co.kr

책 값 30,000원
ISBN 979-11-89898-90-8 (세트)
ISBN 979-11-89898-98-4 94140